W9-BTL-003

L'ANNÉE
DES ADIEUX

Du même auteur

A l'aube du féminisme. Les premières journalistes, Payot, 1979.
Secrets d'alcôve : une histoire du couple de 1830 à 1930, Hachette, 1983.
L'Amour à l'arsenic : histoire de Marie Lafarge, Denoël, 1986.
La Vie quotidienne dans les maisons closes de 1830 à 1930, Hachette, 1990.
Les Femmes politiques, Seuil, 1994.

En collaboration

Misérable et glorieuse. La femme au XIXe *siècle* (sous la dir. de Jean-Paul Aron), Fayard, 1981.
Avignon : 40 ans de festival (avec Alain Veinstein), Hachette, 1987.

Laure Adler

L'ANNÉE DES ADIEUX

Flammarion

ISBN : 2-080-6705-6
Imprimé en France

Ce livre n'aurait pu être rédigé sans l'accord de François Mitterrand qui m'a ouvert, pendant plus d'une année, les portes de l'Élysée et m'a autorisée à m'entretenir avec ses collaborateurs en toute liberté.

Qu'il en soit ici remercié.

JANVIER 1994

Comme tous les jeudis il est revenu vers une heure de l'après-midi crotté, boueux, les cheveux ébouriffés. Il a laissé sur le perron ses deux compagnons, son médecin personnel militaire, le docteur Kalfon, et le général Vougny, chargé auprès de lui des questions de dissuasion nucléaire. Si l'on en juge par son entrain à marcher sous la pluie sur le terrain de golf du domaine militaire de Villacoublay, « le Vieux », comme il s'appelle souvent lui-même ironiquement, ne va pas trop mal. Il va même plutôt bien. Charmeur, fonceur, gourmand, ironique, il glose avec humour sur la cohabitation, objet de tant de commentaires dans les journaux. Dure? Douce? Là n'est pas le problème : « La cohabitation? C'est un peu comme la navigation sur la Loire : on ne peut pas foncer sans risquer de s'échouer sur un banc de sable. » Mitterrand joue donc, en ce début d'année 1994, le rôle du navigateur solitaire. Seul, d'ailleurs, il l'est vraiment dans ce palais de l'Élysée, à s'arc-bouter politiquement : « Ne vous y trompez pas, le Premier ministre garde et gardera longtemps encore un soutien fort de l'opinion. Les gens ne veulent pas de Chirac et il n'y a pas de candidat qui se dégage à gauche. La cohabitation, j'en traite en gardant à l'esprit la nécessité d'être à l'écoute de l'opinion. Je ne peux pas m'abstraire du jeu politique. Or le Parti socialiste n'a pas retrouvé sa force, Rocard ne décolle pas. »

Il a invité quelques amis à déjeuner dans son appartement privé comme il en a coutume le jeudi. Petit, coquet, pratique, au cœur du palais le plus officiel de la République, on s'y sent vraiment dans un espace privé. En visite chez un bourgeois de province qui se piquerait d'art contemporain. Un grand divan de cuir jouxte la table ronde. Ici pas de tralala salon salle à manger. On passe directement à table pour un menu quasi immuable : plateau de fruits de mer (sublime), volaille grillée, tarte aux fruits. Comme d'habitude le Président a prévenu tardivement en fin de matinée son secrétariat particulier du nombre de convives. Comme d'habitude, le chef cuisinier a été obligé de se démener pour préparer en toute hâte le déjeuner. Il ne veut pas commenter, mais on sent qu'il n'en pense pas moins. Philosophe, il raconte qu'il les a tous connus, les Présidents. Pensez, engagé sous de Gaulle, le voilà au zénith de sa carrière avec Mitterrand. Tous pareils, les Présidents, au demeurant, excepté Giscard, qui aimait les choses compliquées. Ils apprécient les choses simples et qui ont du goût. Mais il faut toujours que ça aille vite. Ils ne se rendent pas compte, nos Présidents. Remarquez, on est à leur disposition.

C'est vrai. Tout le monde dans ce palais de l'Élysée est à la disposition permanente du Président. Le palais sans son chef n'est que le château de la Belle au bois dormant. Cela ne veut pas dire que Mitterrand en soit le prince charmant qu'attendent calmement quelques princesses endormies. Non, mais ici, tout tourne autour du Président, autour de sa personne. Celles et ceux qui y travaillent et qui ne le comprendraient pas peuvent en devenir fous ou mélancoliques. On en connaît même des suicidaires. Le palais de l'Élysée a beau être une maison militaire, c'est aussi une maison où *il* travaille, se déplace et dort quelquefois. Ses circuits sont connus de tous et se révèlent, depuis des années, étrangement répétitifs. Le Président n'est pas du genre à se promener dans les couloirs, à débouler dans un bureau. Pourtant, c'est une évidence : quand on pénètre dans le palais, son aura est partout, impalpable, omniprésente.

A l'Élysée on se sent sous haute surveillance. On ne parle pas fort, on se déplace lentement dans les couloirs, on glisse plutôt qu'on ne marche, on échange des informations plutôt qu'on ne parle. Ici tout est ordre, calme et silence. La volupté, c'était avant. Du temps où les gouvernements étaient de gauche et où les conseillers pouvaient croire qu'ils détenaient un peu de pouvoir. Maintenant ils passent leur temps à faire semblant. Semblant d'exister aux yeux de leurs pairs et à leurs propres yeux. L'infirmière de la Présidence ne se demande plus pourquoi, depuis avril 1993, tant de collaborateurs du Président ont du mal à respirer. Il ne faut pas croire pour autant qu'au palais tout le monde se tourne les pouces. Bien au contraire, selon les jours et selon le calendrier du Président, le palais peut tour à tour se transformer en véritable ruche, en quartier général d'état-major, en vaste salon où devisent les grands de ce monde quand ce n'est pas en cour de récréation pour jolies petites filles en fin d'après-midi le jour des remises de décorations.

L'Élysée est une vaste maison qui palpite au gré des turbulences du monde et des battements de cœur du Président. Il y est, il y reste. Il a été élu encore pour sept ans. Il y demeurera jusqu'au bout si sa santé le lui permet. L'Élysée a beau être le palais de la République, on n'y habite pas impunément pendant quatorze ans sans y mettre sa marque, sans y apposer son sceau (oui, il y a un aspect délibérément royal chez Mitterrand), sans y dévoiler des bribes de son fonctionnement le plus secret. L'Élysée, au fil des ans, est devenu la maison de Mitterrand, un étrange capharnaüm, une centrale nucléaire de décisions politiques, une arche de Noé où survivent quelques témoins des différentes aventures publiques ou privées du Président, un palais d'apparat, où les gardes à l'entrée vous demandent vos papiers et où, à l'intérieur, les passions les plus pures comme les plus funestes trouvent à se nourrir.

Mitterrand, quand il vous fait visiter l'Élysée pour la première fois, aime bien vous montrer en priorité le salon d'argent dans l'aile des petits appartements où Napoléon rédigea une lettre d'abdication, puis il vous fait admirer la bibliothèque au fond de l'enfilade des grands salons, avant de vous emmener dans son bureau en empruntant son ascenseur lambrissé. Du palais il connaît bien l'histoire, aime rappeler qu'au début du XVIIIe siècle le faubourg Saint-Honoré n'était encore qu'une plaine quadrillée de pâturages et de cultures maraîchères. Et quand il décida, il y a quatre ans, de réaménager le parc de l'Élysée, si triste et si moche, il se souvint des frasques de Jeanne Antoinette Poisson, plus connue sous le nom de marquise de Pompadour, qui, devant le palais, construisit des portiques, dessina des charmilles, fit couler des cascades. Mitterrand n'osa pas demander au paysagiste, Jacques Wirtz, qu'il choisit pour faire renaître le jardin d'y recréer un labyrinthe et d'y construire une grotte comme du temps de la marquise – c'eût été interprété : on imagine Mitterrand et Balladur en train d'y préparer le Conseil des ministres –, mais il modifia les contours, réinventa des bosquets, des pièces d'eau, bref y introduisit de la fantaisie, de la gaieté, rendant ainsi le parc plus libre, plus sauvage, moins officiel. La nature a ses droits, mais l'architecture empêche toute véritable rénovation : le palais est une masse sévère où les espaces de bureaux se déploient de chaque côté du bâtiment central. Quand on y pénètre les premières fois, on est frappé, en parcourant les ailes, par l'immensité des couloirs, la petitesse des bureaux et les plafonds bas. On a l'impression physique de pénétrer dans une forteresse encadrant une cour militaire sévère et dont les murs viendraient mourir sur les fers forgés de la grille de la rue du Faubourg-Saint-Honoré. L'espace paraît géométriquement pensé, donc simple à comprendre pour ceux qui veulent s'y déplacer. Il n'en est rien. Au début, en 1981, tout le monde se perdait, se souvient Paulette Decraene, fidèle d'entre les fidèles de Mitterrand depuis plus de trente ans et qui a suivi le Président dans son secrétariat particulier. Les kilomètres de couloir, la solennité des lieux, la politesse compassée du personnel, tout cela la sidérait, elle qui avait connu le côté bricolo, militant et improvisé des locaux de campagne depuis 1974. « Mais c'était sale, dégueulasse même. Giscard n'avait rien fait pour remettre en état ce bâtiment tombé en déshérence. » Les moquettes étaient usées jusqu'à la corde – je vous rassure, elles sont maintenant d'un bleu royal! –, les bureaux non repeints et les conditions sanitaires même pas... minimales. Aujourd'hui, en cette fin de parcours mitterrandien, beaucoup de travaux ont été effectués, réfection nécessaire certes, mais aussi modification du bâtiment – notamment la verrière au-dessus du jardin d'hiver –, tout cela pris en charge par le Quai d'Orsay et le ministère de la Culture. Quand le bâtiment va, tout va! Mais la Présidence de la République, qui ne dispose que d'une dotation ridicule au regard par exemple du budget de l'Assemblée nationale et du Sénat, est obligée de mendier ses sous à ses ministères de tutelle pour réparer ses tuyaux. Ainsi va la vie politique. La Présidence arbitre, décide pour les autres mais doit demander pour elle!

Et ce n'est pas grâce à son argent de poche, qu'elle obtient à la fois par la revente du gibier des chasses présidentielles – vous achetez ainsi sans le savoir chez vos volaillers préférés des poules faisanes présidentielles des domaines de Marly, Fontainebleau ou Chambord, vendues par l'Élysée, 30, 40 francs le kilo, bon an, mal an, un gain annuel de 400 000 francs – et par celle des véhicules officiels du parc de l'Élysée – voitures blindées, R 25, 605 après quatre années d'usage –, qu'elle arrivera à rembourser la totalité de ses frais. Comme le dit M. Roy, un ancien des Finances, inspecteur du Trésor et actuel directeur à la fois du service financier et du personnel de la Présidence de la République : « On n'est pas soumis ici aux règles de la comptabilité publique. Je ne suis pas jugé par la Cour des comptes. Je suis le caissier du Président. On peut dépenser sans suivre de règles. Ici tout le monde dépense. Je suis là pour freiner. » La tâche est difficile car même quand le Président voyage, cela coûte cher à l'Élysée : en général ses collaborateurs l'accompagnent, ainsi que sa voiture blindée (avec son adorable chauffeur, l'homme à l'oreille percée), la cuisine du palais est mise à contribution – plateaux-repas et cuisiniers dépêchés sur place –, sans compter les cadeaux choisis par le Président et apportés dans les soutes de son avion. Quand le Président ne se déplace pas, il reçoit. L'État ouvre alors largement ses portes et la République ne lésine guère. Ici, à la Présidence de la République, on aime bien dire oui et faire plaisir. Tous les ministères cotisent, mais le directeur financier se sent, en permanence, en situation de quémandeur par rapport aux grandes administrations. En tout cas le successeur de Mitterrand ne pourra que se féliciter de sa gestion : l'Élysée est désormais un beau palais, bien propret, un tout petit peu coquet (je pense à la jolie couleur coquille nacrée des longs couloirs rénovés depuis l'an dernier et aux appliques modernes diffusant une lumière agréable), toujours aussi officiel, avec une tonalité légèrement surannée. L'Élysée, c'est un couvent. L'atmosphère est feutrée. Même les huissiers marchent lentement. Ici, on ne voit jamais courir les gens. Les tapis sont épais, les lumières tamisées, les militaires au garde-à-vous, les parcours codés. Ici, ni le visiteur ni l'habitant n'oseront traverser la cour mais feront consciencieusement le tour en empruntant les trottoirs de l'Élysée. Certes le gravier est calcaire et laisse des traces blanches sur l'épaisse moquette, mais il s'agit surtout d'un état d'esprit.

Matignon est un moulin, moulin à paroles, moulin à décisions. On y entre, on en sort à tout moment de la journée. Bien sûr on vérifie votre identité, mais il existe un mouvement perpétuel, nécessité par toutes ces réunions dites interministérielles. A Matignon, du temps de Michel Rocard, le personnel faisait du jogging dans le parc et le professeur de gymnastique demandait qu'on ouvre les fenêtres pour mieux oxygéner le cerveau des collaborateurs du Premier ministre. Sous le règne du nouveau Premier ministre, il paraît que les cours de gym n'ont pas repris, l'ambiance est moins boy-scout et propice au chahut que du temps de Michel Rocard, mais les va-et-vient toujours aussi incessants, les gens dans les couloirs aussi agités. Dans le parc de Matignon, les couvées de canards se multiplient. Il ne faut pas y voir un dessein particulier d'Edouard Balladur. Dans les allées de Matignon, c'est une tradition, les canards se sont toujours aimés. Ces canards officiels n'ont jamais franchi la Seine et dédaignent toujours autant le parc de l'Élysée. Pourtant le Président aime bien les bêtes. On connaît son amour (immodéré) des grands chiens. On connaît moins son attirance pour les canards. Cette semaine de janvier 1994, il a demandé qu'on fasse venir du domaine de Rambouillet un couple de colverts. Ils sont là, ils se cachent derrière les bosquets.

Mitterrand, ces temps-ci, se sent en forme. Plutôt en jambes. Lui que certains avaient dit épuisé vient d'accomplir sans coup férir, imperturbable, plutôt aimable, sa longue semaine des vœux. Un sans-faute pour ce rite qu'il affectionne, un calvaire pour le protocole, qui ne doit se tromper ni sur les préséances diplomatiques pour les corps constitués, ni sur les hiérarchies entre éminences pour les autorités religieuses.

« Le Vieux » va bien, merci, en harmonie avec la vie. Être en paix avec soi-même, cela suffit. Donc sur la santé, rien à dire. « Bien sûr, avec l'âge, je me couche plus tôt. Vingt-deux heures plutôt que minuit, mais si vous voulez, je vous invite tout de même à souper », a-t-il lancé au cours de sa présentation des vœux à la presse, qui, traditionnellement, clôt le parcours du combattant du Président avant les vœux à « sa maison », le château dont il est le prince depuis maintenant quatorze ans.

Mitterrand en sommeil? Mitterrand silencieux? Mitterrand endure-t-il la traversée du désert? Mitterrand paraît, ces temps-ci, incapable surtout de se faire entendre sur les sujets qui lui tiennent à cœur : l'inégalité, l'exclusion. Écrasé par la défaite électorale du Parti socialiste, encerclé par un gouvernement qui lui est opposé, isolé dans un palais face à une Assemblée nationale d'où les alliés ont été chassés par la volonté du peuple, Mitterrand n'a toujours pas la mentalité du vaincu. Il semble toujours aussi décidé à occuper au maximum l'espace que lui confère sa fonction de Président. N'en déplaise à certains, Mitterrand est encore là. L'Élysée, c'est son fortin, sa fonction et son titre, sa cotte de mailles. Chevalier blanchi sous le harnais, il peut contraindre au tournoi des adversaires moins aguerris que lui. Comme un chat qui somnole, il se tient aux aguets les yeux plissés. Toujours prêt à bondir. Ses ennemis le savent, qui s'en méfient en permanence. La cohabitation, ce n'est peut-être pas gai à vivre au jour le jour, mais cela crée une tension permanente génératrice de passion, une possibilité de rebondissements. Dure, douce, la cohabitation, c'est selon. Le comte de Falloux va, ce mois-ci, ressusciter miraculeusement la cohabitation « dure » alors qu'elle était auparavant, dira-t-on à Matignon, plutôt « douce ». « Douceâtre », corrige-t-on rue du Faubourg-Saint-Honoré. Un peu trouble, avec un goût d'amertume. Il aura suffi d'une visite en décembre dernier à Céret pour aller inaugurer un musée (remarquable) d'art contemporain et de quelques petites phrases bien pesées sur la laïcité pour que le Président se rappelle au bon souvenir de tous les Français... Derrière les grilles de l'Élysée, certains croyaient qu'il jouait au Scrabble en cochant les jours qui lui restaient sur son calendrier. Ô les beaux jours! D'autres l'imaginaient comptant ses sous comme oncle Picsou, bâtissant des châteaux à Venise ou complotant avec son cabinet noir la déroute du socialisme pur et dur – après moi le chaos – et préparant l'assassinat d'un duc de la deuxième gauche trop braillard et devenu encombrant. Moins on le voyait, plus on fantasmait. Lui, il attendait tranquillement. En bon orfèvre de la politique, il savait qu'après l'écrasante défaite il devait se taire. Jouer le jeu de la légalité républicaine, reconnaître en silence la victoire de la droite et laisser le gouvernement gouverner. Le calcul s'est avéré juste. Les Français lui en ont su gré. C'est pour cette raison que ses propos sur l'école ont pu être entendus. Ne pas être toujours « en parole » pour pouvoir être, un jour, écouté, c'est le *b a ba* de la communication quand on est un Président isolé, sans relais politique, mais intuitif et désireux de rester à l'écoute du peuple français. Le Président ne pensait pas qu'avec ce qu'il nomme malicieusement « mon discours de Céret », il déclencherait tant de réactions. Mais, ce matin-là, dans son bureau il s'en réjouit ouvertement. Cette histoire lui a redonné un coup de fouet, lui a fait l'effet d'une ampoule éclat-jeunesse. Le comte de Falloux l'a vraiment requinqué, au point qu'il en oublierait presque son âge et sa situation... de Président sous perfusion en temps de cohabitation.

« Ah, si j'avais dix ans de moins! me dit-il lors de notre première entrevue. J'y retournerais. Et je saurais comment faire et quoi faire pour les battre. » C'était le 14 janvier 1994, deux jours avant la manifestation pour la défense de la loi Falloux, huit jours après qu'une bonne partie de l'opinion – y compris dans les rangs du Premier ministre – eut désapprouvé la méthode de vote et le contenu de la loi Bayrou. Je venais pour lui parler de mon projet de livre et lui demander les autorisations nécessaires. A ma grande surprise, il a accepté tout de suite, informant devant moi son secrétaire général, Hubert Védrine, et sa secrétaire générale adjointe, Anne Lauvergeon. A-t-il accepté parce que j'étais l'une de ses anciennes collaboratrices? Il m'a fait remarquer que je revenais sur les lieux du crime. « Vous allez me décrire, vous aussi, en train d'espionner mes collaborateurs derrière mes doubles portes, comme votre camarade Arnoult [qui, manifestement, n'est plus le sien depuis la publication de *Grand Amour*]? » J'ai souri, n'ai pas répondu, mais je n'ai rien promis. D'ailleurs il n'a rien exigé. J'ai juste demandé des entretiens réguliers avec lui. Il n'a pas dit oui, il n'a pas dit non. J'ai insisté, arguant que sans sa parole sur les événements pendant cette dernière année le projet perdrait de son intérêt. J'était bien placée pour savoir que sans accès direct au Président, sans ses commentaires réguliers sur l'actualité et ses analyses sur son passé, l'Élysée en son entier se déroberait à mon désir d'investigation. Sans sa parole et sa liberté de ton, je savais déjà que je n'obtiendrais des autres – tous les autres, qu'ils soient civils ou militaires – qu'une parole prisonnière, extérieure, langue de bois, miroir déformé des vœux supposés du Président. Car l'Élysée de Mitterrand fonctionne de telle façon qu'on y passe aussi son temps à décoder la pensée d'un Président qui ne s'exprime guère avec ses conseillers. La plupart ne le voient jamais et d'ailleurs en souffrent. Pour attirer son attention, ils lui adressent des notes alambiquées sur lesquelles il écrit mélancoliquement et obstinément l'annotation « vu » avant de les leur renvoyer. Bien sûr, il y a des exceptions. Le cabinet du Président et le secrétariat général de la Présidence de la République ne se réduisent pas à une mini-cour royale (même si des comportements de courtisans apparaissent au grand jour, tous ceux qui en usent sont parfaitement repérés). Ici travaillent aussi des personnes remarquables – des « personnalités », comme on dit dans le jargon de la direction du personnel élyséen – d'intelligence, de compétence mais aussi de générosité et de modestie. Elles apparaîtront, au gré des événements, au fil de ces pages. Car Mitterrand, tout Président qu'il soit, est aussi le patron d'une maison, avec ses codes, ses traditions, ses rites, son rythme, qui obéit aux saisons politiques. Les cyprès dans la cour d'honneur l'hiver, les orangers l'été. La garde militaire habillée de bleu et de rouge été comme hiver, qui rend les honneurs sabre au clair. Les mésanges et les tourterelles au printemps dans le parc, les arbres dénudés à l'automne, qui contraignent les services de sécurité à surveiller plus attentivement du côté des terrasses ; le chien de Danielle qui s'ébroue en toute saison sur la moquette menant au petit bureau de sa maîtresse, d'où, femme du Président, inlassablement, elle répond à tous ces gens qui lui écrivent pour être aidés, croyant qu'elle peut tout régler alors qu'elle ne peut que supplier les préfets – ce qu'elle fait.

A l'Élysée il y a le côté cour et le côté jardin. Côté cour, on trouve le tapis rouge, les marches du perron, la grande porte vitrée qu'on voit toujours à la télévision, l'huissier impassible, avec sa longue chaîne dorée, qui se tient droit comme un I derrière le monument en marbre d'Arman célébrant la Révolution, le secrétaire général, toujours pressé, qui descend le grand escalier pour accueillir les sommités, et puis le Président, qui n'emprunte jamais l'escalier mais toujours son ascenseur privé. Quand il descend, la sonnerie retentit. Cela veut dire que le Président arrive. Et tout change. On se croirait dans un film de Tex Avery.

Les corps se mettent au garde-à-vous, les sourires se figent, les conversations s'arrêtent. On retient son souffle pour lui dire bonjour. Lui, plutôt patelin et bonhomme, s'enquiert des uns et des autres, visse son chapeau sur sa tête et descend les marches du perron en feignant de ne pas voir la bataille qui s'engage alors entre conseillers pour savoir qui aura l'insigne honneur de s'asseoir à côté de lui dans SA voiture. Un huissier ferme cérémonieusement sa porte. Ouf ! Il fait alors un signe à son chauffeur, qui sait éviter les importuns. Seul, il veut être seul. Il a raison. Sur la banquette arrière l'attend son journal favori : *L'Équipe.* Il va enfin pouvoir tailler une bavette avec Pierre sur le score du PSG ou le dernier tournoi de rugby.

Côté jardin, on trouve des rhododendrons, des camélias, des massifs de myosotis, des sculptures que le Président a commandées et que le ministre de la Culture (l'ancien, son ami Jack) n'a pas voulu installer dans les jardins publics, deux jolis bancs en bois, des jets d'eau maigrelets, des militaires installés dans une sorte de petite maison-appentis, qui jouxte la grille du coq (l'entrée dite « honteuse » depuis que Jaruzelski l'a utilisée, mais « discrète » quand Mitterrand veut voir des visiteurs qu'il ne fait pas annoncer rue du Faubourg-Saint-Honoré), et qui assurent la sécurité sur fond de télé toujours allumée, ainsi que des jardiniers attentionnés, le Président lui-même accompagné ou non du chien de Danielle (terreur de ces derniers), qui aime bien, quel que soit le temps, faire le tour du propriétaire et essayer d'apercevoir le couple de canards.

Le secrétariat particulier du Président m'avait rappelée. C'était oui pour des entretiens réguliers. On verrait selon l'emploi du temps. J'ai trop préparé le premier. J'étais inquiète, tendue, impressionnée, terrorisée même. Mal m'en a pris. J'avais emmené un petit magnétophone que j'ai posé, avec son accord, sur le bureau du Président. J'ai récité mes questions, que j'avais pris soin de rédiger. « Mais vous me posez des questions politiques, vous qui n'êtes pas de la partie. Vous me donnez l'impression de vouloir me faire travailler sur des sujets de politique politicienne. Cela m'ennuie », m'a-t-il répondu. J'ai accusé le coup, pensant que c'était fichu. Il a fait rappeler pour un autre rendez-vous. Entre-temps, j'avais compris. Désormais je viendrais sans magnétophone, sans ordre du jour. Il s'agissait bien d'entretiens sans objectif précis, juste un espace pour parler de tout et de rien, de choses graves et de choses plus futiles, de l'air du temps, de l'importance de l'amitié, de l'usure du pouvoir, des blessures de la trahison, de l'odeur d'une fleur, du coup de poignard d'un éditorial politique, de la force du temps et de la fragilité d'une vie.

Quelquefois, l'entretien tournait au soliloque. Quand il m'oubliait, c'était à ce moment-là qu'il parlait vraiment. Je me souviens de deux ou trois fois où il n'avait plus conscience du temps qui passait. Il parlait à voix basse. Il se parlait à lui-même. Ce furent des moments graves où il évoqua la mort de François de Grossouvre et la polémique sur son passé à Vichy. J'en sortais bouleversée. Entre nous il y avait une convention qui n'a jamais été énoncée mais qui me semblait évidente. Tout ce qu'il me disait ne serait publié qu'au moment où il partirait de l'Élysée. Je notais tout sur des petits carnets de sténo. Heureusement, Mitterrand ne parle pas trop vite... Mais en sortant de son bureau, je m'abritais dans un coin du hall pour vérifier ses propos, rendre lisibles les phrases écrites trop vite. Généralement les entretiens avaient lieu le vendredi matin.

Au tout premier rendez-vous, j'ai attendu longtemps dans le petit salon du premier étage de l'Élysée. J'ai ainsi pu admirer le tableau de Balthus – un de ses tout premiers – représentant une ferme entre soleil et ombre, qui fait face à un tableau de Rouan – entrelacs de bleu et de doré – qui évoque un soir en Orient. J'ai pu détailler à loisir les deux grands portraits en pied du Général et de Georges Pompidou accrochés en haut du grand escalier, si réalistes que lorsque vous les fixez vous avez l'impression de croiser leur regard. L'Élysée, un château hanté? Seul indice palpable du temps qui s'écoulait, les tintements des multiples horloges qui égrenaient les demi-heures. L'Élysée, dans sa partie noble, paraissait désert. Je sais bien que François Mitterrand affecte de ne pas porter de montre et qu'il aime donner du temps au temps, mais j'ai mieux compris la raison du retard quand j'ai vu sortir le Premier ministre escorté de l'huissier. L'entretien avait duré. Les deux hommes n'avaient pas fait qu'expédier les affaires courantes ce matin-là. Le comte de Falloux avait alimenté leur conversation. J'en profitai pour demander au Président comment il voyait son Premier ministre : « Un grand commis de l'État, un homme honnête », reconnut-il d'un ton feutré, s'empressant d'ajouter qu'il avait du mal à comprendre pourquoi il jouissait d'une si grande popularité auprès des Français, s'il en croyait encore les derniers sondages publiés. « Balladur, ce n'est pas Richelieu pourtant, même s'ils ont en commun l'onctuosité », commenta-t-il. L'histoire de la loi Falloux? Une faute politique commise par le gouvernement malgré les critiques qu'il avait formulées l'été précédent. Une faute commise donc en toute connaissance de cause. « Une faute, je répète, une de plus. Il y en a d'ailleurs bien d'autres qu'a commises ce gouvernement, rétorqua-t-il. Mais les Français ne s'en aperçoivent pas encore. Ils s'en apercevront un peu plus tard. »

Le ton est à l'offensive. Le Président ne cache pas, ce jour-là, les reproches qu'il fait à Edouard Balladur. Le 12 janvier, avant le Conseil des ministres, il lui a dit : « Il y a eu des manquements envers moi. » Et il les lui a énumérés : d'abord, les Iraniens renvoyés en Iran malgré la demande d'extradition faite par la Suisse. « Contrairement à ce qu'a dit la presse, je n'ai pas été prévenu avant », me dit le Président. Il n'a pas pu faire publiquement des reproches car « cela relève normalement de l'ordre public », mais il tient à lui dire qu'il n'a pas du tout apprécié et il ajoute : « Sur le fond c'est une idiotie. Cela choque les Suisses, les Américains. Les Iraniens s'en moquent et de toute façon on ne peut pas se fier à eux. » Coup nul donc. Et pourquoi n'avoir informé la Présidence de la République que lorsqu'il était trop tard ? En effet, Nicolas Bazire, directeur de cabinet d'Edouard Balladur, a appelé Michel Charasse pour lui dire : « Les Iraniens vont être renvoyés dans leur pays. – Quand ? a demandé Charasse. – Dans un quart d'heure », a répondu Bazire. Charasse a joint le Président à Latche, mais il était trop tard pour intervenir, l'opération avait déjà commencé. Le Premier ministre va devoir subir ce mois-ci quelques cours de politique étrangère assenés par un Président ragaillardi. La Chine constitue un second motif de discorde. Mitterrand était d'accord sur l'objectif visant à améliorer les relations avec Pékin, mais Balladur est allé trop vite et l'a mis devant le fait accompli. Le Premier ministre décidera de repousser le voyage qu'il devait faire en Chine au début de février. L'Arabie Saoudite ? « Voyage mal préparé. La France a été ridicule, le Premier ministre aussi. Tout le monde savait que les Saoudiens n'étaient pas prêts à s'engager. Qui aurait eu la naïveté de croire que de grands contrats pouvaient être ainsi conclus ? » me dit-il. Et ce n'est pas fini. En ce mois de janvier, les reproches élyséens continueront à pleuvoir. Mitterrand reprochera au Premier ministre les lettres trop nombreuses qu'il envoie aux chefs d'État. Il les juge même quelquefois carrément inopportunes, comme celle destinée à Clinton, et que le Premier ministre renoncera finalement à envoyer...

Sur le plan de la politique intérieure, cela ne va pas mieux, en ce début d'année, pour le Premier ministre. Le Conseil constitutionnel vient de déclarer contraire à la Constitution l'article 2 du projet de loi révisant la loi Falloux et permettant aux communes d'aider les écoles privées au-dessus du seuil de 10 %. M. le Comte fait des siennes. La gauche se sent de nouveau pousser des ailes. Une grande manifestation est prévue pour le dimanche suivant. L'Élysée est un organisme vivant en prise directe avec la réalité. Ceux qui vivent à l'intérieur le constatent à chaque fois : dès que l'espoir renaît, ceux qui sont à l'extérieur appellent à la rescousse les gens de l'Élysée. On peut aisément le constater dans les bureaux. Le téléphone ne sonnait plus guère. Le voilà qui n'arrête pas : des syndicalistes en colère, des enseignants de province ne cessent d'assaillir le standard de l'Élysée pour manifester leur soutien à « Tonton », qui ne se laisse pas faire. Dans son bureau de l'aile gauche du palais, Christian Nique, conseiller du Président pour l'Éducation nationale, jubile : ce spécialiste de l'histoire de l'enseignement, cet universitaire, ancien enseignant et peut-être futur recteur (il en a l'envie, mais elle est inavouable en temps de cohabitation), a prévenu le Président il y a plus de huit jours de l'ampleur de la revendication. Un bon conseiller, en temps de cohabitation, doit savoir être, selon les circonstances, tour à tour espion, informateur, psychanalyste, négociateur, diplomate. Le Président l'a dit clairement au début de la seconde cohabitation : pas question de collaborer avec Matignon. Il faut donc se débrouiller avec ses réseaux et savoir les entretenir. L'histoire de la loi Falloux viendra à point nommé réveiller l'Élysée et remonter le moral des conseillers. Nique, très obéissant, a demandé à son patron l'autorisation de manifester. Les autres, une bonne dizaine, n'ont pas eu besoin de bulletin de sortie. Le plan de la manif avait été photocopié et envoyé à tout l'Élysée vendredi dès la fin de la matinée. Ils défileront avec leurs amis, leurs enfants, leur « fédé » et marcheront longtemps. Ils arriveront le lendemain à l'Élysée fourbus, sans voix mais contents. Pourtant, les lendemains de fête sont toujours rudes. Après l'ivresse de la rue retrouvée viendra le temps de l'évidence : le gouvernement réussira à apaiser la contestation.

L'affaire vaudra quand même d'être commentée par Mitterrand au Conseil des ministres suivant. Il commencera par ironiser : « D'abord le projet de loi tronqué, je vais devoir le signer quand même et le faire promulguer. J'ai consulté les meilleurs juristes sur ce point. La réponse est claire. Les compétences sont levées, je suis un notaire. Je comprends très bien en temps ordinaire qu'en période de cohabitation j'aie à signer des lois qui soient contraires à mes idées mais qui expriment une majorité, mais là la situation est absurde, illogique. » Puis, quittant le ton de l'ironie, il ajoutera : « Vous auriez pu, monsieur le Premier ministre, me demander une seconde lecture. Je comprends que cela ne soit pas votre désir. Le résultat, c'est que vous avez à faire avec ou alors il vous faudra trouver d'autres solutions législatives. A ce moment-là, je suppose que vous les rechercherez avec prudence. »

Passe d'armes assez violente entre Premier ministre et Président, se souviennent certains ministres. Le Premier ministre s'est senti tellement visé qu'il a répondu du tac au tac : « Nous le ferons avec prudence, mais nous le ferons quand même. » Puis, comme il est d'usage dans l'histoire de la République, le Président a conclu. Personne ne peut parler au Conseil après le Président de la République. Il a pris alors un ton apaisant : « Comme vous, monsieur le Premier ministre, je n'ai pas noté dans cette manifestation d'hostilité envers l'enseignement privé. On a parlé pendant longtemps dans notre pays de guerre scolaire. Je crois que le terme est devenu impropre. Il n'y a pas à proprement parler de guerre. Il ne faut pas déterrer les haches. Il reste quand même des traditions très fortes et une immense susceptibilité, une méfiance de chaque camp envers l'autre, le poids des lobbies et des pompes de pression, tout cela peut se comprendre. Ce sont des affrontements qui ont été très forts, qui remontent à moins d'un siècle. Il faut en tenir compte. »

Le Conseil des ministres est un espace clos d'où rien, normalement, ne doit sourdre. Mais certains ministres ont bonne mémoire et une furieuse envie de parler. Le Conseil des ministres, depuis Georges Pompidou, se tient au rez-de-chaussée à droite, dans le salon Murat. Le Président fait face au Premier ministre, de part et d'autre du grand côté de la table. La tradition veut qu'au centre soit posée une pendule portative de cuivre jaune en forme de coffre (!) avec deux cadrans, afin que le chef de l'État et le chef du gouvernement puissent lire l'heure en même temps. Mitterrand se souvient de l'époque où, ministre de la IVe, le Conseil se tenait dans le salon des portraits : « L'Élysée a beaucoup changé. Les habitudes étaient différentes. Quand j'étais ministre sous la IVe République, cette maison était un hôtel particulier assez vide. Les Présidents de la République avaient leur bureau en bas, leurs appartements privés en haut. La Présidence de la République ne pouvait jouer aucun rôle. Depuis, tout cela a bien changé ! »

Depuis les débuts de la seconde cohabitation, l'atmosphère n'est plus la même le mercredi matin dans le grand hall et dans l'antichambre du salon Murat. Certes, il avait fallu du temps pour que les ministres socialistes considèrent l'Élysée un peu comme la maison du peuple. Mais, surtout depuis Rocard, ils s'étaient habitués à la solennité des lieux et profitaient de l'avant-Conseil pour boire un café, discuter, s'apostropher. Comme des élèves chahuteurs avant une réunion avec le « surgé », ils reprenaient leur souffle. Aujourd'hui, plus de cris, plus d'embrassades. Les nouveaux élèves sont sérieux, très sérieux, et les Conseils se déroulent dans un climat compassé. Rares sont les Conseils qui excèdent trois quarts d'heure. On y traite de problèmes techniques soigneusement préparés le vendredi précédent entre le secrétariat général du gouvernement et la secrétaire générale adjointe de l'Élysée. On y aborde rarement de front des sujets politiques, excepté quand le Président décide, à fleuret moucheté, de contre-attaquer. Ce sera rare pendant cette année – nous ne sommes plus au temps de la cohabitation avec Chirac – mais assez violent. Les sujets de discorde seront l'école, la politique de défense, le sens de l'État, l'Europe. Mitterrand se souvient encore de l'impression physique que lui avait procurée le premier Conseil des ministres de la première cohabitation : sentiment d'agression, mur d'ennemis, violence sourde. Là, rien de tel. Courtois, si courtois, le Premier ministre. Lors du premier Conseil de la seconde cohabitation, Mitterrand s'est payé le luxe d'expliquer le déroulement du Conseil des ministres à quelques ministres débutants. Il n'a pas manqué d'ajouter : « La partie A, mesdames, messieurs, porte sur les lois, je ne dirais pas les ordonnances. » Depuis, l'eau a coulé sous les ponts de la cohabitation.

Certes, Balladur s'est révélé politiquement correct avec l'Élysée. Minimalement cependant. L'Élysée s'en est aperçu récemment avec la publication par l'hebdomadaire *Le Point* des investigations du juge Jean-Pierre sur les comptes de Roger-Patrice Pelat, ami de François Mitterrand. Ce rapport met en cause l'intégrité du Président de la République. L'Élysée n'a été averti de cette publication que la veille par Matignon. L'Élysée pense que Matignon était au courant depuis bien plus longtemps. Le secrétaire général de l'Élysée a dû se contenter des explications du directeur de cabinet du Premier ministre. C'était la première salve. Avant le Conseil des ministres du 12 janvier, le Président s'est étonné auprès d'Édouard Balladur que le juge Jean-Pierre puisse violer toutes les procédures sans qu'il y ait la moindre réaction. « Mais que fait donc la Chancellerie ? » Le 19 janvier, Mitterrand, à l'occasion d'un déjeuner avec ses collaborateurs, a demandé à son équipe de ne rien craindre et de réaffirmer haut et fort ce qu'il avait déjà dit aux journalistes lors de ses vœux à la presse. Interrogé sur les « largesses » de son ami Pelat, il avait répondu : « Je ne connais pas ces cadeaux, je ne connais pas ces largesses. » Il a répété à ses conseillers qu'il n'avait rien à se reprocher. Mieux, il pouvait le prouver : « D'habitude mon secrétariat a une incapacité à garder les papiers. Mais dans cette histoire, j'ai été très heureux de découvrir que tout avait été gardé : mes plaidoiries jusqu'en 1971, mes consultations après 1971 pour la société Vibrachoc. Je travaillais à l'époque avec Irène Dayan. Je possède tout le courrier, j'ai retrouvé mes plaidoiries contre la société allemande. » Mitterrand se justifie. Il précise que, devenu premier secrétaire du Parti socialiste, il a cessé alors de plaider, tout en continuant à donner quelques consultations, dont la trace est également conservée. Les 150 000 francs reçus de Pelat en 1988 ? « Je ne connaissais rien aux affaires de Patrice Pelat, il ne m'en parlait jamais. C'était un bon ami. Il voulait se constituer une bibliothèque. Or les livres, c'est mon passe-temps. Mais Patrice Pelat n'était pas un homme de culture. En conséquence, je lui ai acheté des livres pour constituer sa bibliothèque et il m'a remboursé. La somme prêtée pour l'achat d'une maison ? Elle a été remboursée, là aussi, la trace existe. »

Mitterrand pique quelquefois des colères. L'affaire du juge Jean-Pierre lui en donnera l'occasion. Il qualifiera le tandem Gaudino-Jean-Pierre d' « association de malfaiteurs qui poursuit des objectifs de nature politique ». Mitterrand, manifestement, est blessé...

On a sali son honneur, mis en cause son intégrité. Alors il tente de comprendre. Il évoque souvent le souvenir de Bérégovoy, se justifie, argumente ou ironise sur sa propre volonté. Il apprend, ces jours-ci, qu'un reporter du *Point* vient de partir pour Venise afin d'essayer de prouver qu'il est bel et bien propriétaire d'un palais. Il en rit encore. « Le juge Jean-Pierre va-t-il mettre une barbe blanche pour me démasquer ? me demande-t-il. On me croit propriétaire de beaucoup de choses. On m'a cru longtemps propriétaire d'une auberge à Château-Chinon, on disait que Danielle possédait un magasin de vêtements à Hossegor, maintenant c'est le palais. Lors d'un sommet à Venise, le gouvernement italien avait retenu pour Reagan et moi deux belles demeures. Il m'avait attribué la villa Volpi, autrefois siège de Mussolini, où avait habité Churchill. Deux jours plus tard, *La Repubblica* annonçait que j'emménageais villa Volpi. C'est sur la base de ce genre d'informations que le juge Jean-Pierre enquête... »

« Je n'avais pas besoin de vivre aux crochets de Pelat. » Mitterrand ne cessera de me le répéter. En ce début d'année 1994, l'ombre du juge Jean-Pierre rôde à l'Élysée. Mitterrand prévient une de ses proches collaboratrices qu'elle va sans doute se faire auditionner. Elle lui répond qu'elle n'a rien à se reprocher. Mitterrand a appris, deux mois auparavant, par deux de ses collaborateurs que son ami François de Grossouvre avait été entendu dans le cadre de l'enquête. Il se répandrait dans Paris auprès de quelques journalistes notoirement connus pour leur antimitterrandisme en invectives et en accusations graves contre le Président, tout en continuant à occuper une fonction et un bureau à l'Élysée. Ses proches ont beau lui dire et lui répéter, Mitterrand a du mal à croire à ces saletés. Alors il le punit à sa façon en ne le voyant plus. François de Grossouvre a beau traîner en début de soirée dans le secrétariat particulier du Président pour l'attendre comme au bon vieux temps et partir avec lui à pied en traversant le pont de l'Alma, Mitterrand l'esquive et se dérobe. Pas tout de suite, l'explication. Mitterrand est comme cela. Il attend le moment. Mitterrand a du mal à se séparer de ses amis. La vie est pour lui faite de continuité, de fils qu'on ne rompt pas, d'amitiés qu'on entretient même si elles vous ont apporté des déceptions teintées de trahison.

Mitterrand, au fil de l'enquête, m'apparaîtra de plus en plus comme un homme fasciné par les bandits de grand chemin, exalté par les figures de ceux qui s'opposent à la société, plus intéressé par les voyous à grande gueule et à bagou que par les énarques compétents et bien élevés. Bien sûr ses héros préférés, des anarchistes au grand cœur, il les choisit dans les livres, et plus particulièrement dans les grands romans du XIXe siècle. Mais dans la vie aussi il ne dédaigne pas d'afficher un attachement certain pour des gens jugés peu respectables par ceux qui disent détenir les règles du savoir-vivre et du devoir-penser. Comment expliquer autrement sa relation ambiguë avec Bernard Tapie, qui ne se démentira pas tout au long de cette année 1994 et dont il tiendra à me parler? Pourquoi chez lui cette façon de ne pas sanctionner, de ne pas vouloir juger quelquefois même l'inexpiable? Mitterrand, depuis l'expérience de la captivité pendant la guerre, reste fasciné par tout ce qui n'est pas lui, tout ce qui lui est fortement dissemblable, tout ce qui n'évoque pas, de près ou de loin, la bourgeoisie catholique conservatrice. Mitterrand n'aime pas et ne respecte pas les hommes à héritage, que ceux-ci soient constitués de biens immobiliers ou d'idées reçues. Il considère que la société, en cette fin du XXe siècle, reste une jungle où règnent les banquiers, véritables prédateurs du système économique. Eux seuls sont à dénoncer et non les rares aventuriers du capitalisme. Mitterrand admire tout ce que son éducation lui a appris à détester. Son tempérament est resté le même – violent, rageur, extrémiste –, même si sa longue carrière politique lui a appris à se défier de ces passions. La fidélité en amitié est un des traits qui le caractérisent le plus. Mitterrand croit à l'amitié et défendra ses amis quoi qu'il arrive. Un jour, il a voulu me parler de Pelat. Ce jour-là, j'ai cru un peu mieux comprendre Mitterrand ou tout du moins ce qu'il aurait aimé, peut-être, vouloir être :

« Pelat n'était pas un bourgeois. Il s'en foutait, des lois de la bourgeoisie. Il était même tout à fait hors la loi. Son père était un ouvrier de chez Renault, un homme très intelligent. A quinze ans, Pelat portait des quartiers de porc sur le dos. Sa colonne vertébrale en fut ensuite totalement écrasée. Sa mère était ouvrière blanchisseuse. Elle avait fait la guerre d'Espagne... On parle d'initié au sujet de Pelat. Je connais des gens des plus huppés qui passent leur temps à être initiés. D'ailleurs qu'est-ce que la Bourse si ce n'est l'initiation? Patrice Pelat était un puissant industriel qui avait parfaitement réussi. Il a pris sa retraite et il a tout bouleversé en créant une propriété agricole. Pelat avait l'intelligence, le rayonnement. C'était un roi. »

Après la trêve des confiseurs, la politique reprend ses droits. Marchais s'en va, Chirac s'impatiente et avance le congrès du RPR. A l'Élysée, Mitterrand vient de recevoir le Premier ministre norvégien. La routine. Les appariteurs du palais semblent affairés, autour de leur cou cliquette la lourde médaille dorée. Les gens du protocole veillent dans le hall à l'ordonnancement des choses. Recevoir à l'Élysée répond à un code compliqué qu'il faut savoir respecter. François Mitterrand, depuis 1981, s'est toujours montré très respectueux du protocole, qu'il connaît d'ailleurs parfaitement. Il ne suffit pas d'être Président, il faut apparaître

Président en toute circonstance. En bas donc, on veille à l'apparat. C'est le côté richesse, clinquant, *Point de vue-images du monde*. En haut, dans les bureaux du premier étage, on prépare ce qui va se passer en bas. Là, en effet, se situe le véritable quartier général de l'Élysée : le bureau du Président, encadré à gauche par le secrétariat particulier et à droite, en enfilade, par le bureau-salon de la secrétaire générale adjointe (passage obligé des visiteurs du Président) et le bureau du secrétaire général. Mitterrand n'habite pas à l'Élysée. Il arrive assez tôt le matin et lit d'abord la presse. Toute la presse. Pas de revue de presse. Non. Les journaux. Attentivement, même s'il affecte souvent de ne les parcourir que superficiellement. Mitterrand et les affaires : c'est ce qu'il lit tous les jours en ce moment... Le juge Jean-Pierre récidive et l'histoire des écoutes téléphoniques de la cellule de l'Élysée rebondit avec la publication du rapport Bouchet.

« C'est le bordel, me dit Pierre Chassigneux, actuel directeur de cabinet de François Mitterrand. La sécurité, l'alarme, tout ça part de partout. Cette maison est difficile à comprendre, complexe à gérer. » Cet ex-directeur des renseignements généraux, ancien préfet (notamment dans la Nièvre), rompu au secret, habitué à l'ordre hiérarchique, semble totalement abasourdi par la situation qui règne à l'Élysée. Le Président ne dit rien. C'est une de ses techniques. Quand il a choisi Chassigneux après le départ du fidèle Ménage, Mitterrand n'a pas daigné l'informer ni de ses déplacements, ni de ses habitudes, ni de sa vie compliquée. Chassigneux a dû tout deviner. On comprend qu'il en ait encore les yeux écarquillés. Il doit assurer sa protection en permanence et est tenu responsable de sa sécurité où qu'il aille. Avec un « client » qui en dit toujours le moins possible, évidemment, ce n'est pas facile. Au jeu des devinettes il a bien fallu qu'il devienne expert. « Ce que je fais ne sert à rien. Je pare les coups de partout. Je prends ce que personne d'autre n'a réussi à régler. » Ultime recours, le directeur de cabinet est aussi celui qui distribue l'argent, en liquide, complément usuel des fins de mois en pratique dans tous les cabinets de la République. L'argent, les œuvres de basse police. Il hausse les épaules devant cette vision qu'il juge éculée d'un cabinet noir à l'Élysée. Les écoutes ? La question le met en colère. Il en a assez de gérer un passé qu'il n'entend pas assumer. Et pourtant comment justifier, au plus haut sommet de l'État, au cœur même de l'Élysée, l'écoute de journalistes, écrivains, hommes politiques ? « La vérité, de toute façon, n'intéresse personne, me répond-il. En 1983, ça pétait de partout. Les services ne fonctionnaient pas très bien. Ici, à l'Élysée, on a voulu établir un service. Ensuite ce fut le temps des cow-boys... La logique n'était pas en soi critiquable. Ce n'est écrit nulle part que c'est interdit d'écouter un journaliste, un avocat. D'ailleurs, ajoute-t-il derrière ses lunettes avec une moue mi-sérieuse, mi-amusée, en ce moment même il y a peut-être ici des gens qui nous écoutent sans que je sois au courant. » La confiance règne... L'humour du directeur de cabinet m'a laissée de glace. Beaucoup de personnes travaillant à l'Élysée ne savent pas si elles sont sur écoute. Le suspense dure depuis des années. Techniquement, un système interne de surveillance des conversations serait très simple à poser, m'a assuré le conseiller du Président spécialisé, correspondant à la Présidence du ministère de l'Intérieur. Rassurant... Tous les membres de l'équipe élyséenne ont à leur disposition, sur leur bureau, un cadran téléphonique qui identifie visuellement la personne qui les appelle. Ici tout le monde peut appeler tout le monde, excepté le Président, qui n'est joignable que par l'intermédiaire de son secrétariat particulier. Alors, en l'absence de certitudes, on préfère rester prudent et on donne quelques consignes aux nouveaux arrivants : ne jamais utiliser la ligne interministérielle pour échanger des informations importantes et utiliser les cabines publiques des Champs-Élysées en cas de nécessité.

Prévenu du mauvais climat qui commence à s'installer à l'Élysée après la relance de l'affaire des écoutes, Mitterrand décide de couper court à toutes les rumeurs du palais et convoque ses principaux collaborateurs : après avoir rendu hommage à l'objectivité dont fait preuve selon lui le journal *Libération*, il explique que le capitaine Barril n'a jamais fait partie de l'Élysée. Qui était-il donc ? Un encombrant cow-boy égaré dans un mauvais western dont le décor serait un vieux palais ?

« Barril travaillait pour le GIGN, il n'a jamais travaillé pour l'Élysée. De temps en temps il venait voir Prouteau à l'Élysée. C'est tout, précise Mitterrand. En 1986, il ne se trouve plus dans le corps de la gendarmerie. Il se met alors au service de quelques chefs d'État, en Afrique notamment. Comme ces gendarmes habitués à être dans le feu de l'action et brutalement mis à la retraite, il a commencé à tourner en rond, puis a créé sa société. Il s'est alors mis à faire des “ bêtises ”. Barril et Prouteau sont des amis brouillés. Nous sommes victimes de cette brouille car Barril a voulu régler ses comptes, martèle François Mitterrand. Il s'agit d'un dysfonctionnement et rien d'autre. » « Répétez-le à l'extérieur », dit-il à ses collaborateurs qui lui demandent si oui ou non l'Élysée a commandité ces écoutes ? « Rien n'est venu le prouver », lâchera-t-il énigmatiquement. Ce qu'il veut, par contre, leur confirmer, c'est qu'il n'a appris l'affaire des Irlandais de Vincennes qu'après leur arrestation. « Terroristes, ils l'étaient sans doute, mais des terroristes locaux. » Puis Mitterrand lève la séance, en annonçant à ses collaborateurs que le gouvernement s'apprête à mettre le secret défense sur l'ensemble du dossier...

Entre policiers on se comprend. Cohabitation ou pas.

Sur les questions de sécurité, Jean-Yves Caullet, le correspondant auprès de Mitterrand du ministère de Pasqua, constate la correction des rapports avec ses nouveaux homologues de la place Beauvau : « On est des flics, on se connaît, on sait qu'on n'est pas dans le même camp mais on sait qu'on se retrouvera dans d'autres circonstances. Mais pas de confusion : on ne joue pas au même jeu. » Il y a le dit et le non-dit. Le dit, c'est ce que le gouvernement doit porter à la connaissance du chef de l'État, un ensemble de documents que le conseiller spécialisé a pour mission d'étudier : contrôles d'activités quotidiens de la Préfecture de police qu'il épluche avant de les soumettre à la lecture du Président, train de nominations, de décrets et de rapport faits par le ministère de l'Intérieur. Le non-dit est par définition plus compliqué à arracher. Tout ce qu'on doit apprendre officieusement est bien souvent le fruit de rapports personnels. Gauche, droite, peu importe. « J'ai des amis qui m'informent de choses qui ne passent pas dans des circuits officiels. » Autrefois l'information passait très vite de Matignon à l'Élysée, ce qui dispensait de poser des questions. Aujourd'hui, c'est l'inverse, mais les rapports demeurent correctes. Le ministre de l'Intérieur a récemment pris soin de prendre l'avis de l'Élysée avant de nommer un sous-préfet à Château-Chinon, ville dont le Président fut maire pendant plus de trente ans. Échange de bons procédés? Marque d'attention qui ne coûte pas grand-chose mais qui reflète un état d'esprit. « Du temps de la gauche, l'Intérieur n'aurait pas non plus nommé un sous-préfet benêt ou peu expérimenté dans l'arrondissement d'un ténor de droite. » De la même façon, la valse des nominations de préfets s'est faite en douceur. Les traditions de la République ont été maintenues et la plupart des membres de la préfectorale ont pu retrouver un poste.

Le pouvoir salit quelquefois, le pouvoir use plus souvent. Le Président revient de Nantes. Son discours sur le chômage n'a pas fait mouche. « Pourquoi ? Mais ce n'est pas la première fois que je m'exprime sur ce sujet. Je ne fais que cela... », me répond-il, bougon, tout en lisant les notes de ses conseillers qu'il remet ensuite dans de grands parapheurs vert foncé. C'est vrai que son discours stigmatisant l'exclusion économique que subissent de plein fouet les jeunes dont le chômage longue durée a doublé en moins d'une année a peu été relayé par la presse. Était-il trop technique ou Mitterrand a-t-il une difficulté objective à se faire entendre ? La pilule en tout cas est dure à avaler pour une partie de ses conseillers qui peaufinent depuis plusieurs mois, en liaison avec les syndicats, cette intervention musclée sur un terrain jugé miné en temps de cohabitation. Mitterrand reprendra l'offensive. Tant pis s'il n'est pas écouté. Il sortira du bois. Fini le temps où des rumeurs émanant de Matignon annonçaient la démission du Président. Il constate que le Premier ministre n'a pas su ou pas pu enrayer le chômage. Il se posera désormais en arbitre social, en grand raccommodeur des déchirures sociales. « Plus social que moi, tu meurs » : telle est sa nouvelle tactique, défendue ardemment par ses conseillers sociaux et économiques de l'Élysée.

Pourtant le Président est seul. Seul à l'Élysée et de plus en plus seul au dehors. Ses relations avec les socialistes se sont distendues. « Il ne nous sert plus à rien », disent-ils en privé. Lui manifeste de la distance envers eux. Mais eux lui en veulent, ils sont amers maintenant, certains d'entre eux se sentent même trahis. Ils l'accusent d'avoir confisqué le pouvoir, sclérosé le système, empêché les véritables talents de gauche de s'exprimer. Seul Rocard (c'est un comble pour Mitterrand !) se montre correct, qui désire clairement que le Président aille jusqu'au bout de sa cohabitation pour lui permettre sans doute de se préparer pour la présidentielle. A chacun son problème. Pendant ce temps, Fabius guette le moindre faux pas de Rocard, tandis que Jospin semble à l'affût de la première erreur de Fabius au cas où... Martine Aubry se lamente sur cet état d'esprit pendant que les jeunots – Glavany, Moscovici et compagnie – attendent impatiemment au portillon. Misérables petits enjeux de pouvoir sur fond de désert idéologique et de panne sèche d'idéal. Et le Président dans tout cela? Plutôt guilleret ces temps-ci. Assis derrière son joli bureau bleu, un rayon de soleil caressant la photographie jaunie d'un paysage de Charente du temps de son enfance, il se prête au jeu de raconter, pêle-mêle, ses impressions sur la semaine écoulée :

« Comment se passe la semaine d'un Président? Cela dépend des moments. Celle-ci était plutôt intéressante dans sa tonalité. Je viens de terminer les vœux automatiques. Ouf! Agréable mais épuisant. J'ai réuni mes collaborateurs. Je trouve l'équipe soudée, solidaire. J'ai reçu les militaires la semaine dernière. J'ai discuté avec eux de la stratégie nucléaire. Le livre blanc est en préparation. Il existe cette poussée atlantiste à laquelle je suis hostile. J'ai eu une heure de conversation sur ce sujet avec Balladur. Je lui ai fait valoir sept ou huit grandes objections sur un document de quatre-vingts pages. Pratiquement tout est réglé. C'est un domaine auquel on ne peut m'opposer ni mon autorité, ni ma compétence particulière.

« Mais ce soir, je change de registre. J'ai un rendez-vous pittoresque avec Patrick Sébastien. Il était venu à l'Élysée avec un de ses comparses. Ils étaient tous deux déguisés en travestis avec des robes impossibles. Le garde de la rue du Faubourg-Saint-Honoré les a empêchés de rentrer et il a bien fait. C'est une institution, la Présidence de la République, il ne faut pas s'en moquer. On n'est pas au Mardi gras. Je lui ai fait savoir que je voulais bien les recevoir mais pas dans ces conditions. Ils sont revenus. Ils ont traversé la cour d'honneur et pénétré dans le vestibule. Ils étaient de nouveau déguisés. Je ne veux pas qu'on entre à l'Élysée dans une position qui ridiculise la Présidence de la République. Ce soir donc, ils reviendront dans une tenue décente et sous les caméras de TF1. J'enregistrerai une séquence dans une émission. J'étais coincé. Cela fait partie de mes maladresses. Je vais donc sans doute figurer dans un spectacle de variétés que je n'aime pas. »

Coincé, lui ? Personne ne l'obligeait à faire de la figuration dans ce genre d'émission. Mais coquet comme il est, je sais qu'il s'appliquera à montrer ses bons côtés et à bien recevoir l'équipe de télévision. Cachée dans les coulisses, j'ai pu constater au moment de l'enregistrement que je ne m'étais guère trompée. La réalité dépassera mes espérances. TF1 utilisera le décor de l'Élysée pour construire un véritable show pailleté où l'on verra danser sur des rythmes de rap et de rock endiablé des dizaines de faux Mitterrand ondulant savamment des hanches. Les images étranges d'un monde peuplé de Mitterrand, de Mitterrand jeunes et souriants, raviront d'ailleurs notre Président, qui se félicitera du succès public de cette émission...

Mais il ne faut pas croire qu'à l'Élysée, même en période de cohabitation, on passe son temps à faire le clown dans des émissions de variétés. Pas vraiment. Le Président écrit au Premier ministre sur les privatisations et fait des observations sur leurs modalités. Matignon n'apprécie pas. Matignon apprend « de source bien informée » que les collaborateurs du Président parlent, en mal, du Premier ministre. Pis. On dit même rue de Varenne que les hommes du Président se moquent du Premier ministre. Se moquer ? Oser se moquer ? s'écrient, en pouffant, le chœur des vierges à l'Élysée. Au grand jamais. A l'Élysée, il y a ceux qui ont adopté le profil bas depuis le début de la cohabitation, exécutant leur tâche technique, impeccables comme tout grand commis de l'État qui se respecte, sans jamais se livrer au moindre commentaire : ce sont les « techno ». D'eux il n'y a pas grand-chose à craindre. Ni turbulences médiatiques ni états d'âme intempestifs. Mitterrand les utilise pour leur savoir-faire, lit leurs notes, quelquefois s'en inspire mais ne les voit jamais. Il faut savoir que vous pouvez travailler à l'Élysée plusieurs années sans jamais avoir vu le Président. Cela nécessite une vie privée remplie, un excellent équilibre personnel, une absence totale de besoin de dialogue pour tenir le coup ! Mais les « techno » tiennent souvent bien le coup. Des annotations présidentielles griffonnées en marge de leurs notes détaillées suffisent manifestement à leur bonheur élyséen. Les « techno » sont à l'Élysée en ce moment, ils seront plus tard dans un autre palais, dans un autre cabinet. Ils ne se fixent pas par définition. Sauf en ce moment, où il serait « indécent » (c'est le terme qu'ils emploient le plus souvent) de quitter le Président. Mais un passage par l'Élysée, même en ces temps de défaite de la gauche, n'est pas forcément gênant sur une carte de visite. Écrire, disent-ils. Ils passent leurs journées dans leurs bureaux de l'Élysée à rédiger des notes au Président. J'en connais un, plutôt beau gosse, que j'ai surnommé « l'Amoureux ». Jamais, dit-il, il n'a autant écrit de lettres à quelqu'un, pas même à sa chérie, et jamais avec si peu d'espoir de retour. Mais il ne craque pas, l'Élysée est pour lui... justement, un vivier de jolies filles. Alors il drague, papillonne, butine.

Car des femmes, il y en a beaucoup autour du Président à l'Élysée. Généralement, elles ne sont pas « techno » mais dévouées, exaltées, attentionnées, généreuses. Discret, si discret, forcément discret, le quatuor féminin du secrétariat particulier. Elles connaissent le Président depuis au moins vingt ans, quelquefois plus. Elles l'ont suivi dans ses campagnes électorales, d'aucunes l'ont même assisté quand il était avocat, ont connu au berceau certains ministres socialistes, tutoient les amis du Président, devinent ses humeurs, savent ne rien entendre, tiennent les comptes de leur patron. « Dites-moi, demande-t-il au moins une fois par mois à l'une d'entre elles, il reste encore de l'argent à la banque sur mon compte ? » Ce sont elles qui ont ses carnets de chèques. Elles vont même jusqu'à remplir sa feuille d'impôt, exercice jugé par lui bien trop compliqué. Le secrétariat particulier, comme on dit à l'Élysée, est un endroit stratégique, l'antichambre du Président, le lieu des confidences murmurées, des fragments de vies dévoilés et aussi l'espace où l'on peut rencontrer, quelquefois à l'arraché, le Président. J'en connais qui viennent traîner la nuit tombée au secrétariat particulier dans l'espoir insensé de prendre un rendez-vous qui ne viendra jamais. Mitterrand, quand il ne veut pas parler, sait parfaitement éluder. Au secrétariat particulier – quatre bureaux accolés, lambris dorés, des téléphones partout –, il y a souvent des bouquets de fleurs et des effluves de parfum. Un lieu éminemment féminin. Ici, le Président aime bien s'attarder pour humer la presse et bavasser. Tout s'y accumule : le courrier personnel, les demandes de rendez-vous, les messages privés, les notes confidentielles que les conseillers ont préféré ne pas faire passer par le circuit officiel du secrétariat général. Du secrétariat particulier part un couloir étroit qui mène d'un côté au bureau du Président, de l'autre à la salle de bains de Mme de Pompadour – magnifique pièce ornementée de peintures précieuses sur les murs et sur les miroirs, vide de meubles, à l'exception de... la propre baignoire de la marquise, aujourd'hui recouverte d'un tissu bleu rembourré où s'assoient les rares visiteurs venus en catimini et n'ayant pas eu à passer par le grand escalier. De la salle de bains on parvient au palier qui dessert les appartements particuliers du Président.

N'emprunte cet étroit couloir où l'on peut à peine se croiser et où débouche l'ascenseur privé que la garde rapprochée du Président. La géographie des bureaux de ses proches n'a pas été laissée au hasard. Mitterrand, en géopoliticien avisé, se trouve à la fois libre et protégé au cœur du palais. Protégé par ses propres collaborateurs car, sinon, comment comprendre l'étrange parcours qu'a à subir tout visiteur qui a rendez-vous avec le Président? Impossible d'aller à lui directement. Il faut passer le sas, la frontière du bureau de la secrétaire générale adjointe (autrefois propriété de Jacques Attali), violer son espace de travail, faire semblant de ne pas entendre ce qu'elle dit au téléphone ou ne pas saluer ses interlocuteurs quand elle tient une réunion. S'introduire donc discrètement, suivre l'huissier qui va ouvrir deux portes sans frapper, l'entendre dire votre nom à haute voix – il aboie, comme le stipule le protocole –, marcher jusqu'au bureau – c'est loin, c'est long, cela paraît interminable –, interrompre le Président qui lit, écrit mais n'est jamais surpris en train de téléphoner. Difficile de se montrer naturel, de se caler dans le fauteuil l'air de rien. Le lieu impose le respect, le Président aussi, même s'il se montre (presque) toujours courtois, quelquefois même affectueux. Le Président n'est pas du genre vieux pote, tonton sympa, comme on l'a fait croire à un moment d'exaltation électorale.

Les rendez-vous auront lieu le vendredi à onze heures dans son bureau de l'Élysée. Au bout du troisième entretien il me dit constater à cette heure une chute de tension, un pic de fatigue. Ses médecins (il en a plusieurs, nous y reviendrons) en ont cherché les causes. L'un, plus pragmatique que les autres, lui conseille de manger un peu. Il m'offrira donc désormais, avant de commencer, des petits sandwichs au saucisson. Ça lui réussira, le coup du saucisson, ça détend incontestablement l'atmosphère, le sandwich au saucisson. Ça aiguise l'appétit et atténue – un peu – la solennité de la situation. Aujourd'hui il a envie de parler du palais de l'Élysée :

« J'aime bien ce lieu. Il est agréable à habiter. Je passe plus de la moitié de mon temps ici. J'ai changé pas mal de choses : j'ai modifié le parc, l'architecture du jardin, j'ai engagé beaucoup de travaux. C'était une cabane à lapins. La cuisine, les locaux des gardes républicains étaient particulièrement dans une situation vraiment intolérable.

« Un de mes meilleurs souvenirs? Le 21 mai 1981 sans doute. Il y avait ici une atmosphère de réelle gaieté. Je me souviens de ce déjeuner que j'avais organisé pour la première fois dans ce palais avec des dirigeants socialistes. Je garde en mémoire le souvenir de la présence si forte de Mme Allende.

« A l'Élysée, à ce moment-là, régnait un climat de convivialité, de camaraderie. Pierre Bérégovoy y était pour beaucoup. Aujourd'hui, l'atmosphère est moins sympathique. J'ai facilité à la plupart des personnes qui m'entouraient le déroulement de leur carrière. Il a donc fallu les remplacer. Peu à peu sont venus des gens que je ne connaissais pas. Le côté familial a cédé la place au côté administratif. Le mode de fonctionnement était acquis. J'ai conservé auprès de moi mon équipe la plus proche et j'ai confié à André Rousselet et à Pierre Bérégovoy le soin d'organiser les choses. Quand ils sont partis, j'ai personnellement veillé à ce que la tendance naturelle de ne recruter que des énarques ne prenne pas le dessus. Le secrétaire général, Jean-Louis Bianco, voulait embaucher des énarques, moi, j'ai recruté des universitaires, des écrivains et des rien-du-tout. »

Charmant pour les rien-du-tout!

Au fil des ans, l'Élysée est devenu un univers vertigineux, un monde à lui tout seul, avec des codes compliqués, des rites qui soudent ses habitants, des histoires qui témoignent toutes d'un des morceaux du puzzle mitterrandien. Il faut savoir être patient pour assembler les pièces qui, emboîtées, dessineront les différents visages de Mitterrand tout au long de ces soixante années de politique. Impossible de s'y repérer sans tirer quelques fils importants : Mitterrand et la Nièvre, Mitterrand et la guerre, Mitterrand et les amis et les enfants de ses amis, Mitterrand et son mépris pour les grands commis, Mitterrand et quelques saltimbanques du Parti socialiste du temps où il le dirigeait.

Au fur et à mesure – deux septennats, c'est trop long ! – s'est bâti aussi à l'Élysée un monde clos régi par un homme qui, seul, détient toutes les clefs. Le hasard des métissages a créé une alchimie. Le palais vogue ainsi au fil des aléas politiques et de ses propres inclinations. Pour le moment, le palais ressemble à un navire immobile d'où personne n'ose s'échapper, destiné à s'engloutir à une date programmée. L'océan du temps l'effacera à tout jamais. D'un fragment – la dernière année – j'aimerais témoigner avant que ne disparaisse cet entrelacs d'histoires.

A ses tout débuts, l'Élysée mitterrandien était plus facile à appréhender. Le futur Président avait eu le temps de réfléchir à son organigramme et pourtant il donna, les premiers jours, l'impression d'improviser.

Quand il est arrivé, des témoins qui travaillent encore ici se souviennent qu'il a commencé le tour du propriétaire par le premier étage. Il a tout d'abord choisi le bureau de ses secrétaires particulières, puis celui de son directeur de cabinet. Il s'est installé ensuite dans le sien, qui avait été aussi celui du général de Gaulle et de Georges Pompidou. Le téléphone n'arrêtait pas de sonner. Des sacs entiers de lettres de félicitations arrivaient. Paulette Decraene, l'une de ses secrétaires particulières, a dû apprivoiser le palais :

« On était pris par la majesté des lieux. Il y eut plusieurs rencontres avec l'infirmière, qui était très sympathique et que le Président a décidé de garder. On ne savait rien. Les socialistes ont d'ailleurs mis très longtemps à se penser dans la majorité. Au début ils ne savaient pas se servir du pouvoir. Ils ont d'abord appris les signes extérieurs du pouvoir : les R 25 et l'apparat. Mais ils n'insistaient pas pour faire aboutir une intervention, croyant que rien n'allait leur résister. »

Le pouvoir, cela s'apprend, surtout pour ceux qui n'ont pas l'habitude d'en hériter. Le pouvoir, cela se prend. L'un arrive, l'autre part. Le pouvoir, cela se passe.

François Mitterrand avait, quelques jours auparavant, chargé Paul Legatte et André Rousselet de se rendre à l'Élysée pour préparer la passation de pouvoir. Paul Legatte se souvient que ce jour-là l'Élysée était désert. « Il y avait un silence énorme dans la maison. On est monté voir le testament de Giscard. Son secrétaire général nous a dit qu'il tenait à ce que certains collaborateurs restent. Pas beaucoup. Notamment un de ses anciens secrétaires d'État, qu'on a pu nommer ensuite à la tête du PMU, ainsi que son chef de cabinet, qui est devenu ambassadeur. Giscard a ensuite demandé directement à François Mitterrand de s'occuper du sort de ses proches collaborateurs, qui furent recasés dans de grandes banques. La passation de pouvoir fut classique, tranquille. »

La lutte entre les conseillers a commencé dès le 21 mai. Chacun a tenté de se caser. Les bureaux avaient été délaissés, les tiroirs vidés, l'électricité n'avait pas été refaite depuis cinquante ans. L'étage « noble », celui du bureau du Président, a tout de suite été saturé. Il fallut s'accrocher : Laurence Soudet dut se résigner à occuper un couloir, Paul Legatte se contenter d'un réduit avec une vue imprenable sur un garage. L'important était d'y être et... d'en être.

André Rousselet se souvient du 21 mai 1981. Il se fait apostropher dans le grand hall de l'Élysée, noir de monde, par Mitterrand : « Pierre Bérégovoy sera secrétaire général et vous, que voulez-vous faire? » Rousselet répond du tac au tac : « Directeur de cabinet. – Mais il n'y en avait pas sous Giscard, lui rétorque Mitterrand. – Mais il y en avait un du temps de Pompidou, précise Rousselet en continuant à marcher à son côté au milieu d'une foule de plus en plus importante qui envahit la salle des fêtes. – Et pourquoi pas conseiller technique? insiste Mitterrand. – Va y avoir foule, susurre Rousselet. Je voudrais marquer le terrain pour ne pas être englouti dans le cabinet. – Bonne idée », lâche enfin le nouveau Président. Rousselet héritera ainsi du fonctionnement de la maison, de la gestion des fonds secrets, des problèmes de police intérieure et... de l'audiovisuel. Dès le départ, Mitterrand s'est réservé tout ce qui était politique.

« Je partageais, dit André Rousselet, avec Jacques Attali la fonction du bureau des pleurs. Nous recevions toute la journée ceux qui pensaient qu'ils devaient être nommés. La tâche n'était pas facile car le Président possède une caractéristique : il renvoie à ses interlocuteurs le discours qu'ils veulent entendre. Chacun, à la sortie de son bureau, croit de toute bonne foi que sa requête vient d'être acceptée. « Pourquoi pas? » répondait-il aux solliciteurs qui venaient nous trouver. C'était le cas de Claude Estier, qui demandait d'être le président de la commission des Affaires étrangères : « Bonne idée. » Deux jours plus tard, Estier rencontra Maurice Faure, qui lui lâcha en confidence : « Tu sais ce qu'il m'a demandé, François Mitterrand? D'être président de la commission des Affaires étrangères. » Le scénario se répéta pour la présidence du groupe socialiste : François Mitterrand avait donné sans prévenir quiconque, et surtout pas les deux intéressés, deux feux verts en même temps : l'un à Pierre Joxe, l'autre à

Jean Poperen. François Mitterrand a peut-être oublié. Eux s'en souviennent encore.

« Nous n'étions pas préparés au pouvoir », se rappelle Rousselet. « Depuis le Front populaire – et encore cela n'a duré qu'un ou deux ans historiquement, mais un an sous la conduite de Léon Blum – la gauche n'avait pas gouverné », fait remarquer François Mitterrand, qui ajoute : « Gouverner, c'est aussi une expérience. Quand il se passe tant de temps sans alternance, c'est très difficile pour ceux qui parviennent au pouvoir sans l'avoir jamais exercé. » « L'alternance est indispensable à la démocratie », dit François Mitterrand. Si l'on arrive soudain au pouvoir sans avoir la pratique des choses, l'esprit s'évade et construit une société idéale. « L'idéalisme, c'est très bon mais ce n'est pas le pain quotidien quand on est au pouvoir. »

En 1981, il a donc fallu embaucher et vite. « On ne connaissait personne. Il y avait beaucoup de postes à pourvoir. Il fallut élargir, élargir, se rappelle André Rousselet. Tout d'un coup il a fallu essayer de reconnaître ceux qui avaient été vraiment des victimes politiques de ceux qui le disaient mais étaient et resteraient des incapables absolus. » Une bonne centaine de conseillers ont ainsi « tourné » à l'Élysée depuis mai 1981, les plus connus restant Jacques Attali et Erik Orsenna. François Mitterrand trouve normal qu'on ne se fixe pas à l'Élysée et même s'il s'habitue à ses collaborateurs, devinant assez vite leurs méthodes de travail, il n'a jamais empêché quiconque de le quitter. Il a retardé quelques départs de conseillers tout au plus, dans des périodes qu'il jugeait compliquées. François Mitterrand, c'est bien connu, ne se sépare pas des gens. Il ne sait pas. Il ne veut pas savoir. Cela lui a valu, dans sa longue carrière politique, quelques ennuis. Il préférera assumer les erreurs plutôt que les en accuser et s'en séparer. Ce trait de caractère, déjà fort dès la fin de son adolescence, ne fera que se renforcer au fil des années. Sa fonction de Président de la République fait qu'il n'est responsable que devant la Haute Cour. Mitterrand ne se considère pas au-dessus des lois, mais il aime bien fabriquer les lois de sa tribu, dont l'esprit peut se résumer ainsi : fidélité inconditionnelle, disponibilité totale, amour du passé.

Mitterrand, à l'Élysée depuis 1981, ne s'est séparé volontairement que d'un seul collaborateur qui avait utilisé son titre pour se faire nommer à un poste important dans son corps d'origine. Cela n'a pas traîné. Le lendemain, il était viré. Les autres peuvent, s'ils le veulent, rester au palais. En ce début d'année 1994, le compte à rebours a commencé! Pour comprendre la vie quotidienne à l'Élysée, il est nécessaire de décrire les cercles – Mitterrand est un homme de cercles, pas concentriques mais séparés – qui constituent son entourage au palais. Il a placé là des personnes qui lui sont utiles pour des tâches très différentes, à des moments très particuliers. Comme dans sa propre vie, le système est compliqué. Lui seul possède le plan d'ensemble. François Mitterrand est un secrétaire anglais du XVIIe siècle avec de nombreux tiroirs, des tiroirs gigognes. L'Élysée est en soi une citadelle dotée de tours d'ivoire. François Mitterrand y a installé sa tendance au secret, la segmentation des problèmes en fonction de ses interlocuteurs. Personne ne peut prétendre avoir une connaissance exhaustive de François Mitterrand. Et, ni dans son entourage, ni parmi ses relations, ni chez ses plus proches collaborateurs, on ne peut trouver quelqu'un qui puisse sérieusement prétendre connaître... la moitié de ses tiroirs secrets. A l'Élysée, donc, le cercle le plus éloigné est aussi le plus ancien. Mitterrand a embauché, dès 1981, des vieux compagnons de route qui n'ont guère d'influence sur la vie du palais mais qui restent là, ma foi, par habitude, fidélité, parce que Mitterrand leur devait bien cela. On les tolère plus qu'on ne les intègre. Extérieurs au fonctionnement quotidien de l'Élysée, ils sont un peu hors circuit, ne font que très exceptionnellement des notes au Président mais viennent tout de même tous les jours à leur bureau. C'est douillet comme maison, l'Élysée. Je les appelle les faux clandestins (car des vrais, il y en a aussi, que nous découvrirons un peu plus tard!).

Eux sont à la fois présents et absents, dedans et dehors. Quand on veut tenter de comprendre le fonctionnement d'une maison, fût-ce l'Élysée, mieux vaut traîner dans la cuisine plutôt que dans le salon, et mieux vaut essayer de parler avec les marginaux plutôt qu'avec les chefs de bureau. Ce fut très compliqué de faire comprendre ma requête au premier clandestin. Il se méfiait. Il voulait que mes questions soient rédigées alors que je lui proposais un entretien informel. De guerre lasse il a cédé et m'a reçue dans son petit bureau, bas de plafond, meubles anciens, sous-main relié, épaisses tentures vertes devant la fenêtre donnant avenue de Marigny. Cérémonieusement, il m'a fait entrer. Ce bureau ressemble à un sanctuaire. Au mur sont accrochées de nombreuses photographies représentant toutes, à l'exception de la reproduction d'un superbe cheval, Mitterrand et lui. Mitterrand et lui en voiture, Mitterrand se frayant une route dans la foule et lui le précédant, Mitterrand et lui marchant sur un chemin. J'ai tout loisir d'admirer les photos pendant que l'homme téléphone. Il prend des airs mystérieux, change de ligne, décroche son interministériel, sort des passeports de sa poche, tutoie ses interlocuteurs, promet d'arranger leurs affaires – mise en scène calculée, onctuosité aristocratique naturelle de l'hôte de ces lieux? Éberluée, j'ai l'impression de tomber dans l'univers d'un (mauvais) roman policier.

Mais François de Grossouvre, une fois les téléphones raccrochés, reprendra le masque officiel du conseiller des chasses présidentielles. Il se lancera dans un dithyrambe véhément contre ces gens de droite qui, lorsqu'ils ont vu « les péquenots socialistes arriver au palais, ont cru qu'on allait oublier nos vieilles traditions de chasse présidentielle ». François de Grossouvre veillait. Heureusement pour Mitterrand : « Giscard surveillait personnellement les territoires de chasse. Mitterrand ne s'y intéresse pas. Je suis son veneur. La chasse est un acquis de la Révolution. Les giscardiens ont cru qu'on allait se planter. J'ai relevé l'affront. Mitterrand savait que j'aimais la chasse. Quand je n'étais plus chargé de mission auprès de lui il m'a proposé, et il a beaucoup hésité entre Pelat et moi, d'être le président des chasses présidentielles. J'ai été nommé par décret. C'est un travail politique [*sic*] qui peut servir. J'invite des chefs d'État étrangers, des ministres, des députés. J'ai aussi une liste complémentaire des amis du Président. Je les connais bien généralement. Mais le Président vérifie toutes les listes. Tenez, aujourd'hui il m'a renvoyé la liste. Il en a barré trois. Ils sont punis, je ne sais pas pourquoi et je ne saurai jamais. » François de Grossouvre s'interrompt et me dit qu'il ne sert à rien de continuer à parler. A la chasse, il faut y aller. On ne peut rien y comprendre si on n'y assiste pas. Je lui dis mon mépris pour ceux qui tuent les animaux. Il m'explique que c'est une chasse dite de régulation, les chasseurs n'auront le droit que de tuer les vieux sangliers. Je me fais prier. Je ne sais pas tirer. « Qu'à cela ne tienne, vous marcherez. Je m'occuperai de vous. » « Ce sera la dernière chasse de la saison, ajoute-t-il. Il ne faut pas la manquer. »

L'autre clandestin de l'Élysée fait moins de manières. Cheveux blancs, œil bleu vif pétillant derrière des lunettes, attentif, courtois, d'une gentillesse extrême, il ressemble à l'image idéale du grand-père dans les bandes dessinées des années soixante. Après avoir occupé un premier bureau en 1981 avec vue imprenable sur un garage, Paul Legatte a été transféré au 2, puis au 14, rue de l'Élysée. Signe de perte de pouvoir ? Un peu. M. Legatte connaît « son » Mitterrand – à chacun le sien – comme sa poche. Il fut, dès 1964, l'un de ses proches et travailla avec lui et chez lui, rue Guynemer, dès cette période, où il fit office de directeur de cabinet. Legatte a trop fréquenté Mitterrand pour être piégé par la fascination du personnage. Mais il continue à le considérer. Il l'observe depuis quarante ans et le qualifie d'artiste de la politique. Legatte, lui, ne se prend que pour un soutier. Cette modestie non feinte n'a pas manqué de surprendre Mitterrand : « Je l'inquiétais beaucoup, dit Legatte, car j'étais désintéressé. Il faut croire qu'il n'en connaissait pas beaucoup car il croyait que je voulais quelque chose que je ne lui disais pas. Mais moi, ce qui m'intéressait, c'était de le regarder jouer. » Legatte a commencé par travailler avec Mendès France, puis, fin 1959, Georges Dayan le contacta pour le club que voulait créer François Mitterrand. « A l'époque, se souvient-il, on parlait d'ailleurs plus d'humanisme que de socialisme. Mitterrand, contrairement à Mendès qui s'était réfugié dans sa solitude, croyait aux réseaux, voulait multiplier les clubs amicaux, mettait la main à la pâte. Il n'était pas très idéologue. Il parlait surtout de justice et d'égalité des chances. Mais c'était déjà un chef, indéniablement. Vous savez, quand on s'est assis tout jeunot à la table du Conseil des ministres, on veut devenir Président de la République. » Legatte n'a pas cessé d'observer l'artiste. Il l'a vu progresser, l'a beaucoup admiré dans ses négociations cyniques avec les communistes et dans son art de toujours vouloir rassembler. Au fur et à mesure, il a même appris à le deviner : « Je lui ressemble beaucoup, mais je ne suis qu'une mauvaise copie. »

Alors Legatte, en 1981, a décidé à l'Élysée de jouer, comme il le dit, « à la voiture-balai ». Il s'occupera des éclopés, de tous ceux qui ont aidé à la victoire mais qui ne sont pas assez chics pour être récompensés officiellement. Le nouveau Président lui donne aussi le droit de regard sur les nominations dans la haute fonction publique. Il décidera de prendre également en charge les problèmes du personnel du palais. Sœur Thérèse de l'Élysée, il n'a pas son pareil pour arranger les transferts des gardes républicains, aider au relogement, préparer les dossiers de retraite. Cela ne l'empêche pas de continuer à observer du coin de l'œil son vieux compagnon de route d'un air amusé. Il ne le voit plus que très rarement, chaque 10 mai en particulier, pour le dîner des anciens. L'une des dernières fois où il a pu deviser longuement en tête à tête avec lui, ce fut quand il lui a remis en main propre, il y a quatre ans, son dernier rapport de médiateur de la République. Mitterrand l'a raccompagné sur le perron de l'Élysée et lui a dit : « Quand nous quitterons cette maison, en 1995, nous serons tous deux de vieux bonshommes. » Legatte s'est accroché à l'Élysée malgré la maladie, l'âge, la fatigue. On l'a plusieurs fois changé de bureau, de secrétaire, mais il tient bon. Il donne ses déjeuners, dits « déjeuners Legatte », où il invite des politiques, des chefs d'entreprise. Certains à l'Élysée trouvent qu'il est trop vieux pour continuer à assumer ce genre de responsabilités au nom du Président. Mais Mitterrand ferme les yeux. Et il a raison. Legatte est heureux, les « petites gens » de l'Élysée aussi, qui savent qu'il y a dans ce palais un homme toujours prêt à les écouter et à essayer de les aider.

L'Élysée n'est pas une maison de retraite. Le palais abrite même de très jeunes recrues. En tête caracole une femme de trente-quatre ans, qui a pris une grande importance auprès du Président ces quatre dernières années. Blonde, franche, sportive, l'air déterminé, elle joue avec gourmandise ses différents rôles. Signes particuliers : aime les Rolling Stones et les Vespa. A la fois sherpa, secrétaire générale adjointe et confidente de Mitterrand, elle est au cœur du dispositif sur les plans tant géographique – elle occupe la pièce d'à côté – que politique – toutes les notes doivent passer sur son bureau avant d'être acheminées sur celui du Président – et personnel – elle le voit au moins deux fois par jour. Elle ne comprend pas très bien ce qui lui arrive, mais elle se réjouit d'avoir la chance de travailler si près de François Mitterrand. Comme elle le dit en éclatant de rire : « C'est la rencontre de ma vie. » Alors pourquoi et comment a-t-elle été « élue »? Sans doute d'abord à cause de son intelligence – vive, concrète –, de sa rapidité à gérer les urgences. Ensuite grâce à sa franchise – elle dit tout, sans s'embarrasser de circonlocutions, sans utiliser la langue de bois, qu'elle ne connaît d'ailleurs pas, en n'hésitant pas, s'il le faut, à bousculer le Président. Et puis surtout à cause de sa gaieté. Anne rit souvent. Elle ne s'en rend même pas compte.

Mitterrand est un « fabricant » d'hommes et de femmes. Lui n'est guère influençable même si, pour vous amadouer ou vous mettre en valeur, il peut vous faire croire le contraire. Il prend ses décisions toujours tout seul même s'il vérifie auprès de son entourage s'il ne s'est pas trop lourdement trompé. Chaque fois qu'il consulte, il a déjà tranché même s'il dit d'un air grave : « Vous m'avez déterminé. » Mitterrand a ouvert les yeux d'Anne, lui a permis de comprendre la part d'ombre des grands de ce monde en lui demandant de l'accompagner partout et de le représenter auprès de toutes les grandes institutions. L'initiation a commencé au cours d'un sommet africain. Il venait de clôturer une séance officielle et de serrer des mains. Il a pris Anne en aparté et lui a dit : « Untel, que je viens de saluer, a tué tous ses frères. Celui-là a emprisonné tous ses opposants. » Ensuite il y eut un voyage à l'étranger. Mitterrand, toujours curieux de savoir d'où l'on vient, lui posa des questions sur sa famille. Elle lui avoua un grand-père nivernais. Quelle chance! Elle n'en devenait que plus intéressante. Puis, rapidement, il la nomma simultanément sherpa et secrétaire générale adjointe. Elle refusa devant l'énormité de la charge. Il se fâcha. Elle eut raison du travail mais éprouva beaucoup de difficultés à se faire accepter par l'ensemble de la gent élyséenne. Les dames surtout! Transies de jalousie, elles lui inventaient du poil au menton, des crises d'autoritarisme et des attitudes de Bécassine. Mitterrand adore les luttes de clan. Il observe mais ne prend guère parti. Sans doute des réminiscences de petit garçon élevé chez les religieux. Au meilleur de gagner. Anne a tenu bon. Au début de la seconde cohabitation, elle a serré les dents et a considéré que son poste à l'Élysée devenait l'enjeu d'un combat politique. Elle a appris à jauger le Premier ministre qu'elle côtoie au moins une fois par semaine et ne se prive pas de dire ce qu'elle en pense : « C'est un homme de pouvoir, je dirais presque physiquement. Il se montre toujours très soucieux des apparences du pouvoir. Il porte un réel respect à la fonction présidentielle, ce dont profite d'ailleurs subtilement François Mitterrand. Ce respect est d'autant plus grand qu'il se prépare tous les jours méthodiquement à devenir Président. »

L'attitude à prendre avec le Premier ministre devient, en ce début d'année 1994, un perpétuel sujet de discorde entre proches collaborateurs. Certains l'estiment, voire le flattent... Cela donne des haut-le-cœur à Anne, qui préfère ne pas voir... D'autres gèrent du mieux possible les relations en termes de fonctionnement et de tactique. Le ton de la seconde cohabitation Élysée-Matignon a été donné, le 2 avril 1993, par le Président lui-même, puis par le nouveau Premier ministre au cours du premier Conseil des ministres qui suivit la défaite de la gauche : « Vous êtes, nous sommes ici parce que le peuple l'a voulu. Nous sommes au service de la République et de la France. Le mieux donc est de commencer notre travail. Monsieur le Premier ministre, je vous donne la parole. »

Edouard Balladur : « Vous avez ici les ministres que vous avez bien voulu nommer sur ma proposition. C'est un gouvernement équilibré, resserré pour des raisons claires. Il est totalement et scrupuleusement respectueux des institutions et animé du désir de gouverner au mieux. Tous feront ici en sorte que cette période inhabituelle, mais qui finit par devenir habituelle, se déroule dans les meilleures conditions possibles. »

Ton feutré, rôles partagés. Le gouvernement gouverne, le Président... préside. A Hubert Védrine, secrétaire général de l'Élysée, de jouer et de faire fonctionner sans trop d'à-coups le gros navire cohabitation. Tâche difficile même pour ce diplomate de haut rang, rompu aux exercices de géopolitique depuis 1981 auprès du Président, un des rares énarques qu'ait supportés François Mitterrand auprès de lui depuis si longtemps, d'un calme légendaire, d'une méticulosité efficace et aussi... fils de son père, grand ami de François Mitterrand dès la période de sa captivité. Hubert Védrine n'a rien d'un militant de terrain. Ayant pourtant fait ses classes politiques dans un petit canton de la Nièvre (oui, encore la Nièvre!), il n'en a manifestement pas gardé le goût de la harangue publique. Homme de cabinet discret, il est plutôt un intello du pouvoir qu'un praticien. Mitterrand l'a fait sauter sur ses genoux quand il était petit, mais, de son patron, Védrine se méfie toujours. Il craint ses coups de colère, ses injustices et prépare sans cesse le terrain. Ne pas faire de vagues avec Matignon et tenir d'une main ferme la maison Élysée sont ses deux tâches principales.

« A l'Élysée, on doit coopérer avec le gouvernement dans l'intérêt de la France, souligne-t-il. On doit parler d'une seule voix. Cela ne veut pas dire qu'on pense la même chose. Personne ne souhaite la cohabitation : ni nous ni eux. Elle nous est imposée par les électeurs. Savoir si l'on est pour ou contre n'a aucun sens. On est obligé de faire avec, en trouvant des solutions pour les domaines partagés. » Cette étrange machine à gouverner contraint en permanence l'Élysée et Matignon à aplanir les différences. La question n'est pas de savoir si les difficultés entre les deux maisons sont quotidiennes ou trimestrielles. Le système doit avaler tous les types de conflits. L'Élysée et Matignon s'entendent-ils plutôt bien? Peu importe. En communiquant en permanence avec son homologue, Nicolas Bazire, à Matignon, il établit ainsi un pont permanent de confiance mutuelle entre le Premier ministre et le Président. « On ne se ment pas, ajoute-t-il. A charge de revanche... »

A l'Élysée, depuis les débuts de la seconde cohabitation, deux familles ont vu le jour : d'un côté les Groseille, de l'autre les Duquesnoy. Comme dans le film hilarant *La vie est un long fleuve tranquille,* les Duquesnoy « en sont et s'y croient ». Entendez : ils entretiennent des rapports avec le gouvernement, avec certains ministres, voire quelquefois avec le Premier ministre en personne. Les Groseille n' « en sont » pas. Ils constituent l'armée obscure des sans-grade, des bêtement obéissants, qui ne doivent – sous aucun prétexte – communiquer avec l' « ennemi ». Réduits au rôle d'observateurs ou au mieux d'analystes et de journalistes, les Groseille sont atteints de mélancolie. Ils pensent trop souvent au bon vieux temps. Avant ils pouvaient agir continuellement au nom du Président dans des réunions de cabinet ou lors de messes interministérielles à Matignon. Ils donnaient toujours leur avis et leur avis était toujours suivi, puisqu'il était censé être celui du Président de la République. Les Duquesnoy pouvaient alors concrètement agir sur des décisions, bloquer des dossiers, donner de nouvelles orientations. Néanmoins les Duquesnoy sont des gens fidèles et patients. Ils se consolent en songeant au passé, mais pour rien au monde ils ne partiraient.

« Notre place est ici, disent-ils en chœur. En notre

âme et conscience. » Personne ne les retient, surtout pas le Président, qui comprendrait qu'en ces temps difficiles l'un d'eux s'en aille dans le privé. Mais tous disent qu'ils resteront jusqu'au bout, les uns par admiration, estime profonde pour le Président, les autres par habitude et confort, parce que leur vie intellectuelle, matérielle, amicale s'est faite ici depuis treize années. Pour les uns comme pour les autres cette dernière année, chronique d'une fin annoncée, se vivra dans une certaine exaltation. Tous sont là pour défendre jusqu'au bout « leur » Président.

« Au moins les jeux sont clairs, dit cyniquement Michel Charasse. L'équipe actuelle n'a plus rien à perdre, plus rien à espérer : ni avancement dans la maison, ni nomination au titre de ministre ou de conseiller d'État. » Le Président n'ignore pas les états d'âme des Groseille. Pour calmer leur spleen et leur trop voyante inactivité, le Président organise régulièrement avec eux des déjeuners. Pour « maintenir le contact », dit-il. Incongruité totale au pays de la mitterrandie élyséenne, qui n'avait jamais vu auparavant de telles réunions. « L'équipe n'a d'autre ambition que de servir le Président et de participer à une aventure qui restera un grand souvenir dans notre vie », ajoute Charasse. Certains conseillers – moins bien lotis et moins influents que Charasse – ne participent pas de ce romantisme présidentiel, mais tous unissent indéniablement leurs efforts et leurs talents pour éviter que l'Élysée ne devienne une forteresse vide.

La vie de château rendrait-elle les occupants de ce palais, autrefois si bruissant de décisions et aujourd'hui si silencieux, prétentieux et arrogants, ligotés, sans l'avoir compris eux-mêmes, dans les apparences d'un pouvoir qu'ils ne détiennent plus ? Sous l'unanimisme du discours « nous resterons tous jusqu'au bout » percent en fait deux attitudes : les plus anciens ont choisi une vie professionnelle auprès de François Mitterrand à leurs risques et périls, depuis longtemps et en toute connaissance de cause. Les autres, généralement plus jeunes, se révèlent plus impatients, plus angoissés : « Que va-t-on faire? X. a eu le Conseil d'État, Y. la Cour des comptes, pourquoi n'aurais-je pas droit, moi, à un poste d'inspecteur? » Autorisées, peut-être même désirées par le Président, les rivalités entre les personnes s'intensifient : ainsi reproche-t-on à la secrétaire générale adjointe de s'approprier les pensées et les analyses de certains de ses conseillers pour mieux se faire valoir auprès de François Mitterrand; ainsi critique-t-on, malgré sa bonhomie et son affabilité, la manière un peu trop obsessionnelle qu'a Maurice Benassayag de répéter à tout bout de champ : « Le Président m'a dit que... »; ainsi vilipende-t-on Michel Charasse de se montrer trop proche des positions de l'actuel gouvernement et d'entretenir des relations amicales avec Charles Pasqua. Ainsi va la ronde des rumeurs attisées par le désir permanent de pouvoir se faire connaître et reconnaître par le Président. En bas, le peuple des conseillers disséminés dans des ailes du bâtiment et dans la rue de l'Élysée. En haut, proches du paradis et jouxtant le cœur élyséen, celles et ceux qui ont directement accès au Président.

A l'Élysée l'atmosphère se tend, la paranoïa augmente. Lutte de clans entre le secrétaire général et la secrétaire générale adjointe. Polémiques sur le thème « A-t-on le droit d'exprimer ses opinions personnelles sur le gouvernement? ». Un avertissement lancé au cours d'une réunion par le secrétaire général à l'intention de quelques collaborateurs qui maltraitent leurs secrétaires en a glacé plus d'un : « N'oubliez pas que vous êtes de gauche », a-t-il lancé à la cantonade. Ceux qui se sont sentis visés ont alors piqué du nez dans leurs papiers. On se serait cru dans une bande dessinée de Brétécher... Mais la véhémence avec laquelle certaines secrétaires sont venues se plaindre auprès de la direction du personnel est un bon indicateur social du climat élyséen actuel : trop de travail peut-être, mais trop de mépris aussi, trop de distance sociale. « Ça ne le dérangeait pas, lui, le directeur de cabinet de Giscard d'Estaing, de venir de temps en temps manger un sandwich avec moi », lancera une secrétaire émérite qui travaille à l'Élysée depuis vingt ans et qu'on s'arrache pour sa compétence et sa courtoisie...

Hubert Védrine, de par ses fonctions, appartient à l'évidence à la famille des Duquesnoy. Certains, à l'Élysée, pensent même qu'il en fait trop : cette entente si harmonieuse avec son interlocuteur-adversaire n'est-elle pas intéressée? Cette communauté d'esprit n'est-elle pas douteuse? Énarques tous deux, Védrine et Bazire ont été intellectuellement formés de la même façon. De plus, ils partagent un goût certain pour la rapidité dans la prise de décision et la clarté dans les analyses. Leurs conversations sont brèves, nombreuses, ponctuelles et se font par une ligne spéciale qui ne dépend pas de l'interministériel. Chacun est gardien du territoire de son patron. Tous deux veillent à l'élaboration et à la circulation des décisions qui doivent se prendre en commun. Le secrétaire général de l'Élysée doit, de plus, vérifier les « points de passage » du Président : tous ces domaines où, en principe, il a son mot à dire – ordre du jour du Conseil des ministres, nominations (auxquelles il ne peut s'opposer que rarement car cela irait à l'encontre du suffrage universel), ainsi que certaines grandes orientations du gouvernement.

Selon l'Élysée, l'attitude du Premier ministre s'est modifiée. Il prend ses aises désormais. Pendant les deux premiers mois Balladur avait recours à d'énormes précautions et informait le Président de tout : aussi bien d'un entretien qu'il venait de donner au *Figaro* que du contenu d'un discours qu'il tiendrait en province le lendemain. Ce ne sera plus du tout le cas neuf mois plus tard. Aujourd'hui l'Élysée apprend systématiquement par la presse tout ce qui ressort du domaine intérieur. « Ce n'est guère différent de ce que l'on vivait du temps où la gauche était au gouvernement », ajoute malicieusement Védrine, qui, longtemps conseiller diplomatique du Président, a souvent appris en lisant son journal favori nombre d'initiatives de Roland Dumas. Le nouveau ministre des Affaires étrangères, Alain Juppé, se comporte manifestement de manière plus courtoise et moins secrète. Hôte assidu de François Mitterrand, il rend compte en permanence de ses actions. Le Président apprécie. Cet après-midi il vient l'informer d'un texte élaboré avec les Américains pour la réunion du Conseil atlantique du lendemain. Le Président, averti le dimanche précédent de la nouvelle position du gouvernement sur la Yougoslavie, qui s'apprête à formuler la demande de levée du siège de Sarajevo, donne son accord. La clarté règne entre le Quai d'Orsay et l'Élysée. Par contre, entre le Quai et Matignon, la tension monte.

Dans son bureau, ce matin-là, le Président peste en parcourant devant moi les titres des journaux. La façon dont le Premier ministre a revendiqué le succès du GATT l'irrite au plus haut point : « Je n'allais tout de même pas m'approprier les fruits d'un succès que j'estime usurpé. » Sur Pelat et la polémique qui continue : « Je suis pourtant vieux, rassis même, mais c'est la première fois que je suis attaqué de cette manière. » Sur la véhémence de la presse à son égard, il affirme que son discours sur la tombe de Bérégovoy – dont le texte griffonné, raturé, est placé bien en évidence sur son bureau – n'a fait qu'exciter et redoubler ce qu'il appelle « leur rage ». « Mais, rassurez-vous, personne ne tiendra un discours semblable sur ma tombe. »

FÉVRIER

« Couvrez-vous bien, ma petite. Il fait très froid à marcher des heures dans la forêt. Bonnet, chaussettes, plusieurs paires. N'oubliez pas les bottes. Elles sont indispensables pour marcher dans les marécages et aller épier les palombes au milieu des fougères. » François de Grossouvre m'avait prévenue : il fallait être en bonne forme physique si je voulais vraiment vivre la journée complète de l'invité type à la chasse présidentielle la plus chic, la plus huppée, la plus recherchée, celle du domaine de Chambord. Car l'Élysée, c'est aussi cela : des centaines d'hectares, des milliers de canards, des hordes de sangliers, des ribambelles de lièvres et quelques biches ravissantes chouchoutées par des gardes forestiers qui entretiennent avec passion les domaines présidentiels de Marly, de Rambouillet et le parc de Chambord.

« Si vous êtes sage, vous ferez la battue. Il s'agit bien d'un privilège que je vous octroie car votre statut de femme qui ne sait pas chasser ne vous autorise normalement qu'à aller visiter, en compagnie d'un guide, les beaux châteaux des environs. »

Sage, je l'avais été. J'étais retournée voir plusieurs fois dans son petit bureau François de Grossouvre. L'air sévère avec sa barbichette, ses lunettes et ses costumes trois pièces de grand couturier, François de Grossouvre, dès que l'on arrive à franchir le seuil de sa méfiance et dès que l'on est décidé à lui donner un peu de son temps, se révèle plutôt drôle, charmeur et totalement passionné par son sujet : la chasse, la vraie, pas le carnage mais la battue de régulation, et sa fonction, qu'il prend manifestement très au sérieux : président du Comité des chasses présidentielles. Le titre paraît ronflant et légèrement désuet, mais le travail qu'il recouvre – inspection des terres comme les châtelains d'autrefois, suivi des problèmes techniques d'organisation et lancement des invitations, auquel François de Grossouvre s'attelle avec la minutie d'un diplomate préparant des sommets internationaux – peut vous occuper... à mi-temps au moins pendant la saison des chasses.

François de Grossouvre me décrivit les enceintes de chasse, les postes de tir, m'expliqua les avantages de l'affût. Je l'écoutai me raconter que le maréchal de Saxe aimait à Chambord achever les sangliers à l'aide de pieux mais que, depuis les princes de Bourbon-Parme, cette pratique avait été (heureusement) abandonnée.

J'avais donc rejoint François de Grossouvre à l'aube du 4 février dans le petit hôtel de campagne qui jouxte le château. Vingt-quatre fusils étaient invités. C'était la dernière chasse de l'année. Ce serait la dernière pour François de Grossouvre. Les gens avaient peu dormi. Cela se sentait. L'excitation des rabatteurs et des maîtres chiens était vive. François de Grossouvre, élégantissime – veste de velours, pantalon de cheval, bottes Saint-Hubert –, semblait heureux. Il avait plu la veille, mais ce serait une journée sèche et le brouillard allait bientôt se lever.

François de Grossouvre n'ignorait pas que cette fonction, à la fois honorifique et diplomatique car nécessitant le sens de l'organisation ainsi qu'une connaissance parfaite des bonnes manières, relève plus de la perpétuation de la monarchie que de la défense des traditions de la République. Il s'amusait d'être installé au cœur de l'Élysée pour satisfaire la volonté de Louis XV, créateur des territoires de chasse de Rambouillet et de Marly, aujourd'hui directement dirigés par les services de la Présidence. Ainsi va la République. Accumulant certaines traditions, elle préfère les intégrer dans ses rituels plutôt que de les jeter dans les oubliettes de l'histoire. Elle embastille les aristocrates lors des révolutions pour mieux les célébrer en temps de paix et rénover ses châteaux afin que le bon peuple puisse les visiter. François de Grossouvre n'était pas pour rien aristocrate terrien et chevalier de l'ordre de Malte. Il savait à merveille comploter avec les grands d'un monde un peu désuet, composé de monarques de cours minuscules, d'anciens chefs d'État exilés, de directeurs d'entreprise sur la touche mais autrefois riches et puissants.

Car c'est au nom du Président que se déroulera cette journée de chasse au domaine de Chambord. La célébration du rite présidentiel se fera sous la haute autorité de François de Grossouvre, parfait dans le rôle du veneur de François Mitterrand.

L'œil vif, le maintien impeccable, l'élégance raffinée, il attend ses invités, en ce début de matinée blafarde du cœur de l'hiver, sur les marches du château de Chambord. La brume s'effiloche sur les tours. Il fait gris et très froid. La plupart des chasseurs ont dormi la veille dans l'auberge d'en face pour être à l'heure au petit déjeuner de chasse dans la grande salle du château, dite salle des Soleils. Au-dehors stationne le service d'ordre de l'Élysée. Dedans, devant un grand feu, s'agitent des messieurs excités, beaucoup de vrais chasseurs – ils ont déjà du sang dans les yeux – et quelques dames expérimentées : « Je chasse depuis trente ans, je n'aime que le gros gibier », dit l'une d'elles à son voisin de droite, le président du Sénat, René Monory.

Un ambassadeur, un général, un industriel connu, une préfète, le papa et la maman d'un ministre de l'ancien gouvernement, un député de la majorité du moment écouteront en silence le discours de François de Grossouvre, qui commencera par évoquer le Président, un Président qui restera omniprésent tout au long de cette journée et dont le nom sera prononcé comme une incantation par François de Grossouvre à chaque fois – et il y en aura plusieurs – qu'un toast sera levé. Cette présence-absence semble d'autant plus étrange que François de Grossouvre met dans cet exercice beaucoup de passion et d'application. Dans l'assistance, certains, dont de vieux amis du Président, sourient. François Mitterrand n'a jamais fait, en effet, mystère de sa détestation de la chasse – il trouve cela dégoûtant et même un peu choquant – et tout le monde sait à l'Élysée qu'il n'a jamais mis les pieds, depuis 1981, à la moindre chasse présidentielle. François de Grossouvre, à la fin du petit déjeuner, se lève et, solennellement, résume les principes de « sa » chasse : ne sont autorisés aujourd'hui que des tirs sur les gros sangliers et sur les renards. Interdiction est faite de viser les biches, les renardes, les renardeaux, les bébés sangliers. Les chasseurs doivent rester aux postes que la Présidence leur indique. Des Land Rover viendront les chercher.

Les invités partent chercher leurs armes après avoir « tiré » un numéro. La journée de chasse peut commencer. Elle durera six heures, nécessitera une équipe de quatre-vingts personnes – rabatteurs, gardes forestiers, conducteurs –, sera organisée en traques, découpage de territoires dûment choisis par le directeur des chasses présidentielles à l'intérieur de ces 5 000 hectares de parc, pour l'occasion entièrement clos et surveillé par la gendarmerie à cheval de Chambord.

Six heures à attendre pour les uns, à marcher pour les autres. Six heures à rencontrer des animaux – cerfs, biches, renards – dans une forêt où nul ne peut plus alors pénétrer. Six heures pour tirer : plus de cinquante sangliers seront abattus ce jour-là. Le tableau de chasse ne figurera pas dans les souvenirs de ces heureux élus de la République. « Dommage », dit une Diane chasseresse épouse d'un grand industriel. Elle en pleurerait presque. Au rond-point dit de la Tante-Zita, au cœur de la forêt de Chambord, les cadavres des sangliers veillés par des gardes républicains en uniforme sabre au clair, cela aurait eu fière allure. Elle a même emporté son flash pour la photo car la nuit tombe. Dommage, oui, mais François de Grossouvre a précisé que le Président n'aimait pas cette coutume, cette offrande de chair sanguinolente. Il exècre, lui a-t-il dit, ce rite qu'il juge barbare. Ce Président n'aime décidément pas la chasse. Ce n'est pas comme Giscard, maugrée-t-on dans l'assistance avant de se retrouver tous dans la grande salle du château, autour de la cheminée, à écouter le dernier discours de François de Grossouvre, qui lèvera un ultime toast au Président. Le lendemain François de Grossouvre rappellera chaque invité pour s'assurer qu'on n'oublie pas d'envoyer un petit mot de remerciements... au Président.

Quand je raconterai, un peu plus tard, cette journée de chasse à François Mitterrand, il s'exclamera : « Quelle horreur ! » A l'évocation du nom de François de Grossouvre, il ajoutera : « Il y a des gens ici qui disent qu'ils ont des réseaux et qui heureusement n'en ont pas et n'en font rien. » Ce jour-là, François Mitterrand préférera me parler de son amour de la nature et de la seule façon de la contempler : en marchant et en s'arrêtant et non en tuant. « Bien sûr il y a Latche, mais j'ai aussi un petit étang dans la Nièvre à 650 mètres d'altitude dans une région de marécages. J'ai acheté là un hectare et j'ai hérité de cet étang qui fait partie d'une chaîne d'étangs qui permettait, au temps où Paris se chauffait au bois, d'acheminer les trains de bois. Des hommes, au péril de leur vie quelquefois, les conduisaient jusqu'à l'Yonne. A Montereau, ils donnaient le bois à d'autres. Souvenez-vous de *L'Éducation sentimentale.* Je vais avec beaucoup de plaisir voir mon étang de temps en temps. J'y ai installé un couple de hérons, j'ai mis beaucoup de poissons dans ce petit lac et je mange une de mes truites tous les deux ou trois ans. »

François Mitterrand relève la tête. Il parle nature tout en signant des lettres officielles qu'il relit une par une attentivement. « J'envoie des lettres aux chefs d'État africains atteints de plein fouet par la dévaluation du franc CFA. Cette décision n'a pas été prise de gaieté de cœur mais il semble qu'elle était nécessaire. » Elle avait failli être entérinée par Bérégovoy, qui la jugeait indispensable. Elle fut retardée par le Président mais relancée régulièrement par les institutions internationales. François Mitterrand n'a accepté qu'à trois conditions : l'accord des chefs d'État concernés, l'aide substantielle de la France et l'engagement du FMI pour des mesures importantes d'accompagnement. Il a tout de même beaucoup rechigné. Il a pris cette mesure comme une critique de son bilan et, comme il est très attaché à préserver ce dernier, cela ne le rend pas facilement accessible à l'autocritique.

« L'Afrique ? Il y a toujours une énorme indifférence internationale envers l'Afrique. Personne ne s'y intéresse, sauf pour accaparer des marchés. Il faut défendre les Africains bec et ongles. Cette dévaluation aura pour avantage de provoquer le redressement de leur situation économique. J'essaie de leur expliquer. Mais la vie pendant quelque temps sera plus dure. Cela provoquera des difficultés sociales, donc des difficultés politiques. Je voudrais leur parler vite. Je les convie à un déjeuner après les obsèques d'Houphouët-Boigny. Voulez-vous m'accompagner ? »

Des policiers en tenue stationnent devant le pavillon d'honneur d'Orly. Il est très tôt ce matin de février quand les invités du Président arrivent. Le service du protocole de l'Élysée les accueille en leur offrant une tasse de café, tout en les prévenant que l'avion décollera plus tard que prévu à cause d'un embouteillage aérien au-dessus de l'aéroport de Yamoussoukro. Dans cette salle d'attente à la lumière blafarde la fatigue se lit déjà sur les visages. Inutile de faire les présentations : tout le monde se connaît et se congratule. La délégation française qui se rend aux obsèques d'Houphouët-Boigny est constituée d'anciens Premiers ministres, ministres, ambassadeurs, hommes politiques ayant de près ou de loin été mêlés aux affaires africaines. Un beau plateau en vérité. Cet échantillon saisissant de la Vᵉ République bat la semelle en attendant que la tour de contrôle de Yamoussoukro donne le signal du décollage. Mauroy, jovial, détend l'atmosphère. Fabius évite Rocard, Cresson évite tout le monde, Giscard, qui pour une fois va en Afrique sans son fusil et n'a donc pas mis sa tenue de chasse, fait les cent pas. Tout ce beau monde se mettra, avec une rapidité surprenante, en rang d'oignons au moment de l'arrivée du Président. Lui seul manifestement a été prévenu du retard dans le plan de vol. Accompagné du chef d'état-major particulier de la Présidence de la République, Christian Quesnot, superbe dans son habit colonial blanc, et de son médecin personnel, le docteur Gübler, qui tient à la main en permanence une grosse sacoche noire, escorté par son secrétaire général et son porte-parole, le Président, souriant, serre les mains, rend les honneurs aux gardes républicains en poste le long du tapis rouge qui mène au Concorde.

Il est huit heures du matin. Afrique aller et retour dans la journée. Le retour est prévu à vingt-deux heures, mais un mini-sommet avec les chefs d'État africains bousculera l'emploi du temps. Chacun s'engouffre, puis s'assoit, mais pas n'importe où. Le placement a été un véritable casse-tête pour le service du protocole, qui, depuis quinze jours, prépare dans les moindres détails le déroulement de cette journée. Les règles protocolaires ont été strictement appliquées : à l'avant de l'avion s'assoit le Président, qui a droit à un salon particulier, puis dans la cabine, et par rang décroissant, sont placés les présidents de chambre, l'ancien Président de la République, les anciens Premiers ministres, les anciens sénateurs, les anciens ministres qui n'ont pas de rang protocolaire, les ambassadeurs classés selon leur ancienneté dans les pays où ils ont exercé leurs fonctions, les invités personnels du Président, les journalistes, les conseillers du Président. Cinq fois pourtant il a fallu refaire le plan, tenir compte des *desiderata* des uns – Édith Cresson ne voulait personne à côté d'elle, et surtout pas des anciens Premiers ministres socialistes, Giscard désirait être au premier rang – et des susceptibilités des autres. Est-ce la perversité légendaire mâtinée d'humour du Président ou tout bêtement le protocole qui a placé côte à côte, à l'aller comme au retour, Fabius et Rocard, qui regardent pendant des heures dans la même direction sans jamais s'adresser la parole? Nul ne le saura jamais... La lecture du *Canard enchaîné* – le journal manifestement le plus prisé de cet aréopage distingué – permettra à plus d'un de se réfugier dans un silence diplomatique en évitant la conversation de son voisin. Le Président veille sur tout et semble décidé à éviter le moindre imbroglio diplomatico-politique. La veille au soir, tard, il a informé le chef du protocole du choix de ses invités au petit déjeuner. Le chef du protocole sait mais garde le secret. Dans l'avion chacun épie et se surveille : qui aura l'insigne honneur d'être convié à parler pendant près de quatre heures avec le Président? Cresson et Giscard en seront tout ébahis. Mitterrand leur expliquera : « Je vous ai invités car vous seuls, dans cet avion, êtes de véritables originaux. » Devant le silence stupéfait mais poli des intéressés, il ajoutera :

« Dans cet avion, Giscard, vous êtes le seul de votre espèce à être ancien Président de la République. Édith, vous êtes la seule femme à avoir été Premier ministre. J'ai donc jugé que vous aviez droit à des égards particuliers. » François Mitterrand conviera ensuite Delors, unique lui aussi dans son genre puisque seul président de la commission de Bruxelles.

Dans la cabine, après le temps de la déception – celle de ne pas avoir été choisi – vient le temps de la confidence : un ambassadeur évoque la cérémonie du sacre de Bokassa, le chef d'état-major particulier du Président observe que la cérémonie des obsèques d'Houphouët-Boigny a éloigné la quasi-totalité des chefs d'État africains et s'attend donc à des coups d'État, Hervé Bourges dit ne pas regretter son ancien poste de patron de la télévision et se plonge dans les carnets de François Mauriac, le photographe préféré du Président, Claude Azoulay, grand connaisseur devant l'éternel des voyages présidentiels à l'étranger – il a accompagné de Gaulle, Giscard, Mitterrand –, évoque le style mitterrandien à l'étranger : multiplication des moments informels, cérémonie des conférences de presse, visites obligatoires de lieux culturels. Seul l'invité du Président ne connaît personne et pour cause : il n'appartient ni au monde politique ni au corps diplomatique, M. Laure est doreur angevin. Trois ans auparavant, il a reçu commande de la Présidence ivoirienne de revêtir de feuille dorée deux béliers situés devant la basilique de Yamoussoukro et deux vierges de 3 mètres de haut. A l'annonce de la mort d'Houphouët et après celle du voyage du Président, il a écrit une lettre à François Mitterrand lui demandant s'il était possible de l'accompagner. « A travers ma présence, a-t-il précisé, ce serait celle de tous les artisans français qui serait ainsi représentée. » La lettre est parvenue – ô miracle – sur le bureau du Président, qui a annoté en marge : « Pourquoi pas ? » M. Laure est donc là, surpris mais content, s'enhardissant progressivement au cours du voyage avant de nous faire tous admirer un peu plus tard *de visu* son travail – il est vraiment magnifique. L'or de M. Laure brille devant l'entrée monumentale de la gigantesque capitale Yamoussoukro.

Le chef du protocole, qui pratique la religion de l'effacement jusqu'à me demander que son nom ne figure pas dans cet ouvrage – nous l'appellerons donc Daniel –, regarde sa montre et calcule déjà les moyens de rattraper le retard pris sur l'emploi du temps officiel. Ce diplomate de formation – ancien ambassadeur au Mozambique, ex-consul général au Québec – occupe la délicate fonction d'être chef du protocole à la fois du Premier ministre et du Président de la République. A la différence de certains pays qui ont deux chefs du protocole, la France n'en a qu'un, la République étant une et indivisible. Trois semaines auparavant, Daniel s'est rendu à Yamoussoukro pour régler les problèmes de logistique, de sécurité, de presse. Il a élaboré un programme qu'il a soumis au médecin du Président, au GSPR, au service de presse de l'Élysée, à la cellule diplomatique de l'Élysée et de Matignon. Il s'est entretenu à de nombreuses reprises avec Georges – le chef du protocole d'Houphouët-Boigny – et a tenté de régler avec lui le difficile problème du placement dans la basilique de François Mitterrand et d'Édouard Balladur. Le protocole ivoirien prévoit que seuls les chefs d'État doivent être au premier rang. Le protocole français précise que lorsque le Président et le Premier ministre sont en voyage, ils doivent toujours apparaître à l'image au même rang. Comment résoudre cet épineux dilemme ? Daniel aura tout tenté : placer Edouard Balladur au même rang que François Mitterrand mais des colonnades auraient empêché le Premier ministre de voir et d'être vu. Daniel a alors essayé beaucoup de sièges. Il a enfin trouvé le bon. Sur le même rang, un peu plus loin, mais pas trop. L'honneur est sauf. Les complications ne font que commencer. Comment envisager le transfert des personnalités de l'avion à la basilique? « Pas question de déplacer des cortèges de voitures officielles dans un pays qui vient d'être touché par la dévaluation du franc CFA », avait exigé le Président. Le protocole a donc fait appel au 345e bataillon d'infanterie d'Abidjan. Seuls les Premiers ministres iront en voiture et par deux. C'est en bus militaire que la belle brochette de la République traversera une savane nimbée d'une lumière laiteuse avant d'être déposée, sous une chaleur lourde, devant le tapis rouge qui mène à la cathédrale, monument de ciment dédié aux guerriers baoulés et au Dieu des catholiques, étrange grand chantier biblique et politique qu'on dirait posé là en attente d'une apparition divine. Une foule immobile habillée de boubous à l'effigie d'Houphouët attend patiemment le début de la cérémonie à l'extérieur. Un chemin tracé par des couronnes mortuaires venues du monde entier mène à l'entrée de la basilique. La plus grosse, la plus rouge est celle de l'entreprise Bouygues, celle du gouvernement français paraît bien petite à côté.

« La cérémonie sera émouvante », dira plus tard François Mitterrand [1]. Évoquant ce déplacement d'une bonne partie de la classe politique française, il ajoutera en souriant : « Je voyais tous ces gens qui avaient combattu Houphouët-Boigny et qui avaient tenté de le combattre, y compris en utilisant l'arme de la dérision, venus tous en chœur l'enterrer... C'est un des meilleurs spectacles de comédie humaine auxquels il m'ait été donné d'assister. »

François Mitterrand est lié depuis longtemps à Houphouët, dont il a défendu, à l'aube des années cinquante, le combat politique pour l'indépendance de son pays. Il connaît son courage et sa détermination

1. Entretien du 3 mars 1994.

depuis la guerre et il ne mâche pas ses mots pour critiquer l'attitude du général de Gaulle et des gaullistes vis-à-vis du continent africain.

« C'est une immense tromperie que de faire croire comme le font certains aujourd'hui [1] que de Gaulle a permis la décolonisation de l'Afrique. Quand j'entends l'hymne de la décolonisation gaulliste, j'en ai vraiment gros sur le cœur. De Gaulle était fermé à l'émancipation des colonies. La conférence de Brazzaville [2] n'est pas le grand acte d'émancipation de l'Afrique noire. De Gaulle avait échoué à Dakar. Il n'avait pas la force de continuer. Il lui fallait séduire un certain nombre d'Africains. L'abolition du travail forcé dont il a parlé dans son discours de Brazzaville ne fut pas exécutée par lui. Il exclura alors toute possibilité pour les Africains d'accéder à la direction de leur propre pays. Or, au même moment, les Anglais vont accepter l'émancipation totale de colonies aussi importantes que l'Hindoustan, le Pakistan, les Hollandais vont accélérer l'indépendance de l'Indonésie dès 1941. Tous ces pays deviendront libres et souverains. De Gaulle, lui, n'a jamais songé au *self-government*. Il n'avait aucune vision historique sur l'Afrique. C'est de la pure et simple propagande que d'affirmer le contraire.

« De Gaulle a rendu incompatibles les notions d'indépendance et d'appartenance à la communauté, à la différence des Anglais, qui ont conçu le Commonwealth en permettant l'indépendance tout en conservant un lien avec la Couronne.

« De Gaulle a demandé qu'on se soumette. Pour lui, on entrait dans la communauté si l'on refusait la souveraineté. La Guinée refusera. De Gaulle va à Conakry dans un état de crise extrême. Dans les vingt-quatre heures tous les tiroirs des administrations fran-

---

1. Allusion non voilée à Jean Lacouture, auteur d'une biographie du Général : *De Gaulle*, Éd. du Seuil, 1985-1986.
2. Elle s'est tenue en janvier 1994.

çaises seront vidés, l'aménagement des routes sera suspendu et les livres de français enlevés de toutes les écoles de la Guinée. Désormais les livres pour les écoles proviendront de Prague et de Belgrade. Les livres en français n'arriveront que clandestinement.

« J'ai été un des rares parlementaires à retourner plusieurs fois en Guinée. A l'époque on tombait sous la vindicte publique quand on commettait un tel acte. Le voyage était long et compliqué. Le pays vivait sous la coupe soviétique. J'ai vu, de mes yeux vu, les enfants guinéens apprendre les mathématiques avec des professeurs russes dont les propos étaient traduits par des Vietnamiens !

« Dès 1950, j'adoptai une position de dialogue avec les élus noirs et notamment avec Houphouët-Boigny. En 1945, Houphouët, qui était médecin et chef de famille baoulé, avait réussi à créer en Côte-d'Ivoire des coopératives écoulant du café et du cacao pour se défendre du capitalisme français qui dégageait des bénéfices sur le dos des producteurs africains. Cette pratique était interdite par le gouvernement français. Houphouët-Boigny a été banni et a été obligé de se réfugier au Ghana, dont le Président était baoulé. Recherché par la police française, il était contraint alors d'entrer dans son pays clandestinement.

« Lors des cérémonies pour l'ouverture de la lagune d'Abidjan que je présidai en tant que ministre de la IVe République, j'avais suscité l'invitation de tous les élus noirs. Ils sont tous venus. A la surprise générale et au grand scandale du gouverneur de la Côte-d'Ivoire et de l'ensemble de la colonie française, Houphouët est arrivé. Il risquait d'être arrêté. Lorsque je l'avais reçu, en tant que ministre d'Outre-Mer rue Oudinot, j'avais alors été obligé de le protéger de la police qui avait voulu l'emprisonner. Ce jour-là à Abidjan, j'invite, après la cérémonie, l'ensemble des parlementaires noirs à une réception au palais. Le climat d'opposition était féroce. Mon attitude vis-à-vis des Africains était dénoncée régulièrement dans les journaux gaullistes. Une délégation de rois traditionnels me prend alors à part et me demande l'arrestation d'Houphouët-Boigny. Je reconnais tout de suite parmi eux Boa Kausin, un de mes anciens condisciples de lycée. Je l'entraîne dans un coin. Il m'avoue vite que lui comme les autres avaient reçu des pressions et que cette demande émanait en fait des officiels français! J'ai décidé de changer immédiatement le gouverneur. Je l'ai remplacé sur l'heure. J'ai nommé un fonctionnaire modeste que j'avais sous la main et j'ai obligé l'autre à reprendre l'avion le soir même.

« Aujourd'hui tout est falsifié. On reconstruit l'histoire. Tous ces États africains ont conquis leur indépendance contre le sentiment de la France. Ils ont été obligés d'aller aux Nations unies faire reconnaître cette indépendance que la France leur refusait. Quand j'entends l'hymne de la décolonisation, je ne peux que m'indigner.

« En Indochine, de Gaulle a nommé Argenlieu, qui était un féroce nationaliste, contre Leclerc, qui voulait dialoguer avec Hô Chi Minh. La guerre a éclaté. Hô Chi Minh est venu en France. Bidault ne l'a jamais reçu. Il l'a fait balader par Jean d'Arcy – je le sais car j'étais à l'époque ministre de l'Information. A la conférence de Fontainebleau Hô Chi Minh n'a même pas été admis.

« Pendant toute cette période nous vivions dans un climat de chasse aux indigènes. Les indépendances ont donc été arrachées, elles se sont toutes autoproclamées.

« Le mythe de De Gaulle décolonisateur s'est construit à cause de la guerre d'Algérie. De Gaulle a pourtant refusé, un an avant Évian, à Melun, la possibilité d'une trêve militaire avec les Algériens. Il ne peut y avoir de dialogue avec ces gens-là, disait-il. Il a fait le coup de 1958 au cri d'Algérie française. Il m'a dénoncé au cri de bradeur de l'Empire. C'est une histoire à la Staline refabriquée.

« Il faut reconnaître à de Gaulle ses talents de grand stratège sur le terrain. Il l'a montré à Évian. C'était un homme qui mettait du temps à comprendre mais qui s'adaptait. Alors, bien sûr, il y a le fameux discours de Phnom Penh. Mais ce n'est pas sa politique que le Général exprime alors, c'est en fait la politique de Mendès France qu'il couronne. Et puis, quatorze ans après l'indépendance de l'Inde, comment oser dire qu'on est un anticipateur formidable?...

« Je ne peux assister à cette comédie de reconstruction de l'histoire sans exaspération, même si je n'enlève pas à de Gaulle ses qualités : il a fait la paix en Algérie et il a parlé du droit des peuples à Phnom Penh.

« Son mythe fut ensuite entretenu par les Arabes, depuis les accords d'Évian. Avec une grande habileté, comme toujours, il est devenu l'ami des Arabes. Il a accusé Israël d'être sûr de lui et dominateur. Et cela a complété le tableau.

« Les Africains sont pratiques : de Gaulle a gouverné pendant onze ans. Ses successeurs sont restés dans son sillage. Dès que des récalcitrants réussissaient à s'organiser, il y avait un coup d'État en Afrique. Alors, quand on évoque aujourd'hui l'habileté de De Gaulle en la matière, je ne peux m'empêcher de penser : sac de tromperies que tout cela.

« En Afrique le fonctionnement gaulliste demeure aujourd'hui identique. Le personnel a changé mais les méthodes restent. Le RPR est actuellement maître de toutes les représentations d'Elf en Afrique. Les hommes du RPR sont aussi des agents du SDEC. Les bulletins de vote dans les pays où travaille la compagnie Elf se négocient par l'argent que l'entreprise distribue. Cette distribution d'argent se fait généralement dans le bureau de l'ambassadeur. Ce genre de pratique continue de nos jours. J'ai pu l'atténuer, mais je n'ai pas pu tailler dans les agents de renseignement. Foccart continue. Il travaille aujourd'hui pour Chirac.

« Tous ces gens sont hostiles à la dévaluation du franc CFA, car ils en vivent. On ne se rend plus compte aujourd'hui des investissements économiques que représentaient les colonies. Bugeaud en Algérie, Blachette en Côte-d'Ivoire, c'était le grand capital. La colonisation a toujours été du capitalisme. S'y opposer pouvait coûter cher... Je l'ai expérimenté moi-même en 1951, à l'époque j'étais ministre d'Outre-Mer. Il y eut des élections, donc la constitution d'une nouvelle Assemblée. Le président du Conseil m'appelle et me dit : " J'ai une très forte opposition contre vous. " L'ensemble des élus du premier collège venait en effet de lui envoyer une lettre qui disait : " Nous refusons la présence au gouvernement de François Mitterrand, l'homme qui a livré l'Afrique noire aux communistes en la personne d'Houphouët-Boigny. " J'ai donc dû quitter le gouvernement pour avoir traité avec Houphouët-Boigny. »

François Mitterrand, ce matin de février 1994, semble ému quand il s'incline devant la dépouille d'Houphouët-Boigny à Yamoussoukro. Il est à l'unisson de cette population qui n'en finit pas, par des chants, des danses, des prières, d'essayer de se séparer de son papa bienfaiteur qui assura jusqu'à sa mort la cohésion de son pays. Le temps du pouvoir est aujourd'hui suspendu en Côte-d'Ivoire. Houphouët a appartenu à son peuple jusqu'à la cérémonie des obsèques. Depuis ce matin, il est devenu propriété de sa famille. Mais qui lui succédera ? Les paris sont ouverts. Les délégations africaines ne parlent que de cela sur les bancs de la basilique en attendant le début de la cérémonie. Certains lisent le journal. *Fraternité-Matin* lance des appels désespérés au dialogue politique dans le pays. Personne ne veut voir disparaître Houphouët-Boigny. Son corps, certes, va être enseveli, mais son esprit doit demeurer vivant. « Maintenant je sais que la mort existe, depuis que j'ai vu son corps » : la phrase de cette Ivoirienne catholique venue en famille assister à la messe dans la basilique exprime bien l'émotion qui traverse l'assistance quand le cercueil arrive à l'intérieur. François Mitterrand, placé à côté du défunt, a tout le loisir – la cérémonie dure plus de trois heures ! – d'admirer l'entrelacs des mosaïques vert tendre célébrant les noces de la religion islamique et de la religion catholique et d'écouter cantiques chrétiens et chants baoulés célébrant l'illustre disparu.

A l'extérieur de la basilique l'état-major français veille. « C'était un vrai débarquement, tout un cirque », dira dans un sourire Bruno Delaye, le conseiller pour l'Afrique de Mitterrand, chargé de l'opération [1]. Le gouvernement français a en effet pour l'occasion déplacé deux Antonov qui ont transporté quarante voitures et cinquante motos, un Concorde, un Airbus, un Transall, un Puma, deux Falcon 900, dont un médicalisé, la voiture blindée du Président, une Espace aménagée en ambulance. L'appui logistique se révélera sans faille. Tout le monde reviendra content. La délégation française impressionne tant quantitativement que qualitativement. « C'est de l'œcuménisme en terre africaine », s'écriera un ambassadeur en voyant devant la basilique Giscard s'entretenir avec Rocard et Chirac avec Édith Cresson. Au fil de la journée, et avec la fatigue qui lève bien des défenses, des rapprochements vont s'opérer : tout le monde parlera avec tout le monde, exception faite d'Edouard Balladur et de Jacques Chirac, qui prendront soin de ne pas avoir à se croiser, fût-ce du regard.

Après le déjeuner, François Mitterrand convoquera un mini-sommet, auquel il conviera le Premier ministre. Sur la dévaluation ils se montreront en plein

1. Entretien du 9 mars 1994.

accord. Lors d'un Conseil restreint tenu à l'Élysée en janvier 1994, le Président a déjà réaffirmé sa position : oui à la dévaluation, à condition d'aider les pays africains. Le Premier ministre a jugé utile de lui répondre par écrit qu'il s'en portait garant. Les deux hommes vont d'abord écouter le président Bedié évoquer les problèmes pratiques que provoque la dévaluation dans son pays. Puis Mitterrand prendra la parole. Il fera comprendre que cette décision n'a pas été prise de gaieté de cœur mais mûrement réfléchie. Utilisant tour à tour le ton de la douceur puis celui de la fermeté, il ajoutera qu'il n'aime pas les débordements en Afrique et qu'il n'a pas envie de changer d'interlocuteur tous les six mois. Message compris par les chefs d'État réunis, qui savent qu'ils ont besoin de l'appui de la France. Les yeux de « Tonton » se plissent de plaisir pour relancer les uns, mettre en valeur la vertu des autres. Le vieux sage a gagné. Le mini-sommet diplomatique voulu par François Mitterrand est donc une réussite tant pout le Président que pour le Premier ministre, à qui une certaine frange du RPR reprochait ces derniers temps, un peu bruyamment, de brader l'Afrique.

A Bruno Delaye, que Mitterrand avait convoqué à l'Élysée en juin 1992, il avait dit : « Vous savez pourquoi je vous ai fait venir? Il faut nous occuper de l'Afrique. On peut se poser la question : pourquoi s'en occuper à l'Élysée? Eh bien, c'est comme ça. Il le faut. Si on enlevait la cellule africaine, les chefs d'État africains la redemanderaient. Il faut aimer l'Afrique, il faut la comprendre dans sa réalité, pas avec des lunettes idéologiques. La politique africaine, cela ne se résume pas à savoir si tel dirigeant est mieux que tel autre, la démocratie ne se résume pas à changer l'occupant du fauteuil. »

Mitterrand dit souvent que s'il additionne tous ses séjours là-bas, ce temps mis bout à bout représente deux ans de sa vie. Bruno Delaye se souvient que quand il l'a reçu – il n'était pas candidat à ce poste car il avait une vision effroyable de la cellule africaine – le Président lui a lancé : « Je remets les compteurs à zéro. » Il lui a avoué que quand il était redevenu Président, en 1988, il redoutait de se voir confronté de nouveau à ce supplice : accréditer les ambassadeurs. Chaque fois qu'un chef d'État africain vient à Paris, il dit à Delaye : « Je veux bien le recevoir une demi-heure mais pas plus. Arrangez-vous. » Delaye s'arrange. Et quand il se retrouve en Afrique, le temps n'existe plus.

L'Afrique continue à être à la dérive. François Mitterrand s'en indigne : « En ce début d'année, on continue à voler les Africains. Ils s'appauvrissent sans cesse. En 1994, il y aura encore plus de flux de capitaux de l'Afrique vers les pays industrialisés que l'inverse. Tout ceci a été encouragé par certains gaullistes. De Gaulle laissait faire. Ce n'était pas lui. On embête aujourd'hui Emmanuelli pour le financement du PS. C'est de la roupie de sansonnet comparé à ces sommes phénoménales dégagées sur le dos de l'Afrique par les gaullistes [1]. »

Au milieu du bruit des réacteurs du Concorde présidentiel, dans une petite salle de l'aéroport de Yamoussoukro, le Premier ministre fait une conférence de presse. Il est huit heures du soir, heure locale. Le service de presse du Président peste contre cette rage de communication. Mais Mitterrand est déjà loin. Il a de nouveau invité à l'avant de l'appareil Cresson, Giscard et Delors. A l'arrière, Chirac raconte des histoires drôles, Foccart sommeille, Fabius et Rocard, placés de nouveau côte à côte, ne se regardent toujours pas, Bourges raconte comment Houphouët, à la tombée de la nuit, allait jeter des poulets vivants aux caïmans. Près de la cathédrale surgissaient de derrière les

1. Entretien du 4 mars 1994.

arbres les ministres de son gouvernement. Atmosphère irréelle de conciliabule d'une fin de règne.

A Roissy le Concorde arrive au milieu de la nuit. Le scénario se répète : tapis rouge, gardes républicains impassibles. Ballet des voitures officielles dans la brume glacée. A Yamoussoukro, au même moment, la famille enterre enfin Houphouët-Boigny, mort depuis deux mois. On dit que des centaines de bœufs ont été sacrifiés. Dès le lendemain les rivalités politiques et les luttes de clans apparaîtront au grand jour. En France tout est calme. Apparemment.

Il y a un avant et un après à l'Élysée. Avant, c'était le temps où François Mitterrand observait la politique du gouvernement mais ne pipait mot. Des rumeurs ont alors filtré sur son état de santé. On le disait épuisé, incapable d'aller jusqu'à la fin de son mandat. A chaque fois que le service de presse de l'Élysée annonçait un discours, le bruit circulait qu'il notifierait sa démission. Avant, c'était avant l'allocution prononcée à Céret contre la loi Falloux. Depuis, ses collaborateurs disent qu'il occupe de nouveau la scène. Il s'exprime sur le chômage, l'Europe, la politique étrangère, l'école. Le Président n'est plus seulement le garant des institutions républicaines, il redevient offensif.

Ici le climat n'est ni au rocardisme ni à la défense inconditionnelle du PS. De Rocard on se méfie, au mieux on s'y résigne. L'écrasante majorité des conseillers pense qu'il ne sera pas présidentiable et observe avec commisération ses sondages pour les futures élections européennes. L'homme des missions politiques délicates, Maurice Benassayag, engagé à l'Élysée depuis peu, résume ainsi la situation : « Il faut comprendre réellement ce qui se passe aujourd'hui au PS. Les gens se sont résolus à Rocard. Il a fait régner une ambiance sympathique de chef scout aidé par sa patrouille. Les ronéos tournent. » Entre l'Élysée et le PS il existe une alliance objective, un échange permanent d'informations dans certains secteurs, comme l'éducation, l'économie et même la diplomatie : « Aujourd'hui même, dit Benassayag, avec Hubert Védrine nous sommes allés au siège du PS parler de la Bosnie pour qu'ils ne disent pas trop de conneries [1]. »

L'Élysée est une machine politique. Les trois quarts des conseillers ont leur carte du Parti socialiste. Ils disent aujourd'hui avoir l'intention de faire la campagne du candidat socialiste quel qu'il soit. Promis, juré. « La politique consiste à choisir entre deux maux », ne cesse de répéter François Mitterrand, qui vient de reconquérir les moyens de se faire entendre des Français sans toucher au mécanisme institutionnel de la cohabitation.

La politique, c'est très intuitif. Il faut sentir quand la garde est baissée. C'est un mélange de dévouement, d'idéologie, de médiocrité, d'ambitions mesquines, de passions naïves. Balladur n'a pas intérêt à ce que les choses se précipitent. Chirac ne désire peut-être pas que la cohabitation aille à son terme. Mais à l'Élysée il importe à tout le monde qu'elle dure le plus longtemps possible. En ce mois de février 1994, nul ne jugerait de l'identité du candidat de gauche au deuxième tour. Rocard lit les textes du sociologue Alain Touraine, Fabius compulse les livres de l'historien Fernand Braudel. Ces deux hommes sont des intellectuels. Trop intellos, juge Mitterrand. Coupés du réel, coupés du peuple. Aucune chance pour la présidentielle !

Et pourquoi le Président ne se réprésenterait-il pas ? Le bruit a été lancé, repris, puis amplifié par *L'Événement du jeudi*. La réaction de l'intéressé transmise par Hubert Védrine à tous les conseillers dès le lendemain de la publication de l'article ne s'est pas fait attendre : « Il n'en a jamais été question un seul instant, m'a prié de vous dire le Président. » L'hypothèse du troisième septennat participe-t-elle de l'intoxication, du coup de

1. Entretien du 16 février 1994.

patte ou de la franche rigolade? François Mitterrand s'en défend moins aujourd'hui qu'il y a quelques mois, dit Pierre Bergé, président du Comité du troisième septennat : « Avant, quand je lui en parlais, il me disait : vous êtes fou. Aujourd'hui il me dit : je ne serai pas élu [1]. »

Élu, il l'est encore. Et il en a assez de lire des insultes sur lui à propos de son attitude sur l'ex-Yougoslavie en ouvrant ses journaux tous les matins. La campagne d'un Mitterrand pro-serbe bat son plein et atteint des collaborateurs du Président qui ont des états d'âme et ne comprennent pas bien. Hubert Védrine décide alors de réunir l'ensemble des conseillers. Ce genre de réunion est rarissime dans la maison. Dans la grande salle Sautter – immense table ovale, tentures tristounettes devant les fenêtres, feutrine fatiguée et téléphone blanc de la ligne directe avec le Président posé sur un guéridon – l'ambiance, ce matin-là, est à la solennité. Mitterrand est attaqué, il faut le protéger. Assisté par le chef d'état-major particulier et la cellule diplomatique au grand complet, Védrine explique : « On ne peut se montrer insensible. Cette mise en accusation de ce vieux crabe de Mitterrand devient inacceptable. C'est le fonds de commerce de certains intellectuels qui n'hésitent pas à prononcer, à son encontre, les mots d'abandon et de honte. » Discours musclé, militant, prononcé dans un silence glacial et qui ne convaincra guère ceux, autour de la table, qui pensent que la paix dans l'ex-Yougoslavie a été sacrifiée sur l'autel de Maastricht.

Deux jours plus tard aura lieu le sinistre massacre au marché de Sarajevo, soixante-six morts par suite d'un bombardement. L'opinion mondiale sera prise à témoin de l'horreur perpétrée sur des civils. La mort, hélas, est devenue banale et la couverture du conflit, avec son cortège incessant de douleurs, a instru-

1. Entretien du 13 février 1994.

mentalisé la réalité et anesthésié les capacités de réaction. Ce jour-là la force émotionnelle de ces images de boucherie relancera les controverses sur l'incapacité de l'Europe et sur l'inaction des Américains.

Alain Juppé met au point le dispositif de la levée du siège de Sarajevo. Des conseils restreints ont désormais lieu le soir à l'Élysée. Le 9 février, au Conseil des ministres, le Président prend longuement la parole. Certains ministres s'en souviennent encore. Après avoir rendu hommage à l'action de Juppé et à sa clarté d'exposition, François Mitterrand analyse l'émotion des Français après le massacre : « C'est à l'honneur des Français d'avoir ce réflexe émotif. Ils se sentent comme responsables dans un esprit d'universalité. C'est une constante historique, en tout cas depuis la Révolution. Cela dit, il y a beaucoup d'autres conflits dans le monde, également très sanglants, par exemple en Angola. »

Puis il interpelle le Premier ministre : « On ne peut diriger la politique de la France au gré des émotions. D'autre part une *Realpolitik* provoquerait un désastre dans la crise profonde des Français. C'est un choix très délicat. Je crois plus à l'ultimatum qu'au bombardement sur les têtes de Bosnie. C'est un peuple fier, fier jusqu'à l'insupportable. »

Le 16 février, il demande au Premier ministre ainsi qu'aux ministres compétents et à l'état-major d'être, « du fait de la situation de guerre dans laquelle nous pourrions malheureusement nous enfoncer, disponibles chaque jour ». A l'Élysée, l'atmosphère a changé. La cellule diplomatique travaille vingt-quatre heures sur vingt-quatre. Les hommes de permanence ne dorment plus la nuit. Des militaires passent leur temps devant d'immenses cartes et décrivent les tactiques d'encerclement. L'état-major particulier du Président souffre pour les Bosniaques et enrage de voir le sort qu'on fait aux Casques bleus. La guerre de Bosnie-

Herzégovine entre dans une phase nouvelle. Les Serbes qui assiègent Sarajevo au prix de milliers de morts et de terribles souffrances ont retiré leurs armes lourdes. François Mitterrand vient de rappeler le rôle central de la France dans le processus de paix au cours d'une allocution télévisée [1]. C'est de la Bosnie qu'il me parlera deux jours plus tard. Il entrevoit alors une lueur d'espoir.

« Je ne fais jamais de pronostic. Un tournant a été pris. L'éventuelle frappe aérienne pourra être génératrice de guerre. Je n'ai jamais voulu que la France soit seule à supporter cette guerre. Je désirais l'engagement des autres puissances. Aujourd'hui nous assistons au moment de la cristallisation. C'est un moment mystérieux dans la vie politique : aujourd'hui, donc, les Américains s'engagent dans le conflit. La France doit apaiser les souffrances de ces peuples. Cette guerre, on ne pouvait l'empêcher. Mais il faut employer tous les moyens à notre disposition pour l'arrêter. Le moment de la menace est arrivé : dès lors que les Américains s'engageaient dans le conflit, les Russes chercheraient, de leur côté, à pousser les Serbes vers le dialogue. C'est bien cela qui vient de se produire [2]. »

« Avez-vous favorisé les Serbes ? Si oui, pourquoi ? » François Mitterrand n'aime pas qu'on lui pose la question et se met en colère : « J'aime les Serbes, oui, et alors ? Pendant les deux guerres comment oublier leur courage ? Ce sont les Croates qui ont opprimé sept cent mille serbes. »

Il se fâche encore quand j'évoque la thèse exposée dans le dernier livre de Jacques Julliard, *Ce fascisme qui vient* [3], où l'auteur accuse la France de lâcheté et la stigmatise d'avoir sciemment abandonné la communauté croate : « Julliard n'est qu'un enragé catholique

1. 21 février 1994.
2. 23 février 1994.
3. Éd. du Seuil, 1994.

qui a épousé la querelle des Croates. Les Croates, c'est le Vatican. Les Allemands et le Vatican ont fait une campagne pro-croate. Mon but à moi a toujours été de sauver les musulmans bosniaques, qui, hélas, contribuent eux-mêmes à leur propre malheur. »

A Sarajevo, les armes se sont tues. Temporairement. Prudence. A l'Élysée comme à Matignon on pense la même chose : les Russes restent pro-Serbes et les Américains ne considèrent pas véritablement la Yougoslavie comme un enjeu important.

A Paris, la baisse de la cote de popularité du Premier ministre inquiète plus qu'elle ne réjouit l'Élysée. Chirac en soupire de plaisir. Aux *Guignols de l'info* on s'amuse de ces petits jeux politiques. Les téléspectateurs adorent, n'en déplaise au Président, qui trouve que ces dernières semaines sa marionnette des *Guignols* ressemble de plus en plus à celle d'un vieillard sénile. « J'ai l'air gaga, moi? me demande-t-il en riant. Dans la vie, quand même pas tant que cela. Rassurez-moi. » Balladur semble immuno-déprimé. Chirac l'attaque, forcément. Monory en profite, évidemment. Pasqua attend, patiemment.

La cote de popularité de Mitterrand monte. Au palais on affecte de ne pas s'en réjouir. On passe son temps à tenter d'éteindre la haine qu'il suscite dans les rangs du Parti socialiste : « On se fait beaucoup d'illusions sur les capacités du Parti socialiste. Ce n'est pas le parti qui a gagné en 1988, c'est François Mitterrand », ne cesse de répéter Benassayag. L'obsession pour l'équipe politique de l'Élysée reste de traverser le désert dignement et de faire en sorte que la critique ne l'atteigne pas personnellement. François Mitterrand a l'habitude de mesurer les ambitions et de soupeser les réputations. Le vieux monstre de la politique connaît les ficelles. Il a su déjouer certains pièges à temps. Il n'ignore pas qu'un second couteau peut tuer plus efficacement et proprement qu'un discours intelligent et ambitieux. Il sait que le travail d'un député sur le terrain ne se traduit pas forcément par des bulletins le jour du scrutin. La politique est, par nature, injuste. Elle fabrique de la passion, avale du désir, broie les individus. Le Président attend. Il est à l'affût. A l'Élysée, nul ne doute qu'il saura surfer sur les vagues glacées de la cohabitation.

Pourtant, il ne profitera pas de l'affaire Rousselet. « Omar m'a tuer. » La formule fait mouche. André Rousselet, qui ne dédaigne pas de tremper sa plume dans le fiel et qui déploie, pour ce faire, un talent certain, accuse, en première page du *Monde*, le gouvernement d'avoir bradé, sans l'avoir prévenu, Canal Plus. Affaire financière ou imbroglio politique? Rousselet, qui fut le premier directeur du cabinet de François Mitterrand à l'Élysée en 1981 et qui est resté proche de lui, professe depuis longtemps son mépris des socialistes et affirme son indépendance. A aucun moment il ne demandera de l'aide à l'Élysée. Le matin même de la parution de l'article, il se contente d'informer le directeur de cabinet du Président, Pierre Chassigneux, de la tournure que risquent de prendre les événements. Mais l'article de Rousselet met le feu aux poudres dans l'entourage du Premier ministre. L'affaire Rousselet va-t-elle mettre en péril la douce torpeur de la cohabitation? Bazire avertit Védrine que Balladur est fou de rage et qu'il ne décolère pas.

L'après-midi même se tient une réunion de politique étrangère à l'Élysée. Le Premier ministre prend à part le Président et lui lance : « Je lis des choses qui m'indignent. » Il est hors de lui, tout rouge de colère, relatera un témoin de la scène. Mitterrand ne répond rien. Le lendemain, à l'occasion d'un conseil de défense, il prend à part Bazire et, en présence d'Hubert Védrine, lui dit : « Vous devez vous concerter, je n'absous pas le gouvernement qui a fait voter la loi des 49 %, mais je ne franchirai pas le pas qui voudrait que, dans cette histoire, l'on incrimine personnellement le Premier ministre. » Balladur n'a pas tué Rousselet. A l'Élysée on comprend vite qu'il ne faut pas pour autant exonérer le gouvernement. Mieux vaut considérer que l'affaire reste obscure. La crise politique est dégonflée avant même d'exister, l'honneur sauf, l'amitié préservée. Voici le récit en version originale de ce feuilleton bien monté, raconté par l'occupant de l'Élysée :

« Il n'y a pas d'affaire Rousselet. Il y a ceux qui ont fait le raid contre Rousselet. Je ne me suis jamais mêlé des affaires de Canal Plus. C'est une des plus belles réussites de l'après-guerre. Je vois cette histoire comme le désir de s'emparer d'un pouvoir non par vengeance personnelle mais pour l'argent. Les associés qui ont fait le coup ont profité de la loi Carignon, qui permet d'élever de 29 à 49 % la participation d'un partenaire dans le capital financier. C'était une initiative globale qui était favorable à Bouygues, qui était faite pour TF1. Rousselet dans Canal Plus ne détenait que 4 % de parts. Ils se sont ainsi rendus maîtres de Canal Plus. Mais Rousselet n'est pas l'employé de ces messieurs. Il sait bien que je ne suis pour rien dans cette affaire. Je n'ai d'ailleurs jamais attendu de bénéfice politique de Canal Plus. Je constate simplement que c'était jusqu'à aujourd'hui une chaîne neutre politiquement. Elle va vraisemblablement devenir active politiquement au fil du temps... »

Aujourd'hui, la joyeuse troupe de l'Élysée a son autorisation de sortie du palais dûment signée par le Président. Il fait un froid de loup. Le vent souffle fort sur l'esplanade face à la Seine. Les conseillers de l'Élysée sont tous là, casque de chantier sur la tête (quelle impression!), à écouter, transis, l'architecte Dominique Perrault expliquer le fonctionnement de la future Grande Bibliothèque de France, voulue, décidée, défendue ardemment par le Président. Rarement, en effet, un des « grands travaux » (néologisme choquant mais couramment employé dans le jargon technocratique des réunions interministérielles) n'a suscité autant de passions, de fantasmes, de rivalités, de convoitise aussi. Le projet fait peur aux bibliothécaires, aux universitaires.

La tempête intellectuelle venue d'outre-Atlantique, ardemment relayée en France par l'administrateur de la Bibliothèque nationale, a vu la Grande Bibliothèque successivement engloutie sous les crues de la Seine, puis dévorée par les flammes et même attaquée par les rongeurs et les oiseaux qui ne manqueront pas de s'installer dans les arbres de son jardin intérieur...

Hitchcock n'est pas loin. Le déroulement de ce feuilleton palpitant ménage d'ailleurs ces jours-ci quelques rebondissements : le monde intellectuel et universitaire attend en effet la nomination du nouveau président de la Grande Bibliothèque. Emmanuel Le Roy Ladurie, après avoir vilipendé pendant des années l'architecture de ce bâtiment, s'en verrait bien aujourd'hui le maître. Il a fait donner le ban et l'arrière-ban de ses amis, de droite comme de gauche, qui y sont tous allés de leur lettre au Président pour vanter ses qualités et appuyer sa candidature. Il a même demandé à être reçu à l'Élysée. Sans succès, car en réalité les jeux sont déjà faits mais nul, hormis le Premier ministre et le Président, ne le sait.

Pour l'heure, les conseillers arpentent l'étage inférieur de la future bibliothèque. Impression d'immensité, de gigantisme. Difficile d'imaginer, à ce stade, comment les futurs lecteurs se sentiront physiquement dans ce vaisseau de béton. « C'est un peu froid », se contentera de dire le Président après une visite privée faite un samedi d'hiver dans un chantier désert. Bernard Latarjet, son conseiller culturel, n'en menait pas large lorsque, à la demande du Président, ils se sont engouffrés tous les deux dans l'ascenseur de chantier qui les a conduits au sommet d'une des hautes tours de la bibliothèque. François Mitterrand est extrêmement attentif à l'évolution de ce grand projet qu'il pense inaugurer avant la fin de son second septennat, même s'il affecte de s'en moquer. Le Président peut se féliciter de l'attitude du Premier ministre sur cette question des grands travaux, qui donna lieu à des passes d'armes violentes sous la première cohabitation. Domaine réservé en quelque sorte. La paix règne en effet : pas de ralentissement des travaux dû à des coupes budgétaires, pas de polémiques. Le gouvernement n'a manifestement pas désiré ouvrir de conflit sur ce sujet. Il a cependant souhaité en prendre la maîtrise. L'histoire de la succession de Dominique Jamet, dont le mandat arrivait à échéance, l'illustre à merveille. A la date prévue, le cabinet du Premier ministre prend l'initiative de soumettre plusieurs noms de présidents à l'Élysée. Ces propositions sont jugées inacceptables par le Président : « C'était l'extrême droite de la droite, des gens sans souffle, sans notoriété », commente Latarjet, qui dit alors à son homologue de Matignon : « Proposez-nous des gens de droite mais des bons. » A son tour l'Élysée soumet quelques noms à Matignon – Brézin, Taquet, notamment –, qui sont refusés. L'affaire commence à s'envenimer. Les semaines passent. L'attente attise les convoitises et les espérances : Jack Lang lui-même fait acte de candidature auprès de l'Élysée pendant qu'Emmanuel Le Roy Ladurie envoie à François Mitterrand des articles dûment soulignés par ses soins, où il dit tout le bien qu'il pense de la Bibliothèque de France ! « La solution médiane est venue de l'Élysée, ajoute Bernard Latarjet, mais on a fait en sorte que le Premier ministre en ait eu l'idée [1]. » La nomination de Jean Favier est donc annoncée comme une décision conjointe du Président et du Premier ministre.

Pendant que les conservateurs de la Bibliothèque

1. Entretien du 10 février 1994.

nationale rangent les livres rue de Richelieu en vue du déménagement, les ouvriers posent les vitres rue de Tolbiac. L'entreprise Bouygues n'a pas pris un seul jour de retard. Ni le calendrier des travaux, ni la dotation budgétaire ne le permettaient. La Bibliothèque nationale de France sera vraisemblablement terminée à temps. Des rumeurs disent que Mitterrand aurait fait savoir qu'il désirait être inhumé sous les arbres, au milieu du jardin, au cœur des livres. L'histoire le fait bien rire : « On me prend vraiment pour un pharaon », me dit-il. C'est ailleurs qu'il se fera inhumer. Dans un coin de terre, dans sa Nièvre, qu'il a définitivement adoptée.

MARS

Plutôt direct aujourd'hui, le Président, gai, enjoué. Serait-ce son entretien avec le Premier ministre, que je viens de voir sortir de son bureau? Les jeunes râlent contre le CIP. Mitterrand n'a pas envie d'en parler : « Ce serait prématuré », me dit-il. Il préfère me montrer le couple de canards qui se dandine sur le gazon de l'Élysée. C'est l'heure du casse-croûte. Il me propose un bout de saucisson, des tranches de baguette. Après les tartines, le moment des confidences.

L'abandon de la politique? Il préfère ne pas y penser. L'idée du troisième septennat le chatouille un peu. Coquet, il avoue : « Mais oui, je me sens encore plein de vitalité », mais l'âge le retient. « Vous vous rendez compte : si l'on fait le calcul, j'aurai quatre-vingt-cinq ans à la fin. » Il faut, hélas, s'incliner devant l'âge. « Non, non, je vous assure, ce n'est pas une idée que je retiens. » Soit, mais c'est une idée qu'il n'a pas définitivement abandonnée et qu'il aime caresser de temps à autre pour ne pas trop penser à la fin programmée.

Pour l'heure, il observe le retour de Chirac dans les sondages et il ironise sur Michel Rocard : « Ce malheureux Rocard, je ne vais pas le martyriser. Mais il m'a cassé la baraque dès le premier jour. Il était associé pourtant dans l'entreprise de la gauche. Pourquoi voulait-il un destin particulier? Je n'ai aucune détestation vis-à-vis de la personne de Rocard. Lorsque j'étais premier secrétaire du Parti socialiste, j'aurais pu dire non.

Je ne l'ai pas fait. C'est son tour maintenant. Il est le plus jeune. Si c'est lui qui devait me succéder, je le recevrais ici, à l'Élysée. Ce sont les socialistes qui choisiront. Quant à moi, j'avais " sélectionné " Fabius et Jospin. Ils se sont fait la guerre – je les avais mis en évidence. Ils étaient les meilleurs, mais ils ont voulu bâtir des empires concurrents. Les lieutenants veulent toujours devenir généraux. Hélas, ils se sont entre-tués. Mais la politique, c'est d'abord les hommes. C'est en permanence un jeu de billard. Tous deux étaient beaucoup plus capables que Rocard, mais Rocard a su se glisser à l'intérieur de leur lutte. Ils lui ont donc offert le partage [1]. »

On ne peut être plus clair. Benassayag a beau me dire que les relations entre Rocard et l'Élysée sont excellentes et que, d'ailleurs, Védrine et lui viennent de prendre un petit déjeuner qui s'est fort bien passé... l'attitude du chef, elle, ne laisse planer aucun doute.

Mitterrand observe l'absence de pugnacité de Rocard et s'en inquiète. Pour lui le score des cantonales sera indicatif des performances du Parti socialiste sur le terrain. Il ne mâche pas ses mots au sujet de Rocard, qu'il ne consent pas à recevoir, sauf justement pour un petit déjeuner, à la sauvette, qui fut bien plus compliqué à monter que la visite officielle de Bill et Hillary Clinton. Il est comme ça, Mitterrand, partial, injuste quelquefois. Ses conseillers peuvent toujours se casser les dents à lui expliquer la réalité autrement, il les écoutera d'un air poli mais distrait. Il désire exercer son ascendant sur les autres. Par son esprit, il veut avoir barre sur eux. Même ses proches, il veut les surprendre et déteste être désiré. Pour protéger sa propre liberté, il se méfie des gens qui le comprennent trop bien et les tient donc à distance. Il déteste l'union ou la trop grande entente de ceux qui travaillent pour lui. Ses colères du temps où

1. Entretien du 3 mars 1994.

il était ministre et où le directeur de cabinet, croyant bien faire, réunissait son équipe sont restées légendaires. Pour régner il lui faut des relations exclusives entre individus, non une équipe qui décide collectivement. Il ne comprend même pas que ses collaborateurs puissent vouloir se concerter et il lui est arrivé d'interrompre avec une ironie mordante des réunions dans le bureau d'à côté. Jamais prisonnier de son système de conseillers, il introduit toujours à dessein des éléments perturbateurs qui empêcheront le lien entre les autres. Lui seul possède l'ensemble de la formule. Il ne donne jamais la totalité des codes pour demeurer au centre des choses. Le loup solitaire n'aime pas qu'on lui résiste, mais méprise rapidement ceux qui plient trop vite devant sa volonté de puissance.

Tout petit déjà, voulait-il devenir plus grand que les autres ? La question mérite considération. Il hésite d'ailleurs à répondre. Mais autant avouer... Voici quelques bribes de réminiscences de l'enfance d'un chef : « Quand j'étais enfant, je pensais devenir pape ou roi. Les idées me sont passées. C'étaient des enfantillages. J'aurais pu devenir président du Conseil, mais j'avais peu de chances sous la IVe République car j'étais considéré comme un marginal et un rebelle. René Coty m'avait pressenti au moment des grandes crises. Cela ne s'est pas fait. C'est tout à fait normal que cela ne se fasse pas. J'aurais pu devenir professeur de droit international. J'aurais voulu écrire des livres d'histoire. J'aurais tant aimé devenir professeur et enseigner ce qui mélange le droit et l'histoire. J'ai plaidé quelque temps. Je n'aimais pas beaucoup le palais, ni les magistrats. L'appareil judiciaire, c'est le monde de l'hypocrisie et du mensonge. Je préparais un doctorat de droit au moment où la guerre a éclaté. Cinq ans après, je pensais à autre chose [1]... »

1. Entretien du 18 mars 1994.

Toute sa vie, Mitterrand s'est fixé des objectifs : devenir député dès la Libération, ministre ensuite, président du Conseil, puis Président de la République. Il a eu le temps de se forger une idée du pouvoir. Depuis 1962 il l'attendait, mais dès qu'il l'a occupé, il s'est comporté comme celui dont l'identité ne se réduisait pas seulement à l'homme du pouvoir : je suis Président mais j'ai le loisir de marcher dans la rue, d'acheter des livres, de ne pas être agité par l'instant, par l'accidentel, de garder la mesure du temps. Avant et après, il restera les plaisirs de la vie. L'un des tout premiers demeure la lecture : « J'ai relu Suétone. Les *Vies des douze Césars*. C'est un texte que je connais bien. Mais j'ai vieilli. Et je le comprends mieux, je le comprends même de mieux en mieux. Il analyse à la perfection les mécanismes du pouvoir à Rome. J'éprouve une véritable jouissance physique à le lire dans l'édition originale Guillaume Budé. »

Une autre de ses passions reste Latche. Latche, c'est son refuge, l'endroit où il possède sa bibliothèque, un lieu où il se sent libre : « C'est une maison de 1873 en brique et bois installée dans une petite clairière. Je l'ai achetée en 1965 4 000 francs, avec un terrain de 1 000 mètres carrés et une promesse de vente pour 2,5 hectares à un grand propriétaire. Cela m'a valu un incident politique pittoresque : quand je suis allé chez le notaire du propriétaire – le baron d'Etchegoyen – pour verser l'argent pour le terrain, celui-ci m'a signifié le refus du baron : " J'ai reçu les instructions du baron, me dit-il. Il n'est pas question de vendre une parcelle de terre à l'homme qui a combattu de Gaulle. " Je pouvais faire un procès au baron. Je savais qu'il était imperdable devant un tribunal, mais je ne voulais pas entrer dans un pays en commençant par faire une procédure. J'ai donc choisi d'attendre. Il a fallu attendre longtemps. Le baron n'est mort qu'à quatre-vingt-douze ans ! J'ai complété par un terrain avec 1 220 arbres. Cela m'a coûté 60 000 francs. J'ai bâti mon petit royaume landais petit à petit. Je n'ai habité ma maison qu'en 1969. Je n'étais pas pressé. La restauration m'a coûté plus cher que l'achat. Ma méthode a consisté à acheter des granges perdues dans la forêt et à les transformer en maison. Ma première grange, je l'ai achetée en 1971 pour 50 francs. Le propriétaire voulait me la donner! Quelques années plus tard j'ai pu en acheter une autre pour en faire une bibliothèque. »

Mais ce mois de mars sera trop agité pour que François Mitterrand puisse s'y rendre. Calendrier chargé sur le plan diplomatique, agitation des lycéens contre le CIP qui « prend » de plus en plus. François Mitterrand ironise : « On n'a pas intérêt à ce que ça se déglingue trop », dit-il à ses amis nivernais qui se réjouissent de la baisse de la cote de popularité d'Edouard Balladur à la fin d'un déjeuner chez Mme Chevrier. Il ajoute en riant : « Il faudrait que cela s'arrête. Cela va finir par me retomber dessus. C'est tout de même moi qui l'ai choisi, le Premier ministre. S'il continue à tomber comme cela, Balladur va finir par me compromettre. »

Mais il ne faut pas que Balladur tombe trop bas dans les sondages pour que Chirac ne réoccupe pas totalement la scène. Le Président a gagné vingt points depuis mars 1993. Il fait mine ne pas y accorder beaucoup d'intérêt. Balladur semble désacralisé. Ce n'est justement pas le moment de l'attaquer. François Mitterrand n'interviendra pas une seule fois publiquement pour critiquer le gouvernement.

Le 11 mars, il me dit : « Pourquoi ajouter à la dramatisation d'une situation un conflit dans l'exécutif? Je doublerais le problème d'une mise politique qui ne déboucherait sur rien. Balladur a des ennuis. En politique, une fois que ça se déglingue, ça se déglingue. » Le 18 mars, il me confie : « Le gouvernement a cédé si souvent qu'il ne peut plus céder alors que c'est justement maintenant qu'il faudrait céder. » Pourtant, quand le projet quinquennal était passé au Conseil des ministres, François Mitterrand était intervenu pour s'y opposer et faire remarquer au gouvernement l'absence de concertation avec les syndicats sur ce dossier.

L'idée de ce contrat d'insertion professionnelle n'était pas neuve. Venue de l'administration des Finances, le CIP avait été soumis plusieurs fois à François Mitterrand par Pierre Bérégovoy. Mais Mitterrand n'en voulait pas. A l'automne 1992, Martine Aubry s'était violemment battue contre et Mitterrand avait arbitré en sa faveur. Elle avait alors proposé l'« exo-jeunes », qui fut acceptée par Pierre Bérégovoy. Un an et demi plus tard, le chômage des jeunes s'est lourdement aggravé. Aujourd'hui 40 % des moins de vingt-cinq ans se trouvent en chômage longue durée. Le SMIC jeunes est une solution irréaliste et mensongère inventée par des technocrates, a dit François Mitterrand à ses collaborateurs, une manière d'attaquer indirectement les acquis sociaux. C'est le SMIC, en fait, qu'on veut attaquer car les hommes du ministère des Finances le voient comme un obstacle à la création d'emplois.

Maladresses accumulées, manque de préparation du dossier. Le secrétaire général de l'Élysée juge que le gouvernement s'est mal débrouillé sur le plan de la technique gouvernementale. Balladur avait l'air de débarquer. Les discussions restaient vagues, le sujet non maîtrisé. L'opinion publique n'a pas compris que le gouvernement désirait aider les jeunes. Quand Balladur a voulu l'expliquer, il était trop tard. Quand les jeunes sont descendus dans la rue, Isabelle Thomas, actuelle conseillère du Président pour la jeunesse et ancienne égérie du mouvement étudiant de 1986, s'est sentie rajeunir. Elle a noué un contact permanent avec les organisations de jeunesse pour avoir le pouls du mouvement et informé le Président. Ce n'est qu'un début. Continuons le combat... Il n'y a bien que Plantu et Isabelle Thomas pour imaginer Mitterrand en rocker post-moderne, « chébran », casquette vissée en arrière sur la tête, en train de danser parmi de jeunes taggers artistiquement doués ou des étudiants exaltés scandant des slogans dans la rue.

S'il a su se mettre à l'écoute des jeunes depuis qu'il est Président et apparaître comme un fin stratège et un « Tonton » sympa grâce à SOS-Racisme, il professe, encore aujourd'hui, une sainte horreur de 1968 et de ses meneurs. Le souvenir de cette période reste manifestement politiquement cuisant : « 68? Il n'en reste qu'un spectre minuscule. La plupart n'étaient que des crétins minables. 68, c'était le refus du conformisme ambiant. Il régnait une animosité à l'égard d'une université du cours magistral sans communication avec des professeurs abusifs qui n'enseignaient que deux heures par semaine et passaient leur vie à l'étranger. 68 n'est pas une révolution. C'est une singerie de révolution. Il ne s'est rien passé. Les étudiants se vengeaient en coupant des arbres. Arrivaient les policiers. Les étudiants utilisaient le vocabulaire marxiste. Je me souviens d'avoir reçu un petit groupe des animateurs de 68 chez moi, rue Guynemer. On était tous assis par terre et un grand silence s'est établi. Ce sont eux qui voulaient venir me parler. Le silence persistait. Pour le rompre, j'ai demandé à celui qui paraissait être le meneur : “ Que vouliez-vous me dire? ” Il m'a répondu agressivement : “ On ne veut rien. ” Je lui ai alors demandé quels étaient leurs objectifs. Il m'a répondu : “ Nous, on n'en a pas. Nous attendrons le congrès d'octobre et nous déciderons collectivement. ” »

La scène fait encore rire Mitterrand. Décider collectivement, ce n'est pas vraiment son genre. Attendre qu'une situation pourrisse au lieu de saisir l'opportunité des circonstances, ce n'est pas non plus sa méthode. L'épisode a dû le marquer. Il revit le moment, se souvient des gestes las de ses interlocuteurs, de la lourdeur des mots qu'ils utilisaient. N'oublions pas qu'à l'époque Mitterrand était haï par ces jeunes gens (et jeunes femmes) imaginatifs et rêveurs, qui ne voyaient en lui que le ministre de l'Intérieur répressif de la guerre d'Algérie, le vieux renard de la politique compromis dans des alliances pour arriver au pouvoir, le cheval de retour d'une pseudo-gauche plus politicarde qu'idéaliste. Le temps a passé pour certains, mais le mépris n'a pas désarmé.

Mitterrand, lancé dans ses souvenirs, ajoute d'un ton rageur : « On vivait, à l'époque, dans un coton imbécile de gens qui ânonnaient. Ceux qui ont pris le mouvement au départ étaient des purs. La société était alors étroite, figée. Mais très vite ce sont les enfants de famille catholique bourgeoise, fermés aux idéaux, qui ont pris le relais. Ils parlaient comme des perroquets qui répétaient les plus mauvaises leçons d'une paléontologie qui relevait elle-même de la préhistoire. Ce que j'entendais était tellement stupide ! Il y avait chez eux un refus de tout enseignement du passé. L'histoire commençait avec eux. La révolte du début était sincère, pure, simple. Dès que le mouvement s'est transformé et a pris une expression publique, il est devenu nul. Ils étaient naïfs. Ils ont marché pour le compte de petits gars ambitieux mais marginaux. Le mouvement n'avait plus aucune fraîcheur dès la fin du mois de mai. Ils utilisèrent un langage fabriqué pour donner des explications fumeuses. Mai 68 est un mouvement avorté qui exprimait la volonté d'une libération qui a continué à travers le temps. La masse de la jeunesse avait alors un grand idéal. Cela aurait pu être une révolution. Il n'y en avait pas véritablement la possibilité. Mais cela reste une révolution morale. C'est déjà pas mal. »

Moral : le Président, sous ses airs de socialiste pur et dur, de vieil opposant à la droite conservatrice, d'homme dont on murmure qu'il a une double vie et qu'il accumule les conquêtes féminines, est profondément aussi un homme qui revendique la morale et demeure un bourgeois de province enraciné dans le catholicisme, sincèrement respectueux des traditions.

A l'Élysée, le premier Président socialiste de la Ve République ne cessera de vouloir assumer avec solennité toutes les cérémonies à consonance rituelle ou historique où son prédécesseur n'allait jamais. Lui au contraire serait plutôt du genre à n'en jamais manquer une. Ainsi il s'est toujours montré fidèle, depuis 1981, au concert annuel des demoiselles de la Légion d'honneur. Certes, en tant que Président de la République il est maître de l'ordre, garant et responsable de cette noble institution gérée par le grand chancelier de la Légion d'honneur, mais cette fidélité attentionnée n'est-elle pas aussi révélatrice de goûts... plus personnels et d'estime pour un modèle d'éducation? Le rituel de la journée des demoiselles de la Légion d'honneur semble immuable, voire répétitif, mais, d'après certains témoins, demeure pourtant toujours aussi vif le plaisir pris par François Mitterrand à participer à ce délicieux après-midi champêtre. Seul le lieu change selon les années : Saint-Denis ou Saint-Germain-en-Laye. Cette année, ce sera Saint-Germain. « Dommage, me dit le Président en embarquant avec moi dans son hélicoptère. L'endroit est moins joli. Mais vous verrez, elles sont charmantes. »

A l'orée de la forêt, en bas de l'hélico, attendent la directrice de l'institution, le grand chancelier, le préfet de région ; le maire de Saint-Germain, Michel Péricard, est resté (diplomatiquement ?) bloqué dans des embouteillages. Le Président traverse une haie de jeunes filles qui s'inclinent et font la révérence à son passage. Costume bleu marine, hautes chaussettes blanches, cheveux tirés, elles viendront ensuite en rangs serrés sur une estrade de bois chanter un répertoire classique.

Classique, tout est classique ici. Lisse. Hors du temps. Derrière l'armée de jeunes filles, une grande banderole rappelle les principes de la maison : honneur, patrie. Le Président est assis seul, au milieu, au premier rang. A sa droite l'intendante et de chaque côté des parents, des dames à voilette, des généraux en uniforme, des maires ceints de leur écharpe. Après un bref discours du chancelier exaltant le sens civique et les vertus sacro-saintes de la famille, une trentaine de jeunes filles en fleur entonnent *La Marseillaise* avant d'enchaîner sur la messe en *si* de Mozart.

Le directeur de la musique de la maison de la Légion d'honneur (quel titre!), un nonagénaire pétillant que la compagnie permanente des jeunes filles empêche manifestement de vieillir, présente ses élèves. La valse romantique pour deux pianos de Chabrier renverse les cœurs. Les jeunes filles rougissent d'émotion. Le Président applaudit de bonne grâce. A l'évidence il communie. Nostalgie d'une enfance bourgeoise provinciale? Admiration non feinte pour cette institution? En ce moment même, dans les rues des grandes villes des lycéens et des étudiants manifestent contre le CIP. Dans cette salle de musique construite en pleine forêt, des jeunes filles chantent des extraits du *Lac des cygnes*. Ici le temps est immobile et les clameurs de la société sont couvertes par les accords des violoncelles et les chants des oiseaux. Ici tout n'est que paix et harmonie. Ici on obtient 95 % de réussites au baccalauréat. « Si j'avais été élève chez vous, je me serais tenu à carreau », lancera François Mitterrand à des jeunes filles ravies. « Faire partie des 5 %, quelle humiliation! Mais combien sont collés au bac et font tout de même de brillantes carrières. Mais je ne vous les recommande pas », conclut-il avant de prendre date pour l'année prochaine. « Si le ciel le permet », ajoute-t-il à ces jeunes filles de bonne famille avant de s'esquiver pour rentrer à l'Élysée, où il doit trancher sur la façon...

dont la Présidence de la République fêtera, cette année, la Journée internationale des femmes.

Chaque année cela recommence. C'est devenu un véritable casse-tête. Comment faire pour fêter la Journée des femmes à l'Élysée? Pour trouver une idée nouvelle? Les conseillères s'agitent, proposent : un discours bien senti sur l'égalité des sexes, un cocktail féminin où, pour faire genre gauche sociale pas trop gauche caviar, on inviterait des femmes engagées dans les réseaux associatifs, un déjeuner restreint avec des femmes jugées remarquables. Le petit monde élyséen bruisse de propositions. Isabelle Thomas aimerait bien emmener le Président en banlieue. Anne Lauvergeon, lui faire rencontrer des femmes chefs d'entreprise. Lui ne daigne prononcer aucun commentaire mais d'avance avoue bâiller d'ennui. Comme il dit : « J'ai déjà donné. » Il faut donc cette année trouver du neuf, de l'inédit.

La veille de la journée fatidique arrive. Et toujours pas d'idées. A trois heures de l'après-midi, l'illumination vient au secrétaire général adjoint. A quatre heures, Anne Lauvergeon prévient le conseiller spécialisé (pour chaque question il y a un conseiller à l'Élysée et tous les conseillers sont censés à longueur de journée savoir y répondre...) que le Président annoncera, le lendemain, au journal de vingt heures, le transfert des cendres de Marie Curie au Panthéon. Louis Joinet vacille. Les ennuis ne font que commencer. Vingt-quatre heures pour prévenir la famille et mettre en marche la machine administrative. Heureusement Joinet connaît. Des transferts, comme il dit, « j'en ai déjà fait trois quand j'étais à Matignon. Le dernier, c'était Monnet ».

Pour Marie Curie ce sera plus compliqué. Comment recueillir l'assentiment des héritiers? Il se souvient du nom de l'avocat d'Irène Joliot-Curie. Par lui, il apprend que Marie a une fille qui vit à New York. Il appelle, tombe sur le répondeur d'Ève Curie, ne laisse pas de message de peur qu'elle ne le prenne pour un jobard qui fait un canular. Rappelle dix-huit fois. Tombe toujours sur le répondeur. Le temps presse. Le compte à rebours a commencé. Joinet emploie donc les grands moyens et tente de joindre le conseiller culturel de l'ambassade de France. Apprend qu'il vient de déménager. Demande au consul d'aller questionner le gardien de l'immeuble de la fille pour savoir si elle est partie faire des courses dans son quartier ou en croisière en Méditerranée. Le gardien rassure le consul, qui joint enfin Ève Curie et lui explique poliment, comme savent si merveilleusement le faire les consuls, qu'elle va incessamment sous peu recevoir un coup de téléphone d'un collaborateur du Président français. « De quoi, de quoi ?... Que me racontez-vous-là ? » La fine mouche, questionne. Joinet, de Paris, prend le relais. Le Président, qu'on tiendra soigneusement à l'écart de toutes ces péripéties, annoncera tranquillement la nouvelle à la télévision.

Les femmes en politique ? Le sujet, en cette Journée internationale des femmes, est d'actualité. Mitterrand se félicite de ne pas les avoir mises « comme la plupart des socialistes au reprisage des bas ». Une femme présidente de la Cour de cassation, des femmes préfets, des femmes ministres, une femme Premier ministre. « J'ai battu bien des records. J'ai œuvré par un arsenal de caractère à la fois législatif et social pour que plus de femmes puissent participer à la vie publique. Mais elles ne peuvent pas le faire davantage parce qu'on ne les choisit pas. Regardez au Parti socialiste, il a fallu se battre pour imposer les femmes sur la liste européenne. »

Les femmes et la politique ? Les femmes, parce qu'elles font de la politique, peuvent devenir des cibles privilégiées. A l'Élysée l'assassinat de Yann Piat a profondément indigné. Le lendemain du meurtre, l'Élysée a su, par son correspondant au ministère de l'Intérieur, que le crime avait été vraisemblablement commis par des gens affiliés au Milieu. Un message de condoléances à la famille a été préparé par Anne Lauvergeon à la signature du Président. Difficile de trouver les mots justes en l'absence de preuves. Le texte soumis au Président énonçait que Yann Piat avait été assassinée en tant que députée. « Est-ce bien cela la vérité ? » a-t-il demandé. Personne n'ayant pu lui répondre, François Mitterrand a choisi finalement de ne pas envoyer de message, mais de se faire représenter par son conseiller Jean-Yves Caullet.

Les enterrements, Jean-Yves Caullet, il connaît. Il y est préposé. C'est même une de ses fonctions à l'Élysée. Il n'ignore rien des usages : ruban mauve sur la gerbe pour les proches du Président, ruban bleu-blanc-rouge pour les institutionnels, ruban mauve et tricolore pour les amis politiques. Après la commande à Interflora – le client ne se plaint jamais, assure-t-il –, Caullet prévient le préfet du département où a lieu l'enterrement, endosse son costume sombre et part pour sa macabre mission. Le rite est immuable : il faut d'abord se recueillir seul devant la tombe avant la cérémonie, puis montrer à certaines personnes, lors de la cérémonie, que le Président a souhaité se faire représenter : députés, ministres, adjoints au maire. Nul ne doit l'ignorer.

L'aspect protocolaire a beau corseter l'émotion, Jean-Yves Caullet a néanmoins été saisi, ce jour-là, par l'atmosphère très lourde qui régna durant les funérailles. Des soupçons planaient sur certains élus. Or ils étaient tous là. Sur le côté gauche de l'église, la famille des notables se regardait soupçonneusement du coin de l'œil. Sur la droite, la famille de Yann Piat, abîmée dans la douleur.

Deux semaines plus tard, l'enquête continue à piétiner. François Mitterrand me dit être choqué par cet assassinat et évoque un climat de corruption propice à ce genre de règlements de comptes dans cette région de la France. Si la main qui a armé le meurtrier n'a pas encore été identifiée, le mobile, pour lui, ne fait aucun doute : « Il s'agit d'un meurtre classique pour cause d'intérêts immobiliers dans cette région de France gangrenée par les affaires. »

Ces jours-ci son humeur devient grincheuse. Il en veut à la presse, à une certaine presse qui étale complaisamment, dit-il, les exploits d'investigation du juge Jean-Pierre. Mitterrand se lamente et s'indigne que des journaux transforment Jean-Pierre en héros : « Héros. Pauvre héros. »

En politique étrangère, il me dit être préoccupé par la question de l'élargissement de l'Europe. « Les Français perçoivent cela comme des problèmes très techniques alors qu'il s'agit de leur avenir. » Avant le Conseil des ministres du 9 mars, il me dit avoir évoqué longuement le sujet dans l'entretien en tête à tête avec le Premier ministre. Il se montre inquiet de la position, sur le plan psychologique, de l'Union européenne par rapport aux pays demandeurs. « Un pays demandeur n'a pas à être aussi exigeant. » Il s'est étonné, la semaine dernière, de l'attitude de la Norvège. Viendra ? Viendra pas ? « Si elle ne veut pas venir, c'est un problème pour elle, pas pour l'Europe », me répète-t-il.

Pour Mitterrand, l'Europe reste une construction fragile, en proie aux appétits de puissance extérieurs et aux conflits internes qu'il faut sans cesse déminer. A force de vouloir l'agrandir, la maison Europe ne va-t-elle pas s'effondrer ? Le grand débat européen est prévu pour 1996, mais les risques de fragilisation apparaissent déjà.

Au Conseil des ministres du 9 mars, François Mitterrand intervient longuement sur ce sujet et avec une telle force de conviction que certains ministres prennent des notes : « Si l'Union européenne intéresse un pays demandeur, il doit en accepter les règles.

L'Union européenne ne peut pas se repenser elle-même chaque fois qu'un demandeur l'exige. Je souhaite comme vous que tous les États démocratiques appartiennent un jour à la même organisation. J'en serais ravi, si cela ne se fait pas au prix d'une remise en cause de l'Union. Par exemple, les pays issus du monde communiste ne seront pas longtemps en état de supporter le choc. Par exemple, la Hongrie, dans un marché unique, serait vite absorbée, quasiment achetée, y compris son sol, par les États les plus forts de l'Europe de l'Ouest. N'oubliez pas qu'en plus il n'y a dans l'Union européenne que trois contributeurs nets, dont la France. Cette évolution, que je désire comme vous pour que l'Europe coïncide avec l'histoire et la géographie, ne pourra se faire qu'étalée dans le temps...

« Aujourd'hui, il y a certains pays qui ont eu une attitude démagogique dans l'espoir de se constituer une clientèle. Je suis obligé de noter que cela coïncide avec les grandes traditions des puissances. Certes, on ne se tue plus entre Européens pour des ambitions concurrentes, mais, pour le reste, rien n'a changé. Regardez l'attitude démagogique de l'Allemagne envers la Hongrie!... Si l'on ne veut pas que l'élargissement se fasse au détriment de la substance même de l'Europe, un débat de fond est nécessaire. Je ne voudrais pas que l'évolution donne raison à ceux qui ont voté contre Maastricht. »

Le Président, après le Conseil, rentre s'enfermer dans son bureau. Fini le temps des gouvernements socialistes où il s'attardait dans le hall à bavarder et, très souvent, gardait quelques ministres à déjeuner. A l'Élysée, selon son rang, chacun possède ses habitudes. Mais le mercredi, pour l'ensemble des conseillers, n'est pas un jour comme les autres.

Pour Michel Charasse, le mercredi est le jour où l'on bavarde « utile ». Ce matin-là, comme tous les mercredis, il est donc descendu boire le café dans la salle des fêtes avec les ministres avant le Conseil. On y converse, dit-il, librement, sans chercher forcément à convaincre les autres. Il a donc parlé avec Michel Barnier de l'ouverture de la pêche au saumon dans son département et avec le Premier ministre de son récent voyage en Corse. Après le Conseil, Charasse est redescendu pour s'entretenir avec le garde des Sceaux de la demande de grâce du docteur Garretta... La procédure pénale n'étant pas terminée, la possibilité de grâce ne peut être examinée. La presse semble l'ignorer, qui relance le débat sur la responsabilité des hommes politiques dans l'affaire du sida. Papotis, papotas... Chacun à sa manière, dans ce palais, tente d'exister dans un jeu permanent d'apparence de pouvoir et de contre-pouvoir vertigineux.

Le Président, comme c'est souvent le cas le mercredi, a invité Charasse en compagnie de Charles Salzmann et d'Anne Lauvergeon à déjeuner chez Lipp. A la table d'à côté se trouvaient Nicolas Hulot et Sophie Marceau. Charasse était ravi de profiter de la présence du Président pour pouvoir embrasser Sophie Marceau.

En début d'après-midi, « Michou » a reçu une délégation de la mairie de Brioude – entre Auvergnats on s'entraide! – qui le consultait sur des conseils financiers. Lui a succédé dans son bureau-confessionnal un ancien préfet qui voudrait bien se recaser. Charasse, quand il ne siège pas au Sénat, vit dans ce petit refuge haut perché, situé sous les combles de l'étage noble du palais aux murs ornés de scènes de chasse, meublé d'un guéridon Directoire sur lequel trône une vieille machine à écrire à boule digne des plus mauvais polars – « elle connaît, elle, bien des secrets ».

« Sans l'appui de Charasse à l'Élysée, on n'est pas grand-chose », disent les conseillers en aparté. Au fil du temps, Charasse s'est accaparé la quasi-totalité des nominations au palais. Qu'y fait exactement Michel Charasse? Pour l'heure, il appelle Eddy Mitchell et, avant d'écraser son cigare, se plonge dans la lecture de *La Montagne*, son journal favori.

Charasse arrange les coups du Président, dit-on. Charasse fait rire le Président aux éclats. Bouffon du roi? Homme de main? Orfèvre du malentendu? Le lien entre les deux hommes est fort, indéniablement. Charasse sait alternativement jouer au modeste – « Je ne suis qu'un supplétif à l'Élysée », ne cesse-t-il de répéter –, au chien de garde du Président quand la gauche aboie trop fort contre la fonction présidentielle, au fier-à-bras qui a le sens de l'État et qui, en temps utile, viendra à la rescousse de Pasqua [1], à l'homme de droite dans une maison de gauche en temps de cohabitation. Il n'est pas là pour compliquer la tâche du gouvernement : « Ils ont compris que l'Élysée ne leur était pas politiquement favorable, mais pas personnellement hostile. » Dans l'art des nuances Charasse, décidément, excelle...

Ira, ira pas? Ira, bien évidemment, à Château-Chinon pour le premier tour des cantonales. François Mitterrand pense même qu'il n'aura pas à y retourner pour le second. Optimiste? Non, pas vraiment :

« Ce sera un succès presque assuré même si l'on risque fort de perdre la majorité. Comme dans tous les départements ruraux le conseil général est plutôt à droite.

« J'ai renversé la situation il y a trente ans, je n'ai pas choisi Château-Chinon. En 1958, la Constituante a changé, j'étais alors député de la Nièvre sans localisation, j'étais au conseil municipal de Nevers. Il a fallu choisir une circonscription. Après une étude de terrain, j'ai préféré Château-Chinon à Nevers ou à Cosne.

1. Au moment de la signature de l'accord de libre circulation de Schengen, Michel Charasse, en tant que sénateur, se félicita de la politique menée par Charles Pasqua. La gauche critiqua violemment la teneur de cet accord. « Je me suis beaucoup appliqué à ce moment-là. J'ai agi conformément aux instructions reçues », me dira-t-il en sous-entendant, de façon appuyée, qu'il n'a fait qu'obéir aux demandes du Président...

J'étais déjà conseiller municipal là-bas et je trouvais la ville plus sympathique et plus belle que celle de Nevers, mais je savais qu'elle serait plus difficile à conquérir. Cela n'a pas marché du tout d'ailleurs, j'ai été battu en 1958 de 1 500 voix.

« Tous les partis, y compris le Parti socialiste, me combattaient. Trois mois plus tard, en tant que sénateur, je me suis occupé de Château-Chinon. Aux élections suivantes, j'avais 10 000 voix. C'est un travail lent. Les Nivernais sont des gens très réservés. Il faut savoir pénétrer dans l'intimité de leurs maisons. J'expliquais, j'expliquais inlassablement, j'étais très présent, je connaissais chaque commune. J'ai cédé ma place au conseil général à un ami qui est mort, j'ai préparé ma succession. J'ai choisi Bérégovoy pour Nevers. Il tenait bien la ville. Mais contrairement à ce que pouvaient laisser supposer ses origines populaires, il n'avait pas un bon contact et moi, je ne pouvais pas me mêler de politique locale sans compromettre ma fonction de Président. Le conseil général risque de basculer à droite après trente ans. Je suis très philosophe. Et mon tempérament optimiste est fait de pessimisme. L'âme de la France, je l'habite, j'ai une communication physique avec mon pays qui se dispense de toute déclaration [1]. Château-Chinon et moi, on s'est adoptés mutuellement. C'est de l'amour. Une vieille histoire qui a commencé il y a maintenant trente-cinq ans [2]. »

Ira? Ira pas? Le chargé de mission du Président pour les problèmes du personnel de l'Élysée est sur des charbons ardents. Gaëtan Gorce, fraîchement élu premier secrétaire fédéral du Parti socialiste dans la Nièvre, aimerait bien se présenter aux cantonales. A l'Élysée on est bel et bien entré en campagne pour les cantonales et ceux qui vont se présenter allongent singulièrement leur week-end pour labourer leur futur

1. Allusion à *L'Abeille et l'Architecte*, Flammarion, 1978.
2. Entretien du 11 mars 1994.

terrain. Ainsi Gorce, qui a envie d'en découdre avec une certaine droite et qui souhaiterait renouer le dialogue avec des militants hébétés après le suicide de Pierre Bérégovoy. Ne vient-il pas d'achever un projet sur l'avenir économique, social et culturel de la Nièvre qui a reçu l'assentiment de la fédération du Parti socialiste? Il sent que le climat change, qu'il a une revanche à prendre.

Son cœur lui dit d'y aller, mais son patron, depuis deux mois, freine son ardeur et calme son enthousiasme : « Ne soyez candidat que si vous avez de bonnes chances d'être élu », a répondu François Mitterrand quand il est venu lui en parler. Depuis, Gorce hésite. La conjoncture politique n'est pas favorable à la gauche. Perdre n'est pas si grave. Cela permettra de montrer sa bonne foi et de labourer le terrain pour la prochaine fois. Ce n'est pas l'avis du Président, qui n'aime ni qu'on préjuge de ses forces ni qu'on s'épuise en vain.

L'enjeu est de taille, symboliquement et politiquement. Dès que l'on aborde la Nièvre, on touche au Président, qu'il le veuille ou non. Il le veut d'ailleurs. La Nièvre reste chère à son cœur. Ne vient-il pas de recevoir cette semaine dans son bureau de l'Élysée le paisible doyen d'âge du conseil général de la Nièvre, actuel vice-président du conseil général de Brinon-sur-Beuvron, un tout petit canton de 2 000 électeurs, pour le convaincre de rester encore à son poste car il est le seul à pouvoir faire pencher le conseil à gauche? Le Président a échoué dans sa mission de bons offices. Le doyen d'âge a promis à sa femme d'aller passer ses vieux jours dans le Midi. L'engagement conjugal est plus fort que la raison d'État. La gauche et la droite se retrouveront donc à égalité de sièges au sein du conseil général présidé jusqu'en 1981 par François Mitterrand. Gorce va finalement céder à ce qu'il croit être les *desiderata* du Président. La mort dans l'âme il ne se présentera pas. Il craint trop d'affronter le regard du Président en cas de défaite. Il proposera d'autres hommes à une bataille qu'ils gagneront collectivement.

Béatrice Marre connaît depuis trop longtemps François Mitterrand pour ignorer qu'il ne faut pas lui demander son avis quand on a envie de s'engager. Cette militante socialiste de longue date qui prenait autrefois en note les discussions du bureau exécutif du Parti socialiste et du comité directeur, avant de faire la campagne présidentielle de 1981, est une organisatrice-née à l'autorité charmeuse. Elle croit à la vertu en politique, déteste les courants qui ravagent le Parti socialiste et il ne lui serait pas désagréable de faire vaciller la droite en Lozère, son fief familial. Elle sait qu'avec le Président mieux vaut être déterminé. Inutile de lui confier ses états d'âme. Elle sait aussi qu'elle va être battue. Son adversaire a été élu la dernière fois avec 72 % des voix au premier tour. Avant de partir en campagne elle se contentera donc d'informer le Président, qui la félicitera pour son courage et son opiniâtreté.

Elle a quitté avec bonheur les lambris de l'Élysée, a visité les cantons ferme par ferme, a parcouru 10 000 kilomètres, parlé à des centaines de personnes, collé des milliers d'affiches et réussi à faire baisser la moyenne de son adversaire puisqu'elle a obtenu 32 % des voix au premier tour. Battue mais contente. Pour elle ce n'est qu'un début. Son rival ne s'y est pas trompé, qui a pratiqué à son encontre l'intimidation et la calomnie. Cela l'encouragerait plutôt à continuer. Elle se prépare déjà pour les futures municipales.

Michel Charasse aime la bonne chair. Les cantonales le font saliver. Il pense déjà au repas de pieds de cochon qu'il offrira à ses assesseurs de droite comme de gauche à neuf heures du matin, dimanche prochain, au bistrot situé en face du bureau de vote. Charasse a fait imprimer des affichettes où il est inscrit : « Continuons ensemble. » Il est l'un des rares à avoir mis l'étiquette de son parti et à se revendiquer, au cours de sa campagne, socialiste. Charasse ne s'en fait pas trop. Il croit à son étoile, sait qu'on le connaît dans la région, déteste le porte-à-porte. Il consent juste à boire quelques canons dans les cafés des cantons concernés.

Charasse a tort et il le reconnaîtra le lendemain des élections : certes, il a été élu au premier tour, mais il a failli être en ballottage à cause d'une poussée spectaculaire du Front national qui a empiété sur ses voix. Il a fêté sa victoire à la mairie de Puy-Guillaume dans la salle des fêtes. Les chasseurs ont apporté la terrine de canard, les femmes les fromages et le saucisson. Il a coupé le jambon. Pour lui la gauche n'arrive toujours pas à faire ses preuves et, sur le terrain, quoi qu'en disent certains journaux, le gouvernement n'est pas déconsidéré. C'est la politique dans son ensemble et les politiciens de droite comme de gauche qui demeurent totalement discrédités.

Ce fossé qui ne cesse d'augmenter entre les électeurs et les élus, Yves Dauge, actuel conseiller du Président pour les problèmes urbains, l'a perçu tout au long de la campagne qu'il vient de mener. Inquiet, il tire la sonnette d'alarme. Ce maire rural socialiste élu depuis 1976, puis constamment réélu, qui a réussi il y a quatre ans à conquérir Chinon, constate l'absence de confiance que provoque toute intervention politique sur le terrain. Ce militant associatif, instigateur de la politique de la ville en 1988, entend la colère et le désarroi de ses électeurs : « Les gens veulent qu'on s'occupe d'eux sans faire de politique », dit-il, effrayé de la misère morale et matérielle qu'il a côtoyée. « Trouvez-moi un boulot, monsieur Dauge », supplient toutes les semaines des hommes jeunes qui viennent le voir, désespérés, le samedi, à sa permanence. « Dites-moi comment faire pour ne pas se suicider », demandent des femmes de vingt ans, mères d'un ou deux enfants, et qui en ont assez de se faire battre le soir par leur époux étourdi de bière. Dauge a presque honte de se présenter. Il connaît le monde douillet et solidaire – quelle que soit l'appartenance politique – des conseillers généraux, les déjeuners à la préfecture, la reconnaissance dans les réunions publiques, les rubans qu'on coupe, les petites filles qu'on embrasse, ce léger parfum de notoriété qui enveloppe et ligote. Dauge ne joue pas le jeu. Il ne sait pas. Il ne veut pas. Résultat : sur le terrain il est isolé; à gauche on l'ignore, à droite on l'attaque. Il est l'objet de rumeurs, de lettres anonymes. Mais l'ennemi n'est plus là où on le croyait. L'ennemi aujourd'hui n'est plus l'adversaire politique mais l'hydre de l'indifférence. La politique ne marche plus. L'atmosphère est malsaine. Le citoyen n'attend rien et n'a plus rien à dire à l'homme politique. Comment redevenir soutier de la République et insuffler un peu de croyance?

Au second tour des élections cantonales, Dauge sera élu avec 70 %, grâce à un report total des voix du Parti communiste. Du jamais vu. Cela inquiète Dauge de savoir que l'on croit tant en lui. Ce n'est pas faute d'avoir dit qu'il était impuissant. Impuissant mais présent. Présent dans l'écoute du désarroi, toujours là pour rénover les fils du réseau associatif, modeste, discret, patient, refusant le clairon des discours, oubliant volontairement la dictature de l'urgence.

François Mitterrand se rend le dimanche 20 mars à Château-Chinon. Le rendez-vous est fixé à onze heures du matin à la base militaire de Villacoublay. Dans l'avion du GLAM, le Président a ses habitudes. Il aime s'isoler pour lire à l'arrière de l'appareil.

Ce matin-là, repos dominical oblige, ce n'est pas un livre de philosophie qu'il a emporté mais *Adieu ma jolie*, qu'il dévore avec gourmandise dans une vieille édition de poche toute cornée. Son épouse, sa belle-sœur et son beau-frère vérifient la validité de leur carte d'électeur. Pendant que Danielle se plonge dans ses mots croisés, Roger, gentiment, m'initie : les journées de vote à Château-Chinon se déroulent, depuis trente ans, toutes de la même façon. Vivre celle-ci me permettra, promet-il, de me plonger au cœur de la mitterrandie historique. Et, en riant et en me tapant sur l'épaule, il ajoute : « Et si tu as un peu de chance, ce sera la totale. Tu auras alors droit au gigot flageolets et, après le déjeuner, à une visite guidée au musée du Septennat. »

La réalité dépassera les espérances : le gigot sera servi aussi avec des girolles du pays, la visite du musée du Septennat sera suivie par celle du musée du Costume, et surtout c'est à une découverte d'un François Mitterrand différent, bien loin du personnage officiel, que je serai conviée tout au long de cette journée, un Mitterrand différent physiquement, plus proche des gens, patelin, bavard, souriant.

Midi. Le préfet de la Nièvre attend au pied de la passerelle. Le taux d'abstention est encore élevé, mais ce n'est que la fin de la matinée. Le temps est maussade, une chance pour un jour d'élections. Une voiture des hommes de la sécurité précède celle du Président, banalisée. Le cortège de quatre véhicules, qui traverse Nevers à l'heure de la sortie de la messe, intrigue. Roger Hanin, assis dans la voiture-balai, recueille tous les suffrages. Les enfants rugissent, les mamies applaudissent.

Nous traversons un pays de forêts. La lumière est dure, le printemps pas encore éclos. François Mitterrand dit beaucoup aimer ces terres austères d'une secrète beauté qu'il faut savoir amadouer.

L'arrivée devant la mairie de Château-Chinon se révèle chahuteuse. Une nuée de journalistes entoure François Mitterrand qui se laisse gentiment emporter. Il serre des mains, embrasse des amis, regarde avec bonheur la fontaine frondeuse et rigolote de Niki de Saint Phalle, construite fièrement juste en face de la mairie. « C'est moi qui l'ai imposée. Ils n'en voulaient pas ici. Quand certains ont parlé de la détruire, les habitants sont venus la protéger et la défendre. Maintenant ils en sont fiers », dit Mitterrand avant d'engager une conversation amicale avec le docteur Signé, qui lui a succédé à la mairie de Château-Chinon en 1981. Une plaque dans l'entrée atteste la longévité de la fonction : « François Mitterrand, maire de 1959 à 1981. » François Mitterrand est chez lui ici. Il embrasse les enfants, appelle les gens par leur prénom – on le nomme quant à lui « François » ou bien « Président », titre qui le désigne plus comme ancien président de la région que comme Président de la République. Il connaît par cœur les histoires de famille, le divorce de l'un, le mariage de l'autre, la nouvelle embauche de la voisine, le nombre de licenciements que vient d'effectuer la direction de la petite usine. Ici, c'est son pays. Il connaît les généalogies, sait comme le vent souffle sur la place, décrypte en connaisseur les rivalités de quartier, les histoires des commerçants. Ici, c'est sa terre adoptive. Un travail politique de terrain mené pendant trente ans, accompagné d'un goût certain pour le caractère de ses habitants, l'a rendu nivernais.

A l'intérieur de la mairie les journalistes attendent d'immortaliser le moment où le Président de la République mettra son bulletin dans l'urne. En coulisses, François Mitterrand fait le tour du propriétaire et inspecte le bureau du maire. Les plantes vertes sont anémiées et la toile de jute n'est pas de la première jeunesse. Il admire au passage deux tableaux d'un peintre local qu'il a achetés à titre personnel avant 1981. « Ce n'est qu'un dépôt, précise-t-il en riant au docteur Signé. Je les récupérerai quand je ne serai plus Président. » Le candidat du Front national dans le canton de Château-Chinon inquiète peu le docteur Signé, mais la coalition RPR-UDF lui donne bien du tracas. Peut-elle l'emporter ? François Mitterrand n'en croit rien. A la meute de journalistes qui stationne devant la mairie il lance : « Je ne reviendrai pas la semaine prochaine, le docteur Signé a toutes les chances de passer au premier tour. » Le docteur Signé, lui, n'en a pas l'air si sûr. Après une visite chez une conseillère municipale, François Mitterrand se rend chez Mme Chevrier, veuve d'un de ses grands amis, hôtelier, qui siégeait avec lui au conseil municipal. « Un homme extraordinaire », confie le Président. Un homme dont la présence habite toutes les pièces de la maison. Aux murs sont accrochées des photographies où l'on voit M. Chevrier dans les réunions politiques, sur les terrains de foot et dans sa salle de restaurant.

Comme le veut la coutume, l'apéritif chez Mme Chevrier est servi dans la cuisine. Sur la table cirée trônent le pâté de tête du Président, le saucisson et le petit vin blanc qu'il affectionne. La télé dans un coin donne des informations sur le taux de participation. Personne n'écoute. Bruit de fond. La vraie vie est ailleurs. Mitterrand s'enquiert des histoires de famille et demande si dans les bois on trouve encore des champignons. Le déjeuner durera deux heures. Un vrai repas dominical, avec deux entrées, un plantureux plateau de fromages, deux desserts. Pendant tout ce temps, comme le veut la coutume, Roger Hanin fera des plaisanteries politico-salaces et tout le monde, comme à l'ordinaire, rira aux éclats : Mme Chevrier, le Président et le conseil municipal de Château-Chinon réuni au grand complet. On commente les difficultés de Balladur – « temporaires », dit le Président –, on s'appesantit sur les luttes de courants du Parti socialiste – « Les courants passent partout et c'est très mauvais » –, on critique l'embourgeoisement des hommes politiques de gauche – « Ils renient leur classe d'origine, ils aspirent à avoir de l'argent ; ce sont des métis pas bien dans leur peau », ajoute-t-il. A la fin du repas, les anciens provoquent le Président et l'encouragent à raconter pour la énième fois le bal des pompiers d'il y a vingt ans, la réunion politique avinée, les discours devant des assemblées clairsemées. Mitterrand, à chaque fois, se fait prier, puis s'exécute. Il possède indéniablement des talents de conteur. Il freine son débit, baisse la voix, met en scène. « Vous nous manquez, disent ses copains les vieux conseillers. – Entre César et moi il ne s'est rien passé », rétorque en rigolant le Président avant de boire cul sec un petit marc de la région, tout en contemplant les photographies de sa vie politique passée.

« Allons nous dégourdir les jambes. Dehors il fait beau », dit Mitterrand. Les invités auraient préféré rester tranquillement au coin du feu, mais tout le monde le suit. Roger Hanin avait raison : ce sera la « totale ». Visite au musée du Septennat : François Mitterrand s'enorgueillit d'en avoir fait un des premiers musées de Bourgogne. Dans un ancien couvent sont exposés là les cadeaux qu'il a reçus depuis 1981. Cette année, 750 000 visiteurs sont venus découvrir cette véritable caverne d'Ali Baba. On y trouve de tout : des bijoux somptueux, de la vaisselle précieuse, des clefs de ville, des cornes d'éléphant, une panthère, le modèle de la première bicyclette, une roue en bois ornée de centaines de rayons, chef-d'œuvre d'un artisan. L'or et l'argent s'exposent en abondance, protégés par des vitrines scellées. « Y en a-t-il assez pour le juge Jean-Pierre ? » demande, narquois, le Président, qui s'étonne que le juge ne soit pas venu jusqu'ici pour enquêter... Une partie du musée est réservée à l'image du Président. On peut y voir un François Mitterrand sculpté, dessiné, peint, reproduit sur toutes sortes de supports – bois et tissus principalement – et ornementé de toutes sortes de matières – y compris coquillages et ailes de papillon ! « Et si vous saviez tout ce que je n'ai pas donné. Plus de 350 portraits. Une vraie galerie des honneurs. »

Après un détour pour aller voir le chêne que lui a offert la Reine d'Angleterre à l'occasion d'un de ses anniversaires (coquet, il ne souhaite pas dire lequel), François Mitterrand achèvera la promenade au musée du Costume, qu'il a créé grâce au rachat d'une collection exceptionnelle constituée par un habitant de Château-Chinon.

A chaque pas que fait le Président, les journalistes s'approchent, quêtent une réponse sur son analyse des résultats. Mais François Mitterrand n'y songe pas. Pas encore. Chez les Chevrier, c'est l'heure du thé. Pour calmer le temps avant les premiers résultats, François Mitterrand raconte des histoires. Celle de « Jo la Terreur » qui descendait à l'hôtel du Morvan, avait l'air d'un brave type plein aux as qui prenait toujours du champagne mais payait rubis sur l'ongle. Celle du châtelain, maire d'un petit village du Morvan que la police un beau matin est venue arrêter. Cet homme si distingué et si estimé dans la région se révéla être un grand bandit vivant depuis des années sous un nom d'emprunt. Celle de l'hôtelier ancien proxénète qui a disparu dans des circonstances étranges après que sa femme l'eut quitté pour le cuisinier de l'établissement.

L'horloge égrène les demi-heures. Le docteur Signé, maire de Château-Chinon, consulte sa montre, appelle son bureau. Mitterrand fait des additions. Il connaît les répartitions des voix canton par canton depuis quarante ans. Vers sept heures du soir, Signé comprend qu'il a gagné au premier tour. Il s'éclipse pour aller rejoindre sa mairie. François Mitterrand attend que la majorité des chiffres des plus gros cantons tombe. Avant de repartir pour Paris, dans la voiture qui le conduit à Nevers, il aura le loisir d'entendre Michel Rocard faire sa déclaration : « La droite a mangé son pain blanc, la gauche a mangé son pain noir. » Pas si sûr. Le Président se montre plus prudent. Le Premier ministre se félicitera dans la soirée à la télévision de la bonne tenue de la droite. Ce soir-là, tout le monde est donc content. Mais particulièrement le Président, qui rentre à Paris avec les œufs de la ferme et les pissenlits fraîchements cueillis par son amie Mme Chevrier.

C'est le printemps ou presque. François Mitterrand me fait remarquer que les jonquilles apparaissent dans le jardin de l'Élysée. Les camélias, hélas, sont déjà fanés. Les magnolias dépérissent, mais les rhododendrons prennent le relais. D'humeur primesautière, notre Président ? A deux jours du second tour des élections cantonales, il préfère se souvenir... de la défaite de Giscard en 1981 pour mieux analyser la situation politique d'aujourd'hui :

« C'était très difficile à l'époque, même pour Giscard, de prévoir qu'il serait trahi par son propre camp. On aurait perdu, je n'aurais été que Premier ministre, je n'aurais pas eu la même liberté. Giscard et moi. [Rires.] De toute façon, il avait annoncé qu'il se retirerait à Rambouillet. La gauche, elle, ne peut gagner en France que dans des situations extraordinaires. Il faut donc les créer, ces conditions, en restant dans le cadre de la démocratie. La gauche détient en France la majorité sociologique, mais la majorité sociologique et la majorité politique ne correspondent pas. Quand on menace les riches, ce sont les pauvres qui ont peur. Il suffit de relire dans Marx son analyse du lumpenprolétariat : la majorité sociologique n'a pas assez conscience d'elle-même. De temps en temps, ça prend, comme on dit en chimie. A l'arrivée du Front populaire, la gauche était minoritaire. Elle avait déjà perdu 700 000 voix. Et puis la droite s'est divisée au second tour des élections. C'est ainsi que Blum est arrivé au pouvoir.

« La réalité de la gauche depuis 1981, c'était 25 %. Elle était tombée à 19 % en mars 1993. Nous avons vécu là la pire des situations, mais c'était sous le coup de l'émotion. On a souffert des affaires. Et encore aujourd'hui, il n'y en a pourtant pas une qui ait débouché sur une condamnation véritable. J'ajoute qu'il y en a beaucoup moins qu'on ne dit et ce sont, en majorité, des histoires de financement des partis.

« A droite, eux, ils ont l'habitude. Ils connaissent les mécanismes de dissimulation bancaire. Tout ce système leur appartient. Pourtant, la réalité socialiste aujourd'hui reste à 22 %. Encore un peu de ténacité et on va se retrouver à 25 %. Et si c'est bien mené, on peut même arriver jusqu'à 30 %.

« Au fond, qu'est-ce que c'est, la politique? Ce n'est rien d'autre que de dire des choses à des gens. C'est terrifiant. Indéniablement il y a une partie de don. Mais c'est un don très fatigant. A la prochaine présidentielle la gauche peut arriver à 47, 48 %. Il risque pourtant de manquer ce qui fait la victoire. J'aurais quinze ans de moins, je gagnerais. Mais je ne pense plus à cela. J'ai rempli mon temps. »

AVRIL

A l'Élysée, on passe ses journées dans son bureau. Plus il est proche du cœur du bâtiment, plus on est important hiérarchiquement. L'étage le plus convoité reste le premier. A la chaleur du Roi-Soleil, on peut se réchauffer et en user. La cour? Elle est évidente. Créée par la fonction même du Président dans la Constitution de la Ve République, elle a évolué dans sa composition, se modifiant au gré des humeurs et des rencontres du maître de ce palais. Le nombre des années n'a rien arrangé. Bien au contraire. Il n'a fait qu'augmenter en intensité certains comportements de type vibrionnaire : amours excessifs, admirations ânonnées, fidélités théâtralisées. Le courtisan mitterrandien est un homme (beaucoup plus rares sont les femmes, force est de le constater!) qui dit « monsieur le Président » au moins une fois par phrase, qui s'exclame du moindre de ses mots en éclatant d'un rire hors de propos, précède ses désirs, cite régulièrement quelques aphorismes de certains de ses livres (dur, dur d'être courtisan, il faut réviser), connaît les paysages préférés de son maître, qu'il a parcourus en solitaire pour pouvoir évoquer ses impressions avec des trémolos dans la voix, et abonde toujours dans le sens du Président. Je connais des courtisans qui sont montés plusieurs fois sur la roche de Solutré pour se préparer à l'escalade au cas où... J'en connais d'autres qui n'osent pas prendre de café après un déjeuner avec lui de peur de l'offenser. Civilités compassées, flagorneries accumulées. « Monsieur le Président » par-ci, « monsieur le Président » par-là. François Mitterrand, parce que Président, vit à l'Élysée comme dans une bulle. Lorsque le Président paraît dans le palais, les enfants courtisans (car il y a beaucoup de comportements relevant de la cour de récré de notre enfance : crier plus fort que le voisin, se faire remarquer, tabasser ses camarades pour apparaître comme le plus fort) commencent à palabrer. J'ai vu des ministres déprimés parce que le Président leur parlait moins, des conseillers défaits parce que le Président venait d'engager un nouveau collaborateur sur les mêmes dossiers, des chargés de mission atteints de mélancolie profonde parce que le Président annotait leurs propositions d'actions de son inénarrable « vu ».

Le pouvoir, c'est d'abord et peut-être uniquement le pouvoir sur les hommes. François Mitterrand le sait, en use et quelquefois en abuse au palais. Il rend otages, sans même s'en apercevoir, ceux qui l'entourent de l'affection qu'il leur prodigue.

Mitterrand, contrairement à certaines idées reçues, est un homme plutôt sociable, aimant bien la compagnie et bavarder aussi de tout et de rien. Bien sûr, les amis viennent le voir, ses amis nivernais, ses amis de captivité, ses amis de pensionnat, ses amis anciens ministres (il en a très peu mais ceux-là sont vraiment des intimes). Mais la fonction isole, crée des distances, ne serait-ce que par l'apparat et par la représentation permanente qu'elle suppose. Alors, pour combler cet espace entre une vie privée qu'il ne peut plus avoir – je me souviens qu'un jour il me dit, tout content : « Vous savez ce que j'ai fait dimanche après-midi ? J'ai rangé ma bibliothèque rue de Bièvre trois heures durant. Cela faisait des années que je n'avais pas eu cet espace de temps pour moi tout seul » – et une vie officielle qui le corsète et l'empêche d'être naturel, il s'est créé ou il a créé une cour où il est devenu, pour les personnes qui la constituent, « l'ami Président ». L'échange est pourtant, par essence, inégal. Lui seul peut demander. Généralement il obtient et quand, par exception, il n'obtient pas, à force de vivre depuis si longtemps dans un monde où les êtres et les choses ne résistent plus guère, il ne comprend pas. Mitterrand est un homme qui demande : il demande plus particulièrement du temps, de l'attention, de la disponibilité. Il faut savoir – comme les scouts – être toujours prêt. Prêt à partir faire une promenade, flâner dans une librairie, l'accompagner à un déjeuner. Mais quel honneur, qui se transforme bien vite en distinction! Au palais tout se sait immédiatement et cette présence auprès du Président se transforme bien vite en signe de pouvoir et de respectabilité. Si rares sont ceux qui l'approchent que d'être vu avec lui devient un insigne privilège. Il faut avoir été témoin, ne serait-ce qu'une fois, de l'empressement désespéré de certains à vouloir se frayer un chemin pour le saluer lors de la remise des décorations, seule cérémonie publique élyséenne où le Président est abordable, pour comprendre cette vénération intéressée dont il est l'objet.

En est-il responsable? Oui, dans la mesure où il sécrète un besoin de lui qui, lorsqu'il se lassera et changera d'interlocuteur, créera chez celui qui aura été brutalement délaissé un vide, une absence, une incompréhension, voire une douleur réelle. Non, pour la bonne raison que la gravité de sa tâche et les lourdeurs de son emploi du temps l'empêchent d'appartenir à tous les autres et que la fonction même dont il est investi crée souvent chez autrui un désir qui n'est pas le fait de sa volonté... Ce n'est pas par hasard qu'à l'Élysée François Mitterrand a institué un fonctionnement à l'opposé de celui d'un cabinet traditionnel. Le Président ne veut que des relations en tête à tête, des jugements personnalisés. François Mitterrand préfère séduire les gens que les comprendre. C'est un maquignon qui flaire les gens. Pour entrer à son service, jamais personne ne s'enquerra de vos diplômes ni de vos états de service. En revanche, le Président pourra vous demander de quelle province vous êtes originaire et si vous aimez regarder le foot à la télé.

Les hommes du Président forment donc une équipe hétéroclite, reflétant les différents pans de sa personnalité. A l'Élysée se côtoient des militants, des fidèles, des obligés, des fils d'amis du Président, des Nivernais, des haut gradés, des sans-grade, des inclassables, des semi-clandestins, des diplomates, des militaires, des starlettes, des archivistes, des fonctionnaires, des ambassadeurs. Bref, un véritable inventaire à la Prévert! Certains y travaillent le jour et quelquefois la nuit. D'autres n'y font plus que passer et considèrent l'Élysée comme un hôtel trois étoiles où il fait encore bon séjourner. Certains se poussent du col, répètent à l'envi : « Le Président m'a dit que... », alors que le Président ne leur a jamais rien dit, d'autres font les modestes, tissent des dialogues de qualité avec des relais utiles dans le monde syndical, politique et associatif. Le Président sait tout. Il ferme les yeux sur l'outrecuidance des uns, a un mot gentil pour les autres, hausse les épaules sur les absences de certains, les trahisons.

Un petit peu de loi Falloux, une révolte des marins-pêcheurs, un CIP qui s'éternise, des jeunes qui défilent : serait-ce vraiment le début du printemps? Ce n'est pas parce que les nuages s'accumulent qu'il pleut forcément. A l'Élysée, on se requinque. A Matignon, on s'inquiète sans le laisser paraître de la baisse de popularité (relative) qui continue à affecter le Premier ministre. « La situation serait hautement favorable si nous avions un candidat présentable. J'ai l'impression que le Président œuvre pour un duel

Chirac-Delors, mais cela implique que Rocard prenne conscience de la raclée. » Le conseiller juridique du Président, Jean Kahn, esprit acéré, toujours la remarque vacharde derrière le sourire éclatant, résume bien le climat : « Il n'y a plus d'Élysée. » En effet, la situation vire à la guerre des gangs entre les mitterrandistes pur sang (la majorité), les mendèso-mitterrandistes (la vieille garde), les rocardiens (une minorité menacée) et les rocardo-mitterrandistes (et oui, cela existe).

Attentes, supputations, guerres intestines. Certains ne jouent pas à ces jeux de politicaillerie éculée : « Je suis trop vieux pour cela, j'ai maintenant trop de distance avec ces choses-là », me dit François de Grossouvre [1]. Ce jour-là, il semble inquiet, irritable, nerveux. Dans le palais, on dit que ses relations se sont fortement distendues avec le Président depuis l'été, après qu'il eut accepté de parler au juge Jean-Pierre. Cette semaine, il a pris rendez-vous avec Anne Lauvergeon et lui a dit, d'un ton enflammé, qu'elle seule était « pure » dans cet Élysée pourri et maudit où règnent la luxure et la corruption. Anne lui a demandé des noms, des faits. « Naïve, vous êtes trop naïve », lui a-t-il répondu. Il est parti en lui conseillant de prendre garde à elle et à tous ces démons qui se promènent dans les couloirs de l'Élysée.

Dans son bureau, ce soir-là, François de Grossouvre paraît préoccupé, tendu, fatigué mais ni délirant, ni paranoïaque. Tous ses propos sont sensés, cohérents, même s'il a un comportement un peu agité. Il s'interrompt, pendant notre entretien, pour passer de nombreux coups de téléphone : princes arabes, ambassadeurs, directeurs de cabinet. Il joint directement sur son interministériel le ministre de la Coopération, à qui il demande une prolongation d'autorisation de séjour pour trois ressortissants libanais. Bref, il donne

1. Entretien du 30 mars 1994.

l'impression d'être un homme occupé, puissant, un homme de réseaux. Il n'a pas envie de parler de lui. Il préférerait que les questions soient posées par écrit. Il craint les interrogations perfides, personnelles, trop personnelles. J'ai envie qu'il me fasse le récit de sa vie ici, à l'Élysée, lui ne pense qu'à se justifier. Mais, au bout d'une demi-heure, il reprend confiance, commente des photos – Mitterrand et lui en campagne sortant d'une voiture, Mitterrand et lui en voyage à l'étranger, Mitterrand et lui arrivant à un studio de télévision lors du dernier duel avec Giscard. Il consent finalement à parler un peu de lui ici :

« J'étais un nouveau dans cette maison en 1981. Je n'avais pas ici de groupes d'amis. Il m'a appelé comme un compagnon, comme un ami. Je n'ai pas hésité, je m'étais dégagé de mes activités industrielles et commerciales. Il régnait alors une communauté, un esprit d'équipe. Je m'occupais du Liban et des relations avec les pays arabes. Le Liban est pour moi une vieille histoire. Mon père dirigeait une banque française au Liban avant 1914, j'ai une sœur qui y a vécu. Juste avant l'élection de 1981, j'avais organisé une mission au Liban avec Roland Dumas. Je connaissais bien les Gemayel, j'avais amené Amin Gemayel à François Mitterrand mais aussi les autres leaders libanais – je suis allé là-bas et j'y suis retourné de nombreuses fois. Je n'ai accepté qu'à la condition de pouvoir rencontrer tout le monde. De fait je me suis occupé du dossier libanais. C'était un dossier dangereux, j'avais un rôle d'investigateur. Le principal était pour moi de pouvoir écouter toutes les parties en présence [1]. »

Je lui demande s'il est l'homme des missions difficiles, je lui cite le livre de Pierre Péan qui le met en cause dans les dossiers africains. François de Gros-

1. Entretien du 2 mars 1994.

souvre élude, prétexte la fatigue mais accepte un autre rendez-vous... qui n'aura jamais lieu.

Au début de la semaine suivante, il commence à détruire ses papiers. Il demande à ses collaboratrices Édith et Christine des dizaines de caisses. Il passe ses journées à empiler des documents dans ces caisses qu'il ferme soigneusement. Elles envahiront l'espace, rendant difficile l'accès au secrétariat. Que veut-il liquider ? De quelle partie de son passé veut-il se débarrasser ? Au fur et à mesure qu'il range et qu'il emprisonne ses éventuels secrets, son humeur se calme. François de Grossouvre redevient donc courtois, gentil, attentionné. Il faut dire qu'avec le Président le lien est rétabli. En fin de journée il remonte, comme avant, l'attendre au secrétariat particulier. Ainsi en a-t-il été l'avant-veille du drame.

Anne n'est pas prête d'oublier ce jeudi noir. Ce jour-là, c'était la Journée du sida. Elle venait d'accompagner le Président à l'hôpital Cochin, où il avait rencontré des sidéens. Le soir, un dîner restreint devait réunir des personnes engagées depuis longtemps dans la lutte contre la maladie. Une retransmission télévisée était prévue du palais pour la grande soirée qu'avait organisée la télévision, toutes chaînes confondues. Élisabeth, une des attachées de presse du Président, est entrée en fin d'après-midi dans son bureau avec un ami. Elle a demandé que cet homme voie immédiatement le Président. Elle n'a rien dit de plus, mais Anne a compris que c'était grave et urgent. François Mitterrand a reçu tout de suite cet ami médecin qui sortait du bureau de François de Grossouvre. La suite, François Mitterrand la racontera lui-même.

Les gens de l'Élysée apprendront le drame par la télévision. Le sentiment de tristesse l'emportera, la culpabilité aussi, beaucoup auront alors l'impression d'avoir plus toléré l'existence de François de Grossouvre que tenté de véritablement le connaître.

Atmosphère morbide. Difficile de se rendre dans cette aile du palais sans penser à cette mort, cette douleur qui l'a emporté, avec cette violence dans la manière de se suicider. Respect pour l'acte, remords de ne pas l'avoir plus « entouré ». Le bureau de François de Grossouvre restera fermé pendant de longues semaines. Dès le lendemain matin, il est gardé par un homme en uniforme. Ses collaboratrices classent ses papiers, qui doivent être versés aux archives de l'Élysée. La presse, en son entier, a donné un large écho à cette mort, faisant de cet acte éminemment privé un événement politique. Inutile de s'indigner. Dès que l'on touche à l'Élysée, les interrogations et les interprétations fleurissent. Comment en irait-il autrement dès lors qu'il s'agit du lien central du pouvoir ou supposé l'être? Dégénérescence du mitterrandisme, crépuscule de Dieu, maléfices d'un vieux Président vampire qui utilise ses collaborateurs pour mieux les rejeter quand ils deviennent gênants? Ce mélange d'amour et de haine pour le patron de l'Élysée redevient explosif. Cela fait ressortir le côté vénéneux de l'homme. Cela fait croire que l'Élysée est rempli de comploteurs, d'affairistes. Dommage. « On avait l'impression qu'on s'était sorti du tunnel : le juge Jean-Pierre, l'affaire Pelat, dit Hubert Védrine. Le Président était remonté non pas tant comme homme de l'opposition mais comme bon gestionnaire de la cohabitation [1]. » Acceptable, donc accepté. Certains se sentent atteints par les articles qui salissent le Président, d'autres cherchent à comprendre, rassemblent leurs souvenirs, s'aperçoivent qu'ici on vit pour le Président, c'est-à-dire pour lui, mais pas beaucoup pour les autres. Comment est-ce possible de ne pas avoir perçu à temps la détresse de ce personnage affable, discret, peu mêlé aux rites de la vie quotidienne au château? Cette mort est interprétée comme un signe

1. Entretien du 13 avril 1994.

de décadence par les uns, d'égoïsme par les autres. Elle en a impressionné plus d'un : comme dans *Dix Petits Nègres* d'Agatha Christie, on se demande à mi-voix à qui le tour maintenant.

Travailler dans ce lieu a toujours été éprouvant pour les nerfs, l'équilibre personnel. Château des apparences et décor naturel de violences intestines, on y est aussi vite « débranché » que choisi comme confident. « Débranché », Grossouvre l'était depuis belle lurette. Mais comme tant d'autres, il faisait semblant du contraire et personne – y compris le Président – n'aurait eu la cruauté de lui faire boire le calice jusqu'à la lie. Il voulait rester? Qu'il reste. Les collaborateurs du Président lui avaient plusieurs fois conseillé de lui retirer son bureau ou, tout au moins, de le déplacer hors du palais, juste à côté, dans la rue de l'Élysée. Le Président avait éludé. François de Grossouvre restait donc là. Pour le pire et le meilleur, cherchant à se faire oublier de l'état-major mais quêtant toujours l'affection de François Mitterrand. C'était un ami du Président. A l'Élysée, cela ne veut pas dire vraiment un collaborateur. Quelqu'un qui est là non pour assister à des réunions, faire des notes, donner des informations mais plutôt pour voir le Président de temps en temps, l'accompagner dans ses marches. « Je l'ai connu dans les bagages du Président, dit Laurence Soudet. Il venait de chez Mendès. Déjà très touche-à-tout, incapable de garder un secret, passant son temps à se prendre les pieds. Mitterrand avait autour de lui, dès sa campagne en 1965, toute une cour faite d'amis d'enfance, de confidents qui cherchaient de l'argent pour la campagne. Il fallait bien leur trouver une dénomination. François Mitterrand les nommait conseillers. Conseillers de quoi? Seul François Mitterrand savait. François de Grossouvre a fait la traversée du désert avec François Mitterrand. Il est un des rares à ne pas l'avoir lâché. Mitterrand ne l'a pas oublié, même s'il n'a pas voulu exaucer ses vœux : Grossouvre se voyait bien ministre de l'Intérieur, président du Conseil constitutionnel, chef du SDEC ou de la DGSE. »

Maurice Benassayag le connaissait depuis longtemps. Il l'avait toujours vu dans le proche entourage de Mitterrand, très présent pendant les campagnes. Un double, un confident, un obsédé du renseignement. Il notait sur un calepin les endroits où Mitterrand avait été le plus applaudi. « Nous, les jeunots, à l'époque on l'admirait. Grand résistant, pas vraiment socialiste, toujours bien sapé, un brin mystérieux, on savait qui il était par Mitterrand, qui le considérait comme un ami et qui allait souvent dans son château. Dès 1982, il a été mis de côté. Cela n'a étonné personne car il prenait toujours des initiatives sans qu'on lui en donne l'ordre et il se complaisait dans des secrets de polichinelle. » Il avait un côté OSS 117 qui aurait mal vieilli, une allure de dandy éperdu d'amour et de considération pour une aristocratie internationale rouillée et poussiéreuse. Il fut longtemps toléré. Il s'en contentait.

A l'Élysée, il était toujours là, mais tenu fermement à la périphérie. Au juge Jean-Pierre il avait beaucoup parlé, à la surprise et à l'agacement du Président. Mais la brouille était terminée, les liens moins forts mais pas brisés. Il m'avait avoué, au moment de nous quitter la dernière fois, sa panique devant la vieillesse, il s'emberlificotait dans la recherche de médicaments miracles contre la perte de désir sexuel. Le matin même du drame, il chassait. Il disait détenir des secrets. Ils ne concernaient que la vie privée. Cet homme d'honneur n'a pas voulu franchir le cap de la forfaiture. On connaît le cas de généraux qui, au soir de la retraite, quittent la nuit les draps de leur bien-aimée pour aller se tuer dans leur caserne.

Cela fait aujourd'hui une semaine que François de

Grossouvre s'est donné la mort. Les hommes du Président m'ont conseillé de ne pas en parler avec lui. Mais comment parler d'autre chose? C'est une véritable onde de choc qui a secoué l'Élysée en son entier. Pourquoi faire semblant? François Mitterrand, après avoir tenu le coup jusqu'à l'enterrement de son ami, semble ces jours-ci très affecté. L'entourage du Président est effrayé par le contenu des articles innombrables parus ces derniers jours évoquant l'atmosphère fin de règne élyséen et associant le suicide de Pierre Bérégovoy à celui de François de Grossouvre. Argent, sexe, pouvoir rue du Faubourg-Saint-Honoré.

C'est tout naturellement que François Mitterrand m'entretint de François de Grossouvre, souhaitant rétablir quelques vérités. Auparavant, il tint à me faire savoir ce qu'il pensait, en tant que lecteur, de la presse qui, ces jours-ci, parlait tant de lui : « Je lis tout, je regarde si cela m'accroche. Généralement ça ne m'apprend rien. J'ai lu ces tombereaux d'ordures. De mon vivant on dira du mal de moi. Cela me fatigue de fasciner, je provoque l'amour et son contraire. Le partage est difficile à établir dans certains cas, paraît-il. » Il vitupère un article du *Monde* sur la mort de François de Grossouvre « qui se passe de toute information sérieuse et qui se contente de répéter et d'ajouter des choses fausses ».

« J'ai rencontré François de Grossouvre en 1961, je voulais aller en Chine. A l'époque il était président des Amitiés franco-chinoises de Lyon. Le voyage était très long. C'était un compagnon de voyage sympathique. A peine étions-nous arrivés à l'aéroport de Pékin qu'il a disparu de ma vue. J'ai compris un peu plus tard qu'il avait été enlevé par les autorités chinoises et emmené dans un hôtel sous résidence surveillée. J'ai exigé de le retrouver. J'ai fait savoir que j'annulais tous mes entretiens tant qu'on ne me le ramènerait pas. Ils m'ont finalement emmené jusqu'à lui. Il était hâve et défiguré. Il était inquiet, sans nouvelles. J'ai supposé, vingt ans plus tard, qu'il faisait partie des services spéciaux. Moi, à l'époque, je ne fréquentais pas les hommes des renseignements généraux. Mais lui avait déjà des amitiés dans ces milieux-là. Je le blaguais d'ailleurs souvent sur ce sujet. Il avait le goût de ces choses-là. Après tout, il avait bien le droit...

« Quand je l'ai connu, il était dans l'entourage de Mendès France. A l'époque il était obsédé par l'idée de financer un journal. Il croyait qu'il en avait les moyens. En fait, il n'avait que certains moyens.

« Pendant la campagne de 1965, il m'a beaucoup accompagné. Il pilotait ma voiture, je le relayais. Nous étions un tout petit groupe – Beauchamps, Georges Dayan, Roland Dumas, Paul Bordier, Charles Hernu – et nous disposions de très peu de moyens : un appartement de quatre pièces avec quatre téléphones rue du Louvre et moins d'un million de francs pour la totalité de la campagne. C'était cependant une très bonne campagne. A l'époque on n'avait pas besoin de beaucoup d'argent pour faire de la politique. Aujourd'hui il y a une déviation des mœurs politiques. Aujourd'hui un député a droit à un assistant parlementaire et à une secrétaire et dans le prix que coûte une campagne on comptabilise même celui de l'essence. J'ai été député à trente-cinq ans et j'étais seul. Il faut exister par soi-même. L'argent ne sert à rien. J'allais régulièrement dans ma circonscription, je visitais toutes les communes, j'allais partout, je connaissais chaque kilomètre de chaque route.

« François de Grossouvre a toujours été, depuis cette période, amical et loyal. Quand je suis devenu Président de la République, il a souhaité venir à l'Élysée. Il s'est emparé du contrôle des services spéciaux. Au début je n'y voyais pas d'inconvénient. Puis il a voulu devenir patron de la DGSE. J'étais obligé de le lui refuser. Courtoisement. Je lui ai dit qu'il n'était pas fait pour la fonction publique, qu'il était trop tard, que ce n'était pas à soixante ans que l'on entrait dans les services de l'État. Au bout de quelques mois je me suis rendu compte des dégâts qu'il occasionnait. Il créait beaucoup d'embrouilles. Les ministres de l'Intérieur successifs, même s'ils l'aimaient bien, ne voulurent pas l'employer. Joxe lui a même interdit d'aller dans les services. Mais il restait pour moi un compagnon. Il lisait beaucoup, il écrivait bien. Je ne voulais pas être malveillant avec lui.

« En 1985 il a quitté l'Élysée. C'est lui qui a voulu partir. Il a vu que nous allions perdre les élections de 1986. Il avait raison. Il pensait que je ne me représenterais pas. Il voulait rester vivre à Paris. La campagne le rendait fou. Il s'est fait, à l'époque, engager chez Dassault sans que je sois intervenu. C'est à ce moment qu'il a pris la présidence du Comité des chasses. Je n'aurais pas pu trouver mieux pour assurer ce travail. Cette fonction à l'Élysée lui a conféré un bureau, un appartement, un chauffeur, une voiture, un secrétariat et un garde du corps. Mais nombreux sont les chasseurs dans le monde de la politique. Ils étaient sept au Comité des chasses présidentielles. Cette présidence a créé des jalousies et une haine féroce est née dans cette confrérie de chasseurs, notamment entre Pelat et Grossouvre. Le premier accusait le second d'être autoritaire, de décider de tout sans consulter personne et de n'inviter aux chasses présidentielles que ses propres relations. Pelat a mené une révolte qui s'est transformée en conflit. Il a fallu un jour que je tranche. C'est à François de Grossouvre que j'ai donné raison. « Il s'y connaît mieux que toi. Fiche-lui la paix », ai-je dit à mon ami. Pelat s'est retiré.

« François de Grossouvre faisait des affaires. Un peu. Je lui ai dit de faire attention. Il s'est retrouvé sur la même piste que Pelat en Corée du Nord, où il était allé. Il y eut alors une sombre histoire dont je ne comprends pas encore très bien les tenants et les aboutissants aujourd'hui. Un entrepreneur voulait construire là-bas un hôtel, mais il fallait pour cela une autorisation de la COFACE, qui dépendait du ministère des Finances.

« François de Grossouvre a continué à assouvir sa passion des voyages. Il allait chez les rois en exil comme Michel de Roumanie, les princes de Bulgarie. Il profitait de son titre d'ambassadeur de l'ordre de Malte. Il avait des amitiés notamment avec Ben Ali, Président de la Tunisie, ou Gemayel, au Liban. Il allait souvent au Pakistan. Un jour il voulut aller de toute force chez Kadhafi, je le lui ai interdit. Il en a conçu une certaine amertume à mon égard. Sa tendance à vouloir obstinément être porteur de message s'était renforcée. Mais je ne l'ai pas autorisé à le faire. Il n'était pas dans le secret de Dieu. D'ailleurs il n'y a pas de secret. Il n'y a pas de Dieu. Je vous fais une confidence : je n'ai jamais confié la moindre mission à François de Grossouvre.

« Le jour de sa mort, c'était un jeudi, en fin d'après-midi, un ami de François de Grossouvre que je connais aussi a demandé à me voir. Je l'ai reçu tout de suite. Il m'a dit : " Je viens de quitter François de Grossouvre. Il est suicidaire. Il m'a parlé d'armes. Il a évoqué le suicide de Bérégovoy. " J'ai tout de suite appelé mon médecin militaire, le docteur Kalfon, qui se trouvait alors à Versailles. Je lui ai dit de venir immédiatement en forçant l'allure. Il n'a pas eu le temps d'arriver. On pense toujours que la mort, c'est pour demain. Mon directeur de cabinet est venu m'annonçer que François de Grossouvre venait de se suicider dans son bureau de l'Élysée.

« Je l'avais vu longuement l'avant-veille. Il m'avait dit qu'il ne passerait pas l'année. Je l'avais blagué sur son côté hypocondriaque : " Je vous ai toujours connu avec trois cancers et vous alliez bien ", lui ai-je répondu en souriant. Il a parlé fatigue, dépression. Il m'a avoué qu'il y avait des moments rapides où il ne savait plus vraiment qui il était. Il me disait qu'il avait l'impression qu'on le pourchassait, que tout le monde lui en voulait. " Je vois bien que ce n'est pas vrai, mais je suis hanté par cela ", a-t-il ajouté. Je lui ai demandé de se soigner. Il a choisi l'Élysée pour se tuer parce que c'est un endroit qu'il aimait.

« Quand on a soixante-seize ans, on laisse beaucoup de gens en route. Pelat, Bérégovoy, la fixation s'opère sur ces noms. Certains évoquent un climat shakespearien autour de moi. C'est facile. Mais ceux qui me veulent du mal se briseront. Je suis plus solide qu'eux. »

Au Conseil des ministres du 13 avril, François Mitterrand s'est manifesté à quatre reprises : sur la nécessité d'intervenir au Rwanda, sur la phase nouvelle de la guerre en Bosnie qui pourrait amener la France à s'engager plus activement. Il a insisté sur la protection des paysages au moment de l'examen de la loi sur l'aménagement du territoire et il a répondu à Charles Pasqua après son exposé sur le report de la date des élections municipales. Cela a tant plu à certains ministres qu'ils ont noté l'exposé du Président et apprécié le ton :

« Je ne pense pas qu'il y ait d'argument juridique ou constitutionnel qui s'oppose à votre projet. Cela dit, il ne faut pas extrapoler. Il n'y a pas non plus, pour ce projet, de raison majeure mais seulement des intérêts politiques, au demeurant légitimes. Vous créez une situation nouvelle. On m'a expliqué, notamment le secrétaire général du gouvernement qui est un fin juriste, qu'il n'y avait pas assez de temps entre mars et avril. J'ai moi-même une certaine expérience politique, je pense qu'il y aurait eu le temps. Cela dit, il n'y a pas d'obstacle constitutionnel.

« Je voudrais cependant attirer votre attention sur le

point suivant : tout candidat à la Présidence s'efforcera de rassurer un certain nombre de responsables politiques et d'élus en leur disant : " Je ne dissoudrai pas ! ", et s'il a l'intention de dissoudre il y aura... je ne sais pas, on verra... Or le Président de la République peut avoir besoin de dissoudre. C'est un élément très important d'équilibre des institutions dans le système actuel. Par votre décision, vous risquez donc de priver le Président de la République de cette possibilité, compte tenu de la date à laquelle a lieu l'élection présidentielle depuis la mort de M. Pompidou et de celle des vacances.

« Une éventuelle élection législative suite à une dissolution interférerait avec les municipales. Cela dit, je ne pense pas que ce soit suffisant pour empêcher le Conseil constitutionnel d'approuver. C'est un inconvénient politique que je me devais de vous signaler, d'autant que, disant cela, je rends service à... je ne sais qui... et que c'est donc très impersonnel. »

Mitterrand, en souriant, s'est alors tourné vers le Premier ministre : « Je ne parle pas pour moi, évidemment, je pense à mon successeur. Mais je ne sais pas qui sera mon successeur. »

A l'Élysée, on se perd en conjectures politiciennes. La présidentielle ? Delors n'ira pas, répète le Président qui a rencontré le 11 mars le président de la commission européenne. « Delors ? Il aimerait bien être Président sans être candidat, a dit Mitterrand à ses collaborateurs. N'y croyez-pas. » La politique gouvernementale ? La proposition d'aménagement du territoire de Charles Pasqua n'est, aux yeux de Mitterrand, qu'une habile méthode pour commencer à faire campagne. Pasqua fait fantasmer sur la ruralité et revient à un scénario usé d'analyse de l'exode rural en terme de destin et non de transformation profonde de l'économie agricole. On n'aurait jamais dû quitter les campagnes, revenons-y, telle est l'antienne répétée par les services de Pasqua aux réunions interministérielles auxquelles assiste l'émissaire du Président, Yves Dauge. Pendant ce temps-là la droite ne dit rien sur les villes. « Nous, on était à gauche, on tentait de comprendre la ville, la banlieue. La droite s'incarne dans une politique de terroir, pépère, morale. Nous étions inquiétants, dans un monde en évolution. Eux sont rassurants, dans un monde qu'ils veulent stable. »

Pasqua suivra-t-il Balladur? « En tout cas, c'est le plus malin de la bande », avoue le directeur de cabinet de Mitterrand. L'aménagement du territoire est conçu comme une plate-forme politique pouvant se transformer du jour au lendemain en projet de société pour la présidentielle. Chassigneux ne se trompe pas sur les intentions de Pasqua. Balladur non plus, qui a voulu l'accompagner dans tous ses déplacements...

François Mitterrand veut qu'on l'entende. Il donne des détails, veut se justifier sur tous ses comptes. Il cite sa maison de Gordes, dont la presse a récemment beaucoup parlé : « J'ai acheté à l'instigation de Pierre Soudet – un type de premier ordre – un terrain de 1 700 mètres carrés à Gordes. Au bout de quelques années j'ai reçu une lettre du maire de Gordes m'avertissant qu'il allait changer les règles communales : en dessous de 2 000 mètres carrés il ne sera plus possible de construire. J'ai trouvé idiot de ne pas construire. Avec Grossouvre, on a construit pour 80 000 francs une maison de deux pièces – je n'avais pas tellement d'argent. Au bout de très peu de temps je me suis demandé ce que j'allais faire de cette maison. On est vite convenu de la vendre. Nous en avons parlé à trois ou quatre amis – j'ai vendu mes modestes parts il y a dix-sept ans. Le juge vient d'ordonner une perquisition chez mon ancien agent immobilier pour trouver des traces de l'origine de mon emprunt. »

Au réfectoire de l'Élysée, entre deux tartines beurrées et un pot de café, ça cause beaucoup, de tout et de rien, tous les mercredis en fin de matinée. L'atmosphère du palais est si surannée, les réunions si peu prisées par le patron que ce petit espace de temps qui suit la convocation des collaborateurs pendant la tenue du Conseil de l'autre côté de la cour est devenu un moment convivial, vital. On s'échange les infos, on « arrange les coups », comme dit Charasse, on s'engueule parfois. Thème de discussion en ce moment : le passé du Président pendant la guerre. Devant les jeunes générations choquées par les propos du patron parus récemment dans le livre de Pierre Péan, Jean Kahn, grand résistant, éternel jeune homme bouillonnant de rage et de volonté de « couvrir » le Président en toute circonstance, écume de colère. « Depuis 1964, dit-il, on ne cesse de salir le Président sur la période avant son entrée dans la Résistance. C'est une honte. »

Les manifestations de commémoration s'enchaînent depuis plus d'un mois – cinquantième anniversaire du programme du Conseil national de la Résistance, où Mitterrand a tenu à se rendre : « J'ai présidé cette cérémonie, me dit-il. C'était étrange. Pour la première fois, Georges Bidault a été célébré. Nous étions très mal ensemble. J'ai fait quelques compliments sur lui. » Puis s'enchaînent l'hommage à Pierre Brossolette, la cérémonie de clôture du cinquantième anniversaire des combats des Glières, Izieu bientôt. L'histoire, la mémoire. François Mitterrand, ce mois-ci, me parle de la guerre qui a changé sa vie et du temps d'avant. Ces propos ont été tenus bien avant que le livre de Pierre Péan sur la jeunesse de François Mitterrand ne sorte et au moment où ce dernier venait d'accepter les entretiens avec Péan :

« J'ai été mêlé automatiquement à la vie politique, j'ai été mêlé à la Résistance. C'est la guerre qui a construit ma détermination à faire de la politique.

Bien sûr, j'avais du goût pour la politique. Je n'avais pas fait de choix avant la guerre. J'allais souvent à l'Assemblée nationale. J'écoutais les discours de Doriot, il était déjà à la tête du PPF, de Blum, de La Roque. Je ne trouvais pas Doriot très talentueux. Mais sa présence jouait beaucoup auprès de la jeunesse. Blum avait une voix très fluette et réussissait cependant à être un orateur de meeting. Pour un étudiant, Blum, c'était très excitant. Mais j'étais loin d'être un jeune homme engagé. Je vivais, parmi une bande d'amis, une expérience très riche, très immédiate, où je me piquais de musique, d'art et même de philosophie.

« Mais cela n'a pas de sens à cinquante ans de distance. Cela ne fait qu'entretenir les guerres civiles. Cela réveille toutes les haines. C'est absurde aussi d'un point de vue juridique. Et puis... on juge des octogénaires, on fait comparaître des témoins octogénaires alors que les autres sont morts. Touvier s'est fait prendre. Je n'éprouve aucune pitié pour lui. Mais j'appelle cela de l'acharnement cinquante ans après. On est plus acharné aujourd'hui qu'il y a cinquante ans. C'est nous qui avons souffert. C'est peut-être pour cela que nous n'avions pas la même vigueur...

« A vingt-sept ans, j'appartenais au petit gouvernement formé par de Gaulle. Nous étions quinze personnes à avoir à décider. Je suis arrivé à Paris le 19 août revolver au poing avec une dizaine d'amis à un endroit qui m'était assigné en tant que responsable des prisonniers. Il régnait un grand désordre. J'ai pris possession de ces administrations. Je suis allé dans le bureau du ministre et j'y suis entré armé. Je lui ai dit : " Vous connaissez les événements. Maintenant vous me laissez la place. " Je l'ai laissé partir. Et, à la fin de cette mission, je suis parti délivrer des camps. »

François Mitterrand s'est engagé, depuis longtemps, à inaugurer le musée de la maison d'Izieu, cette maison où Mme et M. Zlatin ont, pendant la guerre, hébergé et sauvé des centaines d'enfants, juifs et d'où, avec M. Zlatin, quarante-quatre enfants, sur ordre de Barbie, ont été emmenés vers les camps de la mort. Ce matin-là, dans l'avion qui l'emmène, son chef de cabinet lui explique que, sur place, il aura peut-être à affronter des organisations juives qui vont l'insulter sur son passé. Mitterrand lève les bras d'un air las. Midi. L'hélicoptère se pose. Mitterrand sort. Pas un bruit. Un silence de mort. Quelques enfants tenant des bouquets de fleurs des champs attendent devant la stèle commémorant le martyre des enfants juifs. Le cortège officiel quitte le village de Gordon-Bréguier et monte une route qui serpente sur le flanc de la montagne. Le cœur s'étreint. Il a vraiment fallu aller les chercher, ces enfants, au bout de cette route en lacet, au milieu de ce paysage admirable, dans cette nature d'une beauté pacifiée.

Des jeunes tenant des pancartes où sont inscrits les noms, prénoms et âges d'enfants déportés font une haie au Président. Toute la semaine des menaces de violences et d'injures au Président avaient plané sur l'Élysée. Le ministère de l'Intérieur l'avait informé que le Bétar – mouvement extrémiste juif – avait l'intention d'en découdre avec le Président.

Cela fait quatre ans que François Mitterrand a décidé d'inscrire la maison d'Izieu dans ses grands travaux, mais cela fait deux semaines qu'une polémique sur l'affaire Touvier s'envenime. On le soupçonne à nouveau de protéger d'anciens collaborateurs, d'empêcher certains procès, d'avoir été décoré de la francisque, d'avoir fleuri, depuis 1981, la tombe du maréchal Pétain.

Le rabbin Sitruk prononce le kaddish, repris par les survivants d'Izieu tous présents. François Mitterrand dévoile la plaque, puis s'adresse à Mme Zlatin, la directrice de la maison, personnage exceptionnel de courage, de fermeté et de droiture, qui tremble d'émotion. Il lui dit son admiration, il lui rend hommage. Il martèle les syllabes. Il veut être clair. Il trouve les mots justes.

François Mitterrand quittera Izieu sous les applaudissements des représentants de la communauté juive. Sur la porte de la maison, les noms des quarante-quatre enfants. A l'intérieur, leurs dessins, leurs cahiers. Mme Zlatin ne tremble plus. Les survivants viennent l'embrasser dans ce qui était autrefois leur salle de classe. Dehors, de jeunes enfants, une kippa sur la tête, font des rondes dans les champs. Mme Zlatin a vaincu l'oubli. La maison est devenue un lieu de mémoire traversé de rires d'enfants.

L'heure des grandes manœuvres approche. Le compte à rebours a commencé et la confection de la liste socialiste pour les européennes fait grincer bien des dents. Le Président a fait savoir qu'il ne comprenait rien aux méthodes de Rocard. Ce n'est pas un scoop. Lang s'étrangle de rage d'être si bas sur la liste, Charasse s'indigne de voir que le premier Auvergnat de la liste n'est situé qu'en quarante et unième position. « Ça va barder », écume Charasse, qui hurle contre le parisianisme exacerbé du parti. « Ça va tanguer », pronostique Benassayag, qui vient de refuser la proposition de Bernard Tapie de figurer sur sa liste radicale. Cela ne l'empêche pas de juger la liste de Tapie « correcte, de gauche ».

Tapie sème la zizanie. Mitterrand divise pour mieux régner. Le Parti socialiste hurle au complot. Tapie, le grand méchant loup, divise l'Élysée. Un voyou ? « Prouvez-le », disent ceux qui aiment sa « pêche » et considèrent que la politique, c'est aussi le rassemblement sans être vraiment trop regardant. Il est la honte du socialisme, rétorquent d'autres qui se disent ébranlés, écœurés par le cynisme du Président à son égard.

Mitterrand, c'est un fait, n'a jamais été respectueux des convenances sociales, pas dupe des corps constitués. Il éprouve de l'estime pour les personnes qui se sont construites dans les épreuves et selon les circonstances (sans doute l'expérience de la guerre) et méprise ceux à qui, à la naissance, tout fut donné. Il aime en Tapie sa pugnacité. Mitterrand « sent » bien que la France est actuellement dans une phase populiste et qu'elle doute de ses élites. Au lieu de les éloigner, mieux vaut ramener à la politique des gens qui ne sont pas des technocrates empâtés dans la langue de bois et sans crédibilité. Tapie contre Rocard ? Tapie, Mitterrand, même combat ? Mieux vaut demander l'avis à l'intéressé au moment où une certaine gauche ne bruisse que de trahison mitterrandienne de l'idéal socialiste :

« Tapie est un tempérament formidable. C'est un bon débatteur, un bon dialecticien. Il n'a pas de formation politique, il a de l'instinct. Il vient d'une famille pauvre où il a appris à lutter. Aujourd'hui il a besoin de faire un effort pour transposer son image du domaine des affaires à celui de la politique.

« Il est venu me voir deux fois en quatre ans. Pourquoi ne l'aurais-je pas reçu ? J'ai reçu tous les autres sauf Le Pen. Je suis en bons termes avec lui. C'était un très bon ministre de la Ville. Pour ce rôle-là. Pour le temps qu'il a été là. Il possède un pouvoir de séduction sur les jeunes, ainsi qu'un don de sympathie. Mais il reste comme une haie mal taillée. S'il avait commencé sa carrière sur le terrain, son message serait passé sans peine. Sa difficulté à lui, c'est qu'il a vingt ans d'activités financières marginales, ce qui pèse à la fois sur sa réputation et sur son caractère. Je n'ai rien à lui reprocher et je ne vois pas pourquoi je l'éviterais. Il a réussi à la tête d'un club sportif et en tant que ministre. Pour le reste, concernant les affaires, je n'y connais rien.

« J'entends dire que je construirais la liste Tapie pour les européennes. Je ne m'occupe pas de cela, ni de celle du Parti socialiste. J'ai appris que lorsqu'on s'occupe de ces choses-là, il faut en avoir l'entière responsabilité. Sans cela on perd son temps [1]. »

Pour contrer Rocard, le Président serait-il prêt à soutenir ouvertement Bernard Tapie? François Mitterrand a reçu discrètement Tapie la semaine passée et a demandé à son service de presse que cet entretien ne soit pas rendu public. A l'inverse de celle du Parti socialiste, la liste de Tapie n'a pas été communiquée. Et pour cause. Elle n'a toujours pas été dressée.

A l'Élysée, beaucoup de choses se passent à l'heure du déjeuner. Dans le monde politique, c'est bien connu, on aime bien rester des heures à table. L'Élysée, véritable machine alimentaire, ne déroge pas à la règle. A chaque grade son étage, sa reconnaissance sociale, sa table. Une véritable géographie amoureuse et culinaire permet d'inventorier les codes élyséens et les affinités électives du Président.

Le plus chic demeure, bien sûr, la table du Président lui-même. Il existe deux tables du Président à l'Élysée. Celle des appartements privés détient le hit-parade des tables de charme : service plutôt décontracté, à la bonne franquette, nombre de convives limité, cuisine légère mais copieuse, signe particulier : écrivains et membres de la famille souvent invités. Juste en dessous, le déjeuner au rez-de-chaussée, dans la salle à manger Pompidou, genre design des années soixante-dix. Lustre revisité façon moderne, table en plastique moulé, mobilier de tonalité crème, menu officiel, cuisine un peu contournée, chic, avec des réminiscences de table officielle, invités : personnalités politiques de tout bord. Signe particulier : le café est servi dans la bibliothèque, à côté, devant un feu de cheminée.

---

1. Entretien du 14 avril 1994.

Et puis, secret, lové à l'intérieur des habitudes élyséennes, le déjeuner du jeudi, appelé « déjeuner des marquis » par un ancien qui a maintenant des ennuis, le repos donné dans le petit appartement de Michel Charasse à l'angle de l'avenue de Marigny. On ne s'y fait pas inviter, on s'y fait adouber. Charasse a beau vous dire que tout le monde peut y venir... certains n'ont jamais eu l'honneur d'y participer. Ces déjeuners étaient très prisés autrefois. On y faisait et défaisait les réputations politiques, on parlait, comme des maquignons à la foire aux bestiaux, des postes à pourvoir, on buvait beaucoup, on devisait trop, les hommes faisaient les fiers-à-bras, les femmes avaient honte de voir ces messieurs si policés se transformer en épiciers grasseyants de la République. Les affaires sont les affaires, mais c'était moins drôle que le théâtre d'Octave Mirbeau et les propos volaient moins haut. Les déjeuners Charasse ont perduré. Charasse étant au régime, on y mange moins et le socialisme étant en déroute, on ose moins y faire son malin. Mais les mauvaises réputations ont la vie dure. L'actuel secrétaire général n'y vient jamais, il craint trop de subir de mauvaises rencontres et d'entendre des turpitudes. Il a tort car à cette table, encore aujourd'hui, bat le pouls du palais. A ces déjeuners on raconte encore (hélas) des blagues salaces et on colporte des méchancetés sur ses petits camarades (beaucoup trop).

La règle instituée par Charasse veut qu'on reste entre soi, c'est-à-dire entre gens de l'Élysée. Aujourd'hui, il insiste pour que je vienne. Il me dit qu'il a une surprise. Il ne peut rien ajouter – je n'ai qu'à descendre avec lui dans la petite salle à manger. La surprise, déjà à table, s'appelle Bernard Tapie. En compagnie de cinq collaborateurs du Président, pendant plus de deux heures, il ne cessera de parler. Tapie parle, il parle tout le temps, il parle bruyamment, il n'entend pas quand on l'interrompt. Tapie fait du bruit. Tapie veut convaincre tout le temps, tout le monde et surtout les hommes du Président. Tapie parle, à cœur ouvert. Il évoque sa récente campagne cantonale, sa vision de la conquête de Marseille : « Là, les gars, j'ai besoin de l'Élysée », ainsi que son avenir politique. L'homme, qui porte curieusement une cravate ornementée d'ânes (!), est hâbleur, sympathique et manifeste ce jour-là devant son auditoire choisi une dévorante volonté de séduction. Il a des mots simples qui font comprendre pourquoi l'homme attire et éloigne d'un même mouvement : avec lui tout est possible si l'on est déterminé à en découdre, selon lui la politique est faite non pas de combats pour des idées – excepté l'antiracisme – mais de victoires sur des individus. Il raconte avec verve et talent ses tournées épuisantes dans les banlieues, le soutien du Parti communiste, les attaques du Parti socialiste. Il ne fait déjà qu'une bouchée de la mairie de Marseille et crache son mépris pour le maire actuel, qu'il qualifie élégamment de « Johnnie Walker ». Il n'a guère d'idées de noms pour sa liste. Sauf une : celle de Véronique Colucci, qui a fondé avec son mari Coluche les Restos du cœur, qu'elle continue à faire exister. Il voudrait « des personnes de terrain, pas des politiques ». Autour de la table on approuve, on lui suggère de prendre des candidats immigrés de la seconde génération, des personnalités représentatives des régions. Tapie écoute, hoche la tête, accepte en apparence les leçons.

A l'heure du café, Charasse fait les comptes. Il prévoit 8 % pour la liste de Bernard Tapie. Tapie envisage un plus grand score. « Sur le marché à bestiaux de Puy-Guillaume tout le monde s'en fout, des européennes », rétorque Charasse. La conversation vole haut... Tapie ramène tout à lui et à sa relation avec les médias. Son raisonnement encore une fois se révèle d'une simplicité et d'un narcissisme aveuglants :

« Puisque je me présente aux européennes, les médias parleront de moi. Grâce à moi, les européennes deviendront un enjeu médiatique, donc politique. » Tapie se défend de préparer une liste show-biz qui ressemblerait à un générique de « Sacrée Soirée ». Il se voit déjà en juin à la une de l'ensemble des journaux télévisés. « Y aura Roland-Garros et moi. Moi et Roland-Garros. »

Ce sera sa première élection nationale. Un tour de piste pour les présidentiables? Pourquoi pas? L'avenir en politique appartient à ceux qui ne se posent pas de questions et n'ont guère d'idées, excepté celle de gagner.

Un groupe de journalistes attend Tapie à la sortie, rue du Faubourg-Saint-Honoré. Le déjeuner était pourtant secret... Pendant deux heures Tapie aura beaucoup parlé et surtout du rejet, du dégoût que provoque le mot même de socialiste quand on fait une campagne politique. De l'Europe et de son avenir pas une fois il n'aura été question.

Mitterrand n'est pas content. Il ne me cache pas sa colère devant la confection de la liste socialiste pour les européennes. Il délaisse ses habits d'arbitre, endosse de nouveau ceux du combattant pestant contre un premier secrétaire qui ne sent pas le climat politique du moment, accumule les fautes et ne tient pas ses promesses. Verve, ironie, mots acérés, Mitterrand ce matin-là déploie sa grande panoplie de dialecticien, mâtinée de ruse et de rouerie :

Les états généraux qui avaient investi Rocard avaient provoqué la mort des courants. C'était une bonne initiative. Or la liste actuelle se réduit à l'expression des courants. A quoi bon avoir fait le big-bang? D'ailleurs pourquoi avoir parlé du big-bang? C'est comme cela. Le socialisme arrivera sans eux. La proportion normale de socialisme en France est de 25 %. La société est habituée à nous, même si quelques-uns le regrettent. La société a accepté l'alternance. C'est un progrès que certains de nos dirigeants devront rentabiliser à leur profit. Mais pour la victoire, il faut un coup d'épaule. il faut tout d'abord en finir avec toutes ces petitesses [1]. »

La politique, ce mois-ci, envahit la une des médias. Grandes stratégies pour les européennes, politique diplomatique de Balladur, qui s'apprête à partir pour la Chine. Politique souvenir avec la commémoration des vingt ans de la disparition de Georges Pompidou. L'annonce a été faite en début de soirée. Mitterrand s'en souvient très bien : « Ce soir-là, je dînais seul chez Lipp. Je lisais le journal. C'est le fils Cazes qui est venu me le dire. Je ne me doutais pas qu'il disparaîtrait si vite. Cette période ne m'inspire aucune nostalgie. C'était la fin du gaullisme. Ce n'est personne d'autre que Pompidou qui a enterré de Gaulle. Pompidou, c'est Guizot. C'est une France très classique où le grand capital est maître de tout, une France qui appartient aux bourgeois. »

Le printemps donne manifestement aux hommes politiques des envies d'évasion. A chacun son voyage. Le Premier ministre a choisi le jardin des supplices en Chine. Mitterrand a préféré le désert des civilisations enfouies. Le voilà donc parti pour l'Ouzbékistan et le Turkménistan, tenant la promesse qu'il avait faite six mois auparavant au Président turkmène Niazov de venir visiter ce jeune pays qui s'est proclamé indépendant après la dislocation de l'URSS.

Il me l'a avoué la veille du départ : autant l'idée d'aller à la rencontre de la civilisation de Parthes l'enchantait il y a quelques mois, autant cette absence de cinq jours de France lui pèse d'avance. Ennui vite dissipé. Certes Mitterrand a eu plus de plaisir à s'entretenir avec M. Bernard, spécialiste de Parthes,

1. Entretien du 1er avril 1994.

professeur au Collège de France, de l'intelligence de la princesse Rodogune et des stratégies du général Sulema qu'avec certains membres du gouvernement composant la délégation officielle.

Ce n'est pas une mince affaire que ces voyages présidentiels si convoités par les amis ou soi-disant amis du Président, qui ne craignent pas, dès que l'annonce officielle en est faite, de se manifester auprès du secrétaire général pour se faire inviter. Toute une machinerie parfaitement au point s'est mise en place après la confirmation officielle du Président : voyages préparatoires (deux furent nécessaires) avec le directeur de cabinet, le conseiller diplomatique, le médecin du Président, le chef du protocole. Réunions au retour. Élaboration d'un calendrier visé par le Président, sourcilleux, qui, jusqu'au dernier moment, modifie le programme, barre ou ajoute des noms à la composition de la délégation. Vient l'heure du grand départ : le caravansérail élyséen se met en branle. Toute une petite communauté se forme pour l'occasion, où chaque corporation a son représentant : un coiffeur, une femme de chambre, un cuisinier, des intendants, le médecin, des ingénieurs de France Télécom, des personnes de l'administration, la secrétaire du Président, deux secrétaires du service de presse, la secrétaire générale adjointe, le porte-parole, le conseiller diplomatique, le chef d'état-major particulier, le directeur du service de presse, sans oublier les deux jolies blondes du Président, présentes dans tous ses voyages, Évelyne, qui s'occupe des journalistes, des cadeaux et du protocole, et Christine, des lumières et de l'image du Président.

A destination de ces lointaines terres d'Asie, pas moins de quatre cents personnes sont parties. Le voyage a coûté 30 millions de francs. L'Élysée dispose d'une dotation de 19 millions de francs par le titre III de la loi de finances, mais les déplacements présidentiels bénéficient d'un droit de tirage dépendant des Affaires étrangères et des DOM-TOM. Chers, chers, les pérégrinations élyséennes...

Partir pourquoi? Pour frayer un chemin sur des terres inconnues, honorer l'invitation de jeunes États qui deviendront sans doute un jour importants sur le plan géostratégique, nouer des relations économiques et commerciales intéressantes (parmi les membres de la délégation on notait la présence de Martin Bouygues et de Philippe Giscard d'Estaing), démontrer qu'on a su rester dans les mémoires le premier chef d'État européen à venir dialoguer dans ces territoires un peu délaissés par les grands de ce monde? Tout cela à la fois sans doute, mais s'y ajoute chez Mitterrand le désir de voir des paysages, de ressentir des civilisations qui le fascinent. La difficulté principale consistera à parler au nom de la France des droits de l'homme dans des pays où la liberté n'a pas droit de cité et où la presse se trouve systématiquement muselée. Alors Mitterrand négociera. Il ne jouera pas au donneur de leçons, tout en ne cessant dans ses discours de demander plus de démocratie...

Balladur, pendant ce temps, se faisait infliger une sévère leçon de réalisme politico-diplomatique par les autorités chinoises. Chronique d'un fiasco raconté ironiquement par les conseillers élyséens présents en Chine. Malgré les mises en garde répétées du Président – formulées à deux reprises le mois précédent –, le Premier ministre avait souhaité maintenir ce déplacement, en précisant que le voyage n'était pas commercial mais politique. Voyage de type présidentiel donc. L'intention n'avait échappé à personne à l'Élysée. Le Premier ministre avait emmené avec lui de nombreux parlementaires et une importante délégation de journalistes. La partie fut rude dès le début. Jean Vidal, représentant personnel du Président en Chine, assistait à la première réunion réduite. « Êtes-vous intéressé de savoir ce qui s'est passé avec Warren Christopher ? demande Li Peng. – Bien sûr, répond Balladur. – Il a voulu s'immiscer dans la question des droits de l'homme. C'est inadmissible. Si les Américains s'obstinaient dans cette voie, nous nous passerions d'eux. Mais je vois que vous ne m'avez pas encore parlé des droits de l'homme. La France est la patrie des droits de l'homme et je souhaiterais poursuivre cet entretien en tête à tête. » Balladur est revenu sur le thème des droits de l'homme et a remis une liste. Mais les camouflets ont continué [1]. Le Premier ministre est revenu les mains vides sur le plan commercial et sans promesses d'amélioration des droits de l'homme.

A l'Élysée, aux journalistes qui viennent dire que Balladur s'est ridiculisé, on répond qu'avec la Chine il faut savoir être patient et que ce n'est pas la personne du Premier ministre qui a été maltraitée, mais la France qui a été inutilement humiliée.

---

1. Un opposant fut emprisonné à Shanghai pour cause de dissidence francophone...

MAI

C'était un de ces sales jours où le désespoir vous guette quand il faut pourtant faire bonne figure. Embrasser la politique signifie sacrifier sa vie personnelle, s'abandonner aux autres et, bien souvent, perdre ce petit territoire intime qui vous enracine dans votre existence, vous permet de ne pas perdre pied quand tout tangue autour de vous. La politique est un manège. A chacun son tour de monter sur les chevaux de bois. Ce jour-là, il fallait donc partir, chassé par la sanction du peuple. Eux disaient qu'ils n'avaient pourtant pas démérité, qu'ils n'étaient pas au bout du chemin. Mitterrand en était convaincu, qui, au cours de cette ultime réunion, leur avait donné congé. C'est à Pierre Bérégovoy qu'il s'était adressé. Il le savait à bout de force, miné, défait. C'était le 24 mars 1993.

Si je retranscris ces propos ici, à la date du mois de mai, c'est parce qu'ils résonnent encore fortement en ce moment même à l'Élysée. Mai, c'est le mois du souvenir, le mois douloureux de l'anniversaire de la disparition tragique de Pierre Bérégovoy. Lors de ce dernier Conseil des ministres, François Mitterrand adressa à Pierre Bérégovoy un message de remerciements pour le passé et un message d'espoir pour l'avenir. Le ton était à la gravité. Chacun d'entre eux eut l'impression de vivre alors, dans ce salon de l'Élysée, un moment historique qu'il n'oublierait jamais :

« Je vous remercie de tout ce que vous avez fait, de

votre action. Vous travaillez à mes côtés, pour certains d'entre vous depuis très longtemps – en particulier M. le Premier ministre, premier secrétaire général de l'Élysée en 1981, et qu'on a voulu injustement atteindre. Les résultats n'ont pas correspondu à vos souhaits, aux miens, mais je vous remercie pour le travail accompli. Privé de vous, je me sentirai seul. »

Mitterrand commencera par analyser les raisons de la défaite : rôle du mode de scrutin, forces hostiles, divisions du Parti socialiste. Puis il esquissera un début d'autocritique : « Je me reproche de ne pas avoir pris tous les risques qu'impose la proportionnelle, même contre les nôtres. J'en ai parlé mais ils étaient rebelles ! Quand il faut, en plus, se battre contre nous-mêmes, c'est toujours difficile... Il y aura des excès, quoi qu'ils disent, et de la revanche. A la proportionnelle, il y aurait eu cent vingt-deux députés socialistes déjà élus. J'aurais dû tout briser pour que nous n'ayons pas à connaître ces instants. »

Puis, devant des ministres venant juste de comprendre l'ampleur du désastre, il prononcera les mots qu'ils attendent sur le présent et l'avenir : « Il s'agit de remonter la pente. Devant nous, il y a les élections européennes, les élections municipales, l'élection présidentielle dans deux ans ou peut-être avant. Vous pourrez montrer ce que vous valez. Constituer un noyau cohérent, rigoureux, sans querelles, ne craignant pas les obstacles, acceptant les sacrifices, renonçant aux joies paisibles d'une vie tranquille. Parmi vous, il y a de vrais militants, je le sais. Pensez à toutes ces heures prises à la vie de famille, au désir légitime de repos, de culture. Vous les avez naguère acceptées. Je souhaite que vous en ayez la force. Je vous accompagnerai jusqu'au dernier jour de ma fonction. »

Ses craintes ? Elles sont nombreuses :

– La remise en cause des acquis sociaux : « Les gens bien à droite seront emportés par les grandes forces :

comment résister aux compagnies d'assurances, aux entreprises, aux gens du même milieu? Cela est total... »

– L'Europe : « J'ai peur qu'elle ne soit mise à mal. Regardez les mensonges sur lesquels la campagne a été bâtie. Les agriculteurs seraient ruinés sans l'Europe. Et il y a un déferlement de protestations. Ils rêvent à quoi! La nouvelle politique agricole commune ne nuit qu'aux gros intérêts céréaliers qui dictent leur ligne. J'en fais reproche au gouvernement : vous auriez dû affronter les syndicats... »

– L'abandon de la recherche et de l'innovation : « De temps en temps, nous aurons un prix Nobel à condition qu'il soit naturalisé américain. »

– La montée des intolérances : « Vous me trouvez peut-être trop inquiet. J'ai d'autres appréhensions : par exemple, verrons-nous les CRS tirer sur les jeunes des banlieues? J'espère que non. Loin de moi toute idée de politique du pire. »

Ses constats? Amers quelquefois, même si rien n'est à regretter : « Nous avons donné une liberté totale à la presse, à la justice, et elles se sont retournées contre nous. Punissons-nous. »

Et maintenant? « A vous de jouer. Je n'en ai plus pour longtemps, mais j'aimerais bien voir l'Europe se lever vraiment. Politiquement, faudra-t-il encore une génération pour remonter la pente? Ce n'est pas sûr. »

Puis, en guise d'épitaphe, il prononce d'un seul trait ces dernières phrases à ce gouvernement de gauche pour la dernière fois réuni :

« Lundi, un énorme poids va tomber sur vous tous, un grand deuil, de ceux dont on croit qu'on ne s'en relèvera pas. Mais les forces de la vie sont encore plus fortes. Paul Fort dit : " Le plus court chemin d'un point à un autre, c'est le bonheur d'une journée. " C'est vrai aussi inversement. L'espérance est au fond de la boîte de Pandore, mais elle ne suffit pas, il faut aussi la volonté politique.

« Je remercie aussi les compagnons du Parti socialiste, qui ont accepté de faire le chemin avec lui, et ont eu du mérite.

« A l'avenir, ne faites surtout pas passer les choix individuels avant les choix collectifs. Je tiens à vous remercier. Nous avons bâti des cercles d'amitié, de respect mutuel. Je vous remercie de votre confiance, de votre respect, des sentiments manifestés, et pour ce que je sens en vous voyant, avec tant de capacités réunies. Nous avons une belle et grande cause à défendre. Elle est meilleure que nous.

« On peut craindre l'isolement, mais en réalité on n'est jamais vraiment seul, sauf devant la mort. Poursuivez la lutte. Je le ferai à ma manière. L'étranglement ne se fera pas dans le silence ou dans l'ombre. Comptez sur moi.

« Il est un peu étrange de vous souhaiter bonne chance quand même, mais je pense à après. Certains d'entre vous ne seront pas au Parlement. Mais cela n'ôte absolument rien aux possibilités. En particulier, je rends hommage au ministre de l'Économie et des Finances, Michel Sapin, qui a eu une charge très lourde et s'est battu courageusement.

« Je regrette que vous ne puissiez voir le prochain Conseil. Persévérez. Nous allons nous battre le dos au mur, mais nous nous battrons. Pour le moment, gardons le silence. Je vous demande de ne pas faire de déclarations dans la cour. Je vais vous serrez la main à tous. »

Alors ils se sont levés. Tous étaient émus. Certains avaient les larmes aux yeux. Quand ils se souviennent de ce moment, ils éprouvent de nouveau le même sentiment : un mélange de douleur, de nostalgie et de tendresse. Papa Mitterrand les a consolés. Puis il les a laissés sur le perron de l'Élysée. Ils n'avaient pas tellement envie de se quitter mais pas envie non plus de parler. Pierre Bérégovoy avait le regard mouillé. Il n'a pas voulu traîner dans le hall, n'a pas embrassé ses amis. Il est parti seul, à pied, par la porte de la rue de l'Élysée. Sans un mot.

Ni fleurs, ni couronnes. Ni discours préparé par les services de la Présidence de la République, ni cortège officiel. Mitterrand n'est plus le Président quand il décide de se rendre à Nevers un an après le suicide. Mitterrand a gardé pendant plus d'un an sur son bureau, bien en évidence, le texte qu'il a écrit pour l'enterrement de Pierre Bérégovoy. Texte griffonné. Cent fois sur le métier remettre les mots en place. Dire la colère et la douleur mêlées. François Mitterrand parle souvent de Pierre Bérégovoy. Il lui manque. Il le dit. Sa disparition le poursuit. Il se montre indigné par les propos d'une certaine presse qui l'accusent de l'avoir abandonné.

Mitterrand, artisan de la mort de ses amis ? L'idée même lui répugne et l'indigne. Avait-il refusé de voir Pierre Bérégovoy ? Alerté par Michel Charasse sur son état psychologique, le Président avait demandé à le rencontrer. Le rendez-vous était fixé pour la première semaine de mai.

Un an après on se déchire à belles dents l'héritage de Pierre Bérégovoy. Certains socialistes, et plus particulièrement ceux qui s'écartaient de lui quand ils le croisaient au bistrot en face de l'Assemblée, se disputent de manière obscène pour savoir qui prononcera l'éloge et où. A l'Élysée, nombreux sont ceux qui ont décidé, tout naturellement, d'aller à Nevers lui rendre hommage. Ici, la plupart le connaissaient bien, très bien, certains intimement. Dans cette maison où il fut, pendant trois ans, le secrétaire général, on garde de lui l'image d'un homme très travailleur, le plus souvent courtois, mais quelquefois en proie à de violentes colères. Blessé à vif en permanence. Plusieurs conseillers actuels de Mitterrand furent ceux de Bérégovoy à

Matignon. Ils conservent des derniers mois un goût de cendres et évoquent, encore aujourd'hui avec des larmes aux yeux, l'atmosphère de désespoir, de malheur et de lâchage. L'homme, miné par cette dévorante accusation de déshonneur, n'arrivait plus à tenir psychologiquement sa fonction. Qui eût pu résister? Le désarroi, la peur augmentaient cette impression de salissure. A Matignon, les derniers temps, ceux qui l'aimaient n'osaient plus lui porter secours tant il paraissait hors de lui-même, inconsolable.

Le souvenir du suicide de Pierre Bérégovoy ravive les plaies. Ils iront donc le saluer une dernière fois. Séparément. Cela n'empêchera pas les charognards d'exploiter salement et d'interpréter ignominieusement la venue à Nevers de Mitterrand. Mitterrand dérange les plans de ceux qui avaient décidé de s'approprier la mémoire de Pierre Bérégovoy.

A ces vilenies formulées par son propre camp Mitterrand répondra clairement : « Pour la cérémonie à Nevers, je ne peux pas ne pas y aller. J'irai par respect pour la mémoire de Pierre Bérégovoy. Mais je ne pourrai me rendre à la cérémonie qu'a organisée le Parti socialiste parce que je suis Président de la République. Mais dans tout cela il n'y a aucun complot contre le Parti socialiste. J'aurais d'ailleurs préféré me taire. Être là simplement avec les amis de Pierre Bérégovoy à l'hôtel de ville de Nevers. Il faut de la décence et de la discrétion. On n'a pas à cacher quoi que ce soit. Demain je recevrai avec plaisir les dirigeants socialistes au palais ducal. On a dit que j'emmènerais Tapie à Nevers. Tout cela est inventé. Comme toutes ces campagnes qu'on m'accuse de mener contre le Parti socialiste. Gilberte Bérégovoy aurait dû se dispenser de dire ce qu'elle a dit contre le Parti socialiste. Mais il faut la comprendre et mettre cela sur le compte d'un chagrin trop insupportable. »

Moi, Tapie? Connais, oui, mais si peu. Qui, Tapie? Encore Tapie. Mais qu'est-ce qu'ils ont donc avec Tapie?

Douche froide jeudi soir au retour du voyage (idyllique) de François Mitterrand en Ouzbékistan et Turkménistan. En première page du *Monde* on l'accuse de fricoter avec Tapie et de couler Rocard. Il se dit éberlué. La réunion des conseillers qui se tient en même temps que le Conseil des ministres – exceptionnellement un vendredi après-midi – se révèle houleuse. Quatre d'entre eux disent haut et fort qu'ils ne comprennent rien à la stratégie du Président avec Tapie. Ceux qui ont des relations avec le Parti socialiste se plaignent qu'ils ne trouvent plus d'arguments en réunion de section pour défendre la ligne du Président. Le ton monte. Les contestataires s'enhardissent.

Anne Lauvergeon, qui, en tant que secrétaire générale adjointe, préside rituellement ces rencontres, n'en revient pas. Elle en rend compte le soir même au Président, qui lâche d'abord d'un ton sec : « Mes collaborateurs qui ne sont pas contents doivent démissionner immédiatement. » Il demande des noms. Anne refuse. François Mitterrand décide alors de convoquer exceptionnellement l'ensemble de ses collaborateurs pour le lendemain matin. De mémoire élyséenne mitterrandienne on n'avait jamais vu cela.

Samedi matin dix heures trente. Salon des ambassadeurs. Tard dans la soirée et tôt le matin le standard de l'Élysée (très performant) a réussi à joindre la quasi-totalité des conseillers. Seule Laurence Soudet ne peut se rendre à temps à la convocation : à la même heure, elle va dire oui à la mairie de Neuilly à l'homme qu'elle aime depuis douze ans. Joli mot d'excuse. Tous les autres sont là, sagement assis en demi-cercle autour d'un Président dos au mur, l'air courroucé. Certains conseillers prennent des mines de petits enfants craintifs, pris en flagrant délit le doigt dans la confiture alors que ce n'est plus l'heure du goûter. Ils ont raison d'être inquiets. Mitterrand est réellement en colère. Mais comme souvent chez lui, l'agressivité cédera vite à la volonté de séduire son auditoire. L'admonestation se transformera en autojustification, puis en leçon de choses politiques. Voici quelques extraits de l'art de la virevolte mitterrandienne :

« Face aux polémiques, cela tire à hue et à dia entre les membres du cabinet. Cette maison devrait être mieux tenue. Il y a ici beaucoup trop de gens qui parlent de manière irréfléchie. Personne n'est habilité à parler politique en mon nom dans cette maison. Seul le service de presse a mon autorisation pour diffuser des informations.

« La discrétion ici n'est pas une vertu mais une nécessité. Ce qu'on prétend que je dis est de l'ordre du fantasme. Ainsi on a raconté qu'à l'issue du dernier des Conseils des ministres j'aurais approuvé la loi Veil, alors que j'ai dit qu'il s'agissait d'un document important sur des problèmes qui méritaient d'être traités. En fait je pense beaucoup de mal de la loi Veil.

« Tout est biseauté. Il faut que ce brouillage cesse.

« Je ne suis pas en compétition électorale. Je garde au chaud la place pour mon successeur. Pendant ce temps, je m'occupe des affaires de la France sans aucune difficulté. Je dois encore gêner. Il existe quelques peureux, des petits groupes rue de Solférino, quelques inquiets qui se disent que si le score obtenu par le Parti socialiste aux européennes est mauvais, ce sera de ma faute. Dans le pays, quand la droite va bien, elle obtient 45 %; quand elle ne va pas bien, elle baisse à 42 %. Dans ces moments, il y a plus de place pour les autres. Ceux qui ne savent pas se battre trouveront toujours des excuses.

« On me parle de mes relations avec Bernard Tapie. Je me suis peu exprimé sur Bernard Tapie. Si je parle moins de Tapie, on dit alors que je le lâche. Si j'en parle un peu, on dit que je le soutiens. C'est une grosse faute de cette maison que de se mêler de cette discussion. D'ailleurs j'ignore tout de Bernard Tapie. Je ne connais ni le prénom de sa femme, ni le nombre de ses enfants. Tapie peut venir récolter pour la gauche un certain nombre de voix que la gauche ne peut engranger. J'apprécie son tempérament. Je sais aussi voir ses limites.

« Rocard ? Je le recevrais ici avec plaisir. On dit que je lui en veux. Comment en vouloir à quelqu'un que j'ai battu deux fois sans difficultés ? D'ailleurs, il ne s'était même pas battu. On voit régner sur cette liste européenne socialiste les mauvais esprits des luttes de courants. Les états généraux devaient faire disparaître les courants. Or je constate qu'il existe des courants, des sous-courants et dans les sous-courants des chapelles.

« Je ne ferai rien qui puisse nuire au Parti socialiste. Pour les européennes, il faut voter pour les listes de gauche qui soient des listes européennes. Chevènement ne peut être mon candidat puisqu'il n'est pas sur la liste du Parti socialiste. Rocard m'a récemment adressé une lettre à la suite d'un éditorial qu'a publié Pierre Bergé dans *Globe* affirmant qu'entre Balladur et Rocard j'appellerais à voter Balladur. Je lui ai dit que Bergé était mon ami, qu'il était libre de sa pensée et que je ne contrôlais pas ce qu'il disait. Entre Balladur et Rocard, je voterais Rocard.

« Je suis là pour favoriser le Parti socialiste. Je voterai pour le candidat socialiste à la présidentielle quel qu'il soit. Ceux qui disent autrement disent des bêtises – y compris au sein de mon cabinet.

« Je suis l'initiateur de l'Union de la gauche. En 1958, je nouai dans la Nièvre une alliance avec le Parti communiste. En 1981, avant les élections, j'ai croisé Georges Marchais dans un studio de télévision. Je lui ai demandé pourquoi il m'attaquait avec tant d'acharnement puisque, dès le lundi, entre les deux tours, il appellerait à voter pour moi. “ Mais il faut que je convoque d'abord le Comité central, m'a répondu Georges Marchais. – Ce sera trop tard, lui ai-je répondu. Tout se jouera ce soir avant huit heures. Et si vous ne le faites pas, les deux tiers, voire les trois quarts de vos électeurs voteront pour moi.” Au congrès de Metz, l'Union de la gauche a failli être renversée. Je me suis retrouvé seul avec Chevènement pour maintenir cette ligne. L'histoire était en arrêt. Il aurait été impossible d'avoir un succès à la présidentielle sans cette union.

« Ce qui me ferait plaisir, c'est que cette réussite fasse loi. Certains me prêtent un amour des centristes. J'avoue que lorsque je vois Méhaignerie en Conseil des ministres, mes instincts ne sont pas en éveil.

« Je crois à la lutte des classes. Je ne la souhaite pas, mais je pense qu'elle existe. L'animosité des concurrents à mon égard ne m'a pas fait changer d'avis. Je suis – théoriquement – moins verbeux que les communistes, mais la lutte des classes, j'y crois. Il s'agit là d'un choix fondamental.

« Si un candidat veut retourner rapidement au pouvoir, il sera tenté par un arrangement avec les centristes. S'il souhaite un grand mouvement de gauche, il faudra qu'il sache qu'il restera dans l'opposition pour un long moment. Depuis 1981, nous avons connu une opposition entre la nécessité de la gestion et la volonté du peuple. Delors, Bérégovoy ont pratiqué le franc fort, une politique que j'avais voulue. Ils se sont retrouvés au zénith des sondages alors que moi-même, j'étais dans l'opinion publique au trente-sixième dessous. Les Français avaient l'impression que leur bas de laine n'était pas crevé. Les ouvriers aspirent à une vie bourgeoise. Ils souhaitent une vie meilleure. Ils veulent évacuer leur origine populaire.

« Rocard dirige la liste aux européennes. Je n'ai aucune raison de lui en vouloir. Au Parti socialiste, ceux qui craignent la défaite l'anticipent et cherchent déjà un responsable. Pourquoi pas moi ? »

Un silence glacial a accueilli ces propos. Avant de se retirer, Mitterrand a insisté sur la nécessité de la discrétion. Il a réitéré ses consignes de silence sur la vie à l'Élysée, y compris sur ce qui venait de se passer. Trois jours plus tard, deux journaux se faisaient l'écho de cette étrange matinée.

A l'intérieur du palais, l'atmosphère de soupçon devient vénéneuse. Les relations se tendent. Parler à l'extérieur désormais veut dire trahir. Les auteurs des fuites ont été repérés, mais personne ne s'abaisserait à les citer. On attend qu'ils remettent leur démission. La patience du Président est légendaire. Le psychodrame a été géré de main de maître. Ce n'est pas tant à ses collaborateurs que le Président s'adressait ce matin-là – naïfs sont ceux qui se sentent visés – qu'au Parti socialiste et à son premier secrétaire, rassérénés. Au billard à double bande, François Mitterrand reste excellent. La cérémonie d'hommage à Pierre Bérégovoy sobre et émouvante, le lendemain, calmera la brouille. Temporairement. L'échiquier politique de la gauche reste fragile, les alliances floues et les rancœurs tenaces.

Mai est un mois chargé de symboles : 1er mai, 10 mai. Mais c'est aussi celui du muguet. Et même à l'Élysée on fête le muguet. En tout cas, avec Mitterrand. Du temps de Giscard, la cérémonie avait été annulée, reportée *sine die*. Mais avec Mitterrand les forts des halles sont revenus tout contents. Mitterrand, décidément, adore les rites. C'est son côté IIIe République : il aime les discours, les remises de médailles et de décorations, les embrassades (surtout de jolies filles). Il dit apprécier ces réunions en petit comité où il discute sans cérémonie avec des gens qu'il ne peut jamais fréquenter. Aujourd'hui, dans un salon de l'Élysée, sont réunis depuis le début de l'après-midi des grossistes en tout genre, des producteurs de fruits et légumes, des équarrisseurs de porcs, des fleuristes.

Autrefois, les forts des halles traversaient Paris à pied jusqu'à l'Élysée. Aujourd'hui, ils viennent de Rungis en camion, avec, en guise d'offrande au premier magistrat de France, de nombreux paniers de fleurs, de fruits et de victuailles. Chaque année, avant la fête du muguet, une reine est désignée. Cette année, la reine du muguet a les yeux ravageurs et un tailleur très près du corps. Elle offre cérémonieusement les présents au Président, « en dévouement à votre personne et à notre pays », dit-elle, la voix chargée d'émotion. « Je peux prendre une photo? – Bien sûr », répond notre Président, enchanté, qui enchaînera sur un discours rappelant la plus belle tradition des banquets. On se congratule, on s'embrasse, on se dit au revoir et à l'année prochaine, et pourtant on n'arrive pas à se quitter. Nostalgie, quand tu nous tiens! Le Président, d'un ton mi-figue mi-raisin, lance, avant de s'éclipser : « L'année prochaine j'aurai l'occasion de vous recevoir, mais ce sera tangent. Ce jour-là je vous dirai adieu. »

Quand Mitterrand délaisse les brins de muguet, c'est pour enfourcher son cheval akhal-tekké... La vie élyséenne, en ce joli mois de mai, ne manque pas de surprises. Une sombre affaire équestre défraie la chronique du palais. Mitterrand serait-il un voleur de chevaux? L'histoire fait sourire mais... risque de dégénérer en... affaire d'État. Pour en comprendre la teneur, il faut remonter le fil du temps et examiner attentivement une photographie qui trône dans le bureau d'un conseiller.

Sur le cliché tout le monde sourit. François Mitterrand semble grelotter de froid sur le perron en admirant la beauté de la robe et l'élégance raffinée de l'animal. Hubert Védrine, Anne Lauvergeon, l'aide de camp et le directeur de cabinet assistent dans les jardins de l'Élysée à cette étrange cérémonie : la présentation de Gendjim. C'était un samedi matin de février dernier. Le cheval – cadeau du Président turkmène offert en mai 1993 –, après un long voyage suivi d'une mise en quarantaine, arrivait enfin en France. Symbole du Turkménistan, cette race est pure. Ces animaux, descendants de ceux de Gengis Khan, peuvent parcourir plus de 200 kilomètres par jour et sont réputés capricieux, n'acceptant qu'un seul maître.

L'Élysée et son hôte se sont habitués aux offrandes vivantes. Jean-Claude Lebossé, conseiller agricole de François Mitterrand, gère avec l'INRA et les haras les augustes cadeaux du Président. Il a réussi à caser dans un parc d'attraction des serpents du gouvernement thaï et à faire paître à Clermont-Ferrand les bisons offerts par Lech Walesa, qui sont croisés en ce moment avec des bœufs de l'Aubrac en vue d'une nouvelle race, sous contrôle scientifique. Mais du cheval turkmène les haras nationaux ne voulurent pas. Race non répertoriée en France, disaient les spécialistes au conseiller élyséen, qui, entre les négociations du GATT, les colères des agriculteurs et les révoltes des marins-pêcheurs, en a... tout simplement oublié l'existence de la nouvelle monture du Président.

Le cheval a disparu. Un entrefilet dans la presse spécialisée met le feu aux poudres. Des déclarations du président de l'Association du cheval akhal-tekké (eh oui, cela existe) suivent. Il s'indigne de la prétendue appropriation personnelle par le Président de la République d'un cadeau appartenant à la nation.

L'affaire ne fait que commencer. Au début les conseillers affectent d'en rigoler – les articles se multiplient, y compris dans la presse nationale, certains répondent même aux journalistes qu'ils l'ont bouffé. Mais très vite le gag vire à la charge. A ma grande surprise, Mitterrand, que j'interroge en souriant de l'importance accordée à ce sujet dans les gazettes, se referme, se contente de bougonner que le cheval sera bientôt montré.

Le Président ne voulant pas en dire plus, le service de presse de l'Élysée ne peut communiquer. Le silence est interprété, la rumeur enfle. Mitterrand a-t-il donné cette merveille à un membre de sa famille? Dans les rédactions, les allusions à sa vie privée cachée se multiplient. On se souvient alors que François de Grossouvre était excellent cavalier. Une photographie du cheval n'était-elle pas exposée sur une des étagères de son bureau élyséen? Cheval, suicide, cadeau : les bruits deviennent incontrôlables. Mitterrand change alors de tactique. Il dégoupille lui-même la grenade. En deux temps. Il profite de son voyage officiel au Turkménistan pour expliquer l'histoire de l'animal lors de sa conférence de presse. Puis, de retour à Paris, il enfonce le clou et lance à ses collaborateurs :

« La presse parle beaucoup de mon cheval. Je ne suis pas un pharaon, contrairement à ce qu'on dit. J'ai reçu un éléphant. Je l'ai donné à un zoo. Ma femme va le voir de temps en temps. Elle trouve qu'il est maltraité. Le roi du Népal lui a offert un rhinocéros, qu'elle a donné. Mais cette affaire de cheval, cela devient pire que l'affaire des diamants de Giscard. Je signale d'ailleurs à cette occasion que j'ai reçu un éléphant en or massif d'Houphouët-Boigny, cadeau qu'il offrait à tous les Présidents de la République sans exception. L'autre jour, en voyant une photographie du bureau du général de Gaulle à Colombey, j'ai vu que l'éléphant s'y trouvait. Moi, j'ai agi différemment, j'ai donné l'éléphant au musée du Septennat de Château-Chinon. »

Mais il est trop tard. Le cheval continue à occuper la une de certains journaux, mobilise une bonne partie du service de presse, occasionne une bonne demi-douzaine de réunions chez le directeur de cabinet... Le Président décide alors d'une présentation officielle de l'animal à la caserne des gardes républicains des Célestins. Quel honneur ! Et que de moyens dispendieux mis au service de la dissipation d'un mystère présidentiel ! Devant un parterre d'une cinquantaine de journalistes, le jockey Alexandre Gros, à qui le Président a confié le cheval, fera une démonstration devant les très nombreuses caméras de six chaînes de télévision.

Mon royaume pour un akhal-tekké. L'affaire du cheval est provisoirement classée, mais à l'Élysée on n'en sourit plus du tout. Certains continuent de penser que c'était un pétard mouillé allumé par François de Grossouvre.

Le Président, aujourd'hui, est de sortie. La Reine d'Angleterre l'invite à prendre le thé sous les entrailles de la mer. L'affaire est de taille et a d'ailleurs mobilisé depuis longtemps le protocole élyséen.

Le chauffeur de taxi qui me dépose le matin à la gare de l'Est le résume poétiquement : « Ils vont nous embêter toute la journée avec cette affaire-là. Le ferry, ça ne coûte pas cher. Ça ne dure pas plus longtemps et en plus on peut voir les mouettes. »

Flonflons et musique dès l'entrée. Badges, cadeaux d'entreprise, catalogue. Impossible d'être dans la bulle du Président en ce jour d'inauguration. Le protocole m'a donc « déclassée » au rang d'invitée de François Mitterrand. C'est intéressant de vivre le temps d'une journée le rôle (pourtant si convoité) d'invitée du Président : on ne voit rien, on n'entend rien mais on attend ; on vit toute la journée brinquebalé entre des wagons, des cars immobilisés pendant de longues stations, on grelotte les pieds dans la gadoue sous des tentes aménagées et on vous fait asseoir pour écouter des discours. Un invité, c'est venu pour ça. Mais les discours se font attendre. Alors, pour vous faire patienter, on vous donne à manger. Dans ce genre de voyage présidentiel, on passe son temps à grignoter. Inutile de chercher le contact, l'émotion, la rencontre.

L'ensemble des cérémonies, préparées fièvreusement par le cabinet élyséen en liaison avec le protocole du Quai d'Orsay et le cabinet de la Reine, ont été organisées dans le moindre détail. Certes, je vois le bibi de la Reine. J'ai l'honneur de descendre sous la mer parmi les premiers. Mais le véritable moment d'émotion est la dégustation du château-latour 1971 servi par les Français au cours du déjeuner. Les Anglais, eux, n'offriront que du thé.

Il ne se prêtera pas à une cérémonie des adieux. En tout cas pas tout de suite. Ce matin-là, les journaux impriment des mots prononcés un dimanche soir de mai, il y a quatorze ans : « Cette victoire est d'abord celle des forces, des forces du travail, des forces de création, des forces du renouveau, qui se sont rassemblées dans un grand élan national pour l'emploi, la paix, la liberté. » Tout cela semble loin. Même les mots paraissent fatigués. Le temps de l'énergie est bien révolu, celui de l'usure a-t-il enterré à tout jamais les rêves de justice et d'égalité?

Le 10 mai 1994 à l'Élysée sera un jour comme les autres. Apparemment. Midi à l'héliport, a dit le secrétariat particulier du Président. Message codé, qui signifie déjeuner hors de Paris. Midi moins le quart. Sur la piste d'Issy-les-Moulineaux stationne, portes ouvertes, l'hélicoptère du Président. A l'intérieur un escarpin en crocodile noir bat la mesure patiemment. Françoise Sagan, amie de François Mitterrand, connaît ses retards. Elle en profite pour griffonner des mots qu'elle assemble différemment, à la recherche du titre de son roman qui doit sortir incessamment.

Le Président arrive. Il est fatigué. Il le dit. Cela se voit. Il s'excuse. Il va essayer de se reposer pendant ce court trajet. Peine perdue. Il ne peut s'empêcher de commenter la beauté de Paris vu du ciel, puis la grâce de Vaux-le-Viconte. C'est d'un ton espiègle qu'il raconte ses promenades dans la vallée proche du village de Saint-Loup. Le teint rosit, l'œil pétille. En l'espace d'une demi-heure, François Mitterrand a récupéré. Est-ce l'air de la campagne, la beauté lumineuse de Carole Bouquet, la magie du lieu, les retrouvailles avec son passé? La journée à Saint-Loup se déroulera en tout cas dans la bonne humeur, le bonheur.

Des rites de François Mitterrand on connaît Solutré à la Pentecôte, Latche l'été et à la fin de l'année, les repas chez Mme Chevrier, on connaît moins le déjeuner printanier dans la maison de Saint-Loup.

Histoire sentimentale, résonance littéraire, amitié amoureuse, fascination pour une époque où les écrivains pouvaient à la fois être des créateurs, des animateurs de salons, des diplomates raffinés rompus à l'art des mondanités? Tout cela s'entremêle dans le plaisir évident que prend François Mitterrand à se retrouver ici, dans le domaine de Saint-Loup, actuelle propriété d'un de ses conseillers, Thierry de Beaucé, autrefois maison de campagne de son amie l'écrivain Violet Trefusis, aujourd'hui disparue.

François Mitterrand ne se souvient plus comment il a connu Violet. C'était à Paris après la guerre. Puis il l'a retrouvée à Florence. Il était venu pour travailler en bibliothèque sur un projet de livre sur la Renaissance. Il était jeune, beau, sans argent et sans relations. Violet, qui possédait une magnifique demeure sur les hauteurs de Fiesole – l'Ombrelino –, invitait souvent François Mitterrand à qui elle avait, raconte l'intéressé d'un air coquet, prédit un grand avenir politique. Une amitié était née qui ne s'achèverait qu'avec la mort de Violet.

Violet l'impétueuse, Violet la sensuelle qui a su faire craquer les convenances de son milieu social pour assouvir ses passions amoureuses avec Vita Sackville-West puis avec Virginia Woolf, Violet l'artiste de sa propre vie qui laisse à la postérité une correspondance magnifique de lettres d'amour enflammées et une autobiographie amusée, Violet la fidèle n'a jamais rompu les liens avec le jeune avocat.

François Mitterrand aime souvent raconter que, sentant sa mort venir, Violet l'appella et lui demanda de la rejoindre à l'Ombrelino. Elle était très fatiguée mais tenait à montrer qu'elle restait digne et clairvoyante. Elle le convoqua une fin de matinée, elle fit dresser auprès de son lit une petite table pour déjeuner. Après ce tête-à-tête où elle lui parla de tout sauf de sa maladie, elle prit congé de lui en lui précisant qu'elle l'embrassait pour la dernière fois. Elle s'excusa de ne pas avoir eu la force d'avoir acheté une cravate-cadeau qu'elle lui remettait à chaque fois qu'ils se voyaient puis l'embrassa. François Mitterrand regagna Paris. Trois jours plus tard Violet s'éteignit.

Aujourd'hui, dans cette salle à manger d'été baignée de soleil aux murs ornés de ramages, François Mitterrand devise gaiement de Violet avec sa nièce Miranda. Chacun y va de son anecdote. On loue son humour, on disserte sur le cloisonnement qu'elle avait réussi à imposer entre sa vie privée et sa vie mondaine. François Mitterrand, orfèvre en la matière, hoche la tête. Il éprouve une passion non feinte pour ces personnages, de préférence artistes plutôt que politiques, qui choisissent comme matière romanesque leur propre vie et qui réussissent à subvertir les règles du bien-penser tout en conservant aux yeux du monde une apparence de bourgeoisie bien rangée.

Carole Bouquet, rayonnante de beauté, vêtue de Chanel tendance « décontracté », sourit au Président. Françoise Sagan parle de lieux de mémoire, d'esprits qui habitent les maisons bien après la mort du propriétaire. La conversation s'éternise sur les fantômes. François Mitterrand se livre à un sondage. La majorité y croit. Ce n'est pas pour lui déplaire...

L'heure tourne. Le secrétaire général et la secrétaire

générale adjointe, pris dans le moulinet du temps élyséen, regardent leurs montres, s'éclipsent pour téléphoner. François Mitterrand n'en a cure. Il se promène dans le jardin en contrebas, va visiter l'église, interroge un voisin sur l'origine des fresques du chœur. Les collaborateurs s'affolent. Dans deux heures il doit être en direct à la télévision. Pas question d'en parler. D'ailleurs, il ne sait pas encore ce qu'il va dire. « Il vaut mieux avoir l'esprit libre pour ces choses-là », me lance-t-il en montant dans l'hélicoptère.

La partie de campagne est en effet terminée. Pendant que Françoise Sagan disserte sur Balladur, « un homme bien, vous savez », et teste ses voisins sur le titre de son prochain livre, François Mitterrand lit et annote les documents sur l'emploi que lui tend Anne Lauvergeon. A l'Élysée, les caméras sont déjà installées.

A la fin de l'entretien, dans le petit salon attenant où ont été placés deux écrans de télévision – l'un pour TF1, l'autre pour France 2 –, les dirigeants des chaînes croiseront, en repartant, la vieille garde mitterrandiste, qui, elle, arrive pour sacrifier au rite annuel du dîner du 10 mai.

L'anniversaire du 10 mai à l'Élysée, quatorze ans plus tard, tient à la fois du camp de scouts, de la veillée d'armes et du meeting tendance années soixante. La réunion est ostensiblement décontractée : des petites tables disséminées, un buffet genre campagnard chic, pas de placement, une liste qui restera secrète jusqu'au dernier moment, concoctée par le grand prêtre Mexandeau et soumise la veille au Président, et surtout un excellent château-margaux qui déliera les langues et ressoudra les clans. Au cours de cette soirée style anciens combattants, on se donne l'illusion que la gauche est encore une famille et que la droite reste si divisée que la victoire en mai demeure encore possible. « Simple question de confiance en soi », remarque le vieux chef, qui, après le discours d'intronisation de Mexandeau, prend la parole pour avertir qu'il n'a pas grand-chose à dire – il parlera tout de même de tout et de rien, d'une traite, jusqu'à deux heures du matin. Faire et refaire la gauche mais sans le centre. Les disciples écoutent le maître. Glavany, Emmanuelli et Lang jouent aux élèves chahuteurs. Édith Cresson, en beauté, est tout de même venue, alors que les conditions qu'elle avait posées – que Laurent Fabius et Hubert Védrine ne soient pas invités – avaient été refusées. Le château-margaux arrangera bien des choses car, depuis le congrès de Rennes, indéniablement, la réunion n'est plus aussi fraternelle. Le bataillon sacré – composé de ceux qui ont accompagné François Mitterrand depuis la période de la Convention des institutions républicaines –, bref ceux qui l'ont aidé à prendre le parti, puis à le conserver – s'est à tout jamais dispersé. Et puis le dernier métro est passé. Mais ce soir-là, le vieux carré des hommes liges du Président s'est miraculeusement ressoudé.

Le Président n'a pas apprécié les déclarations – qu'il a jugées intempestives – du Premier ministre sur la politique de défense de la France et ne s'est pas privé de le lui dire. Pas touche au nucléaire! Pas touche au territoire, qu'il juge inviolable, des prérogatives du Président selon la Constitution de la Ve République! Mitterrand, depuis décembre, attend le moment d'infliger une leçon politique à la droite. Il attend patiemment et médite le moment opportun. Avec lui c'est comme cela. Il faut apprendre le sens du temps. S'il s'est ouvert, dès la fin de l'automne, auprès de ses collaborateurs de la nécessité de faire le point sur cette question, personne ne sait sous quelle forme et à quelle date il le décidera.

Mitterrand est, dans sa démarche autant que dans sa

méthode, un homme compliqué et qui aime compliquer. Tout le monde sait depuis belle lurette à l'Élysée qu'il met délibérément en concurrence des conseillers sur les mêmes sujets sans jamais les avertir qu'ils sont plusieurs à réfléchir. Ainsi sont-ils deux généraux à lui faire des notes simultanées sur les questions graves. Ainsi sont-elles trois archivistes à classer et à mettre en ordre la mémoire des deux septennats. Ainsi sont-ils deux médecins à s'occuper de sa santé. Ils seront beaucoup plus après l'été... La bombe, la mémoire, la mort... Ce n'est pas un hasard s'il manipule dans ses domaines d'élection ses conseillers comme des pions dans un savant désordre politico-amoureux. Mitterrand est un bonapartiste. Il n'est content que si l'avis de son entourage rejoint le sien. Entre archivistes (toutes des femmes) on aura tendance à se crêper le chignon, entre médecins à souffrir silencieusement dans son coin quand on se sentira délaissé par le patron, mais entre militaires on saura se tenir et maintenir une solidarité sans faille tant sur le plan des idées que sur celui du respect mutuel.

Personnellement passionné par la question de la défense nationale depuis longtemps – il a fait savoir que s'il écrit un livre après son départ de l'Élysée, il comportera un chapitre sur la dissuasion nucléaire –, Mitterrand dispose donc au sein du palais de deux sources d'informations et d'analyses : le chef d'état-major particulier, le général Quesnot, qui, en liaison avec la Défense et Matignon, récolte en permanence toutes les sources et lui donne son point de vue [1], ainsi que le général Vougny, qui, depuis avril 1991, est le premier général dans l'histoire de la Ve République chargé de mission à la Présidence. Chacun d'eux livre au Président, quand il le veut, son analyse et ses conseils, sans en référer à l'autre. Cette technique de double prise sur le réel (pour lui) et de brouillage

1. La fonction était auparavant tenue par l'amiral Lanxade.

quant à l'importance des rôles (pour les autres) lui permet à la fois d'obtenir des avis contrastés sur l'évolution de la doctrine de la défense et de se protéger du lobby industrialo-militaire. Chacun des deux hommes rend compte uniquement au Président. Comme le dit Vougny, général d'armée aérienne, ancien commandant des forces stratégiques de Taverny, et donc interlocuteur priviligié sur le déclenchement du feu nucléaire : « Je suis libéré de toute contrainte politique, économique, militaire. On ne peut rien me faire, sauf si j'égorge le Président ou le Premier ministre. C'est peut-être pour cela que Mitterrand m'a choisi. »

Le Président vient juste de décider qu'il ferait un exposé sur la politique de défense et de dissuasion dans la salle des fêtes de l'Élysée et en a averti les deux généraux. Les invitations sont donc lancées au dernier moment. Les chefs de cabinet des ministères concernés râlent auprès des secrétaires du palais de voir les convenances si peu respectées.

Le 8 décembre, un conseil de défense s'était passé de manière orageuse entre le Président et le Premier ministre. Le problème de la dissuasion nucléaire demeure au centre du débat. Le 6 janvier, le Président invitait à déjeuner quatre chefs d'état-major. Le 16 février, le Président réunissait un conseil de défense pour examiner le budget de la Défense. Le gouvernement a présenté son livre blanc. Le Président a fait quelques observations qui ont été immédiatement prises en compte : des mots ont été changés, des termes modifiés – « mesures démonstratives » fut remplacé par « ultime avertissement » –, des redondances enlevées. Il n'y avait qu'un seul oubli : le nom du Président ! Le gouvernement avait omis de l'imprimer sur la couverture du livre blanc, se contentant laconiquement de l'expression : « les plus hautes autorités de l'État ». Le texte était déjà imprimé. Mais pas question de reculer. L'ajout « en accord avec le Président » obligea le ministère de la Défense à pilonner 4 000 livres. Le chef des armées n'avait pas cédé. En période de cohabitation les mots pèsent comme des armes.

Dix minutes avant le début de la réunion, le parterre de la salle des fêtes est clairsemé. Beaucoup se sont fait excuser pour cause d'emploi du temps. « Le Premier ministre est absent – pour cause d'opportunité politique vraisemblablement », dit l'état-major militaire élyséen. Méhaignerie arrive, demande tout de suite : « Y en a pour combien de temps ? » On rajoute des chaises car les militaires sont finalement tous venus, les grands scientifiques aussi. Quelques éminentes plumes du journalisme politique n'ont pas manqué ce rendez-vous où le Président attaquera sans nommer, marquera les limites de ses prérogatives, au risque d'insupporter Matignon. Il dressera un bilan de son action sur la dissuasion nucléaire et défendra son point de vue. C'est la première fois, depuis 1981, qu'il s'exprimera sur ce sujet devant un parterre d'institutionnels : « J'entends affirmer ma responsabilité. Par principe, le chef de l'État peut décider seul. Rien ne m'en fera changer. Il existe plusieurs façons de comprendre l'intérêt national. C'est la mienne. Elle n'est pas faite pour choquer les militaires, les parlementaires. Jusqu'en mai 1995 il n'y aura pas d'autres essais nucléaires. »

Le testament est délivré. Les députés du RPR qui l'accusaient de brader le nucléaire le féliciteront le lendemain d'avoir su adopter des accents gaulliens. La première manche est donc gagnée. A Matignon, pas une réaction. En privé Mitterrand, quelques jours plus tard, se plaindra du manque de combativité de la droite et ajoutera qu'il aurait bien aimé provoquer un affrontement sur ce sujet avec le gouvernement, au risque de faire basculer le bel équilibre de la cohabitation. « Hélas, ils n'ont pas voulu. » Il en viendrait presque à le regretter...

En politique étrangère, Mitterrand appellera le gouvernement à défendre les engagements de la France fermement. Il interviendra longuement sur la Bosnie et sur le Rwanda au cours des Conseils des ministres des 18 et 24 mai.

Sur la Bosnie, le 18 mai, après avoir rappelé la sensibilité nationale sur le drame bosniaque, il déclare :

« Il nous faut pourtant garder raison, ce qui est bien sûr difficile devant un tel spectacle.

« J'entends dire parfois que la France aurait manqué à ses devoirs. C'est inexact. Le premier devoir d'un pays, c'est de ne disposer de la vie de ses soldats que pour défendre son indépendance ou pour préserver son intégrité. Ou alors de les engager si, dans le cadre d'une alliance, des obligations ont été contractées. Mais là ? Sur un terrain extérieur – alors que nos intérêts vitaux ne sont pas engagés, il faudrait intervenir militairement avec nos soldats et, compte tenu des caractéristiques du conflit, très vite avec le contingent faire la guerre !

« Alors on me dit que c'est dans l'intérêt de l'humanité. Mais quel est donc ce décret divin qui a fait de la France le soldat de toutes les justes causes dans le monde ? Alors que le seul empire mondial existant, les États-Unis, s'y refuse ?

« Il y a maintenant ce débat sur la levée de l'embargo. L'argument paraît fort : si on ne veut pas défendre les Bosniaques, qu'au moins on les laisse se défendre eux-mêmes. A la réflexion, ce n'est pas si simple. L'armée bosniaque est quand même armée.

« L'embargo n'est pas une décision française contre les musulmans bosniaques, mais une décision de tout le Conseil de sécurité concernant l'ensemble de l'ex-Yougoslavie.

« C'est un sujet auquel j'ai longuement réfléchi, sur lequel j'ai débattu souvent, et, finalement, je me suis rallié au refus car je pense que cela entraînerait une mêlée et dans cette mêlée les musulmans bosniaques seraient au bout du compte et quoi qu'il en soit écrasés. Il est vrai que ce qu'ils cherchent depuis le début, c'est l'internationalisation, si nécessaire par des provocations. Mais il est plus difficile qu'en 1914 de trouver pour cela un archiduc...

« Il y a quelques jours, M. Boutros-Ghali m'a dit être sûr que l'obus tombé sur le marché de Sarajevo était une provocation bosniaque.

« En bref, soit on continue à faire ce qui a été fait depuis le début, et on essaie obstinément d'obtenir une solution politique et diplomatique, soit c'est la guerre, avec au moins 150 000 hommes, dont, avec l'armée française, celle du service national. Rappelez-vous les difficultés que nous avons eues à rassembler 15 000 hommes pour le Golfe, et l'opinion céderait au premier sang. »

Sur le Rwanda, le lendemain de l'adoption par le Conseil de sécurité de la résolution prévoyant le déploiement de 5 500 hommes, le Président livrera à ses ministres son analyse et défendra avec flamme sa politique, un véritable plaidoyer au moment où il est déjà vivement attaqué :

« J'ai reçu par ailleurs une lettre du président de Médecins sans frontières sur le Rwanda. C'est une ancienne colonie belge qui s'était rapprochée de la France avec le temps. Sachez que c'est la France qui avait obtenu, à force de pressions, un accord qui a organisé la cohabitation des différentes ethnies et le respect des droits de la minorité par la majorité. Cela a tenu à peu près jusqu'à l'assassinat du Président. Nous avons fait tout ce que nous pouvions faire au moment des massacres. Nous avons évacué tous les étrangers et un certain nombre de responsables rwandais qui nous l'ont demandé. Alors, quand je lis certains commentaires, je crois rêver. Les Nations unies viennent d'ailleurs de décider un nouvel effort, la France est naturellement décidée à y participer. »

Dans les mœurs élyséennes le signe véritable du printemps accepté est l'arrivée des orangers dans la cour d'honneur. Placés de chaque côté de ce carré de gravier tristounet, ils vont égayer par leur verdure insolente et l'odeur qu'ils dégagent les rituels d'arrivée des hauts dignitaires de l'État et des personnalités étrangères lors des grandes cérémonies élyséennes.

En présence d'Edouard Balladur, à qui il vient de reprocher d'avoir envoyé sans l'en avoir averti plusieurs lettres à Bill Clinton, François Mitterrand reçoit les ministres des Affaires étrangères des pays européens à l'occasion de la conférence sur la stabilité en Europe. Le discours a été soigneusement préparé par la cellule diplomatique élyséenne. Pourtant, Mitterrand parlera pratiquement sans notes, soucieux de convaincre son auditoire du bien-fondé de son argumentation européenne, où le raisonnement politique se double sans cesse d'une expérience personnelle : « La paix, on ne l'a jamais vue, comme la liberté, être le produit des choses naturelles. La liberté, ce sont les hommes qui l'ont inventée. Sans les institutions il n'y en aurait pas. Ni paix, ni liberté. La pente naturelle serait de refuser ce pacte de stabilité et de laisser une part en rêve – je ne suis pas de ceux qui entretiennent les rêves. »

Mitterrand a beau s'enflammer, l'exercice reste officiel. Ces grandes veillées diplomatiques traditionnelles semblent si décalées, si surannées... Le nombre des morts à Sarajevo, cette ville d'Europe si proche, ne cesse de s'alourdir. A quoi sert-il donc de parler sur fond de lambris dorés ?

Les moments importants pour l'Élysée sous Mitterrand peuvent se jouer en dehors du palais. Pour rien au monde il ne faut manquer Solutré.

Il y a ceux qui viennent avec leurs enfants : les Lang et les Kiejman ; d'autres sans : les Mermaz, par exemple. Il y a la famille : le fils Gilbert mais pas Jean-Christophe, les beaux-frères (les deux Roger), les amis (Pierre Bergé, Anne Lauvergeon et le petit dernier, le nouvel initié de cette année, Georges-Marc Benhamou).

Le rite s'étale sur deux jours. Solutré n'en est que la partie immergée. Tout commence le samedi soir à l'hôtel Moderne de Cluny. Moderne, c'est son nom. Ancien, c'est son charme. Le confort y est minimal et les canalisations font tant de bruit que personne ne ferme l'œil de la nuit. Mitterrand, mis au courant de certaines imperfections du gîte, n'a pourtant jamais voulu en changer. Le patron, certes, est un de ses vieux copains, mais cela n'explique pas tout. Un peu d'inconfort pour ceux qui vivent l'existence molle et facile de la cour ne nuit pas et favorise sans doute la mise en condition.

Le Président apparaît le dimanche en fin de matinée pour le début de la fameuse marche. Les nerfs sont déjà à vif. La compétition amoureuse commence. Les choix électifs provoqueront douleurs, souffrances, quelquefois même désespoir. J'en connais certains qui, des semaines plus tard, s'interrogeront sur le pourquoi du comment de leur mise à distance par le Président sur la roche de Solutré... La mise en scène mitterrandienne fonctionne donc à merveille et la manière qu'il a de maîtriser les humeurs de chacun rend le jeu dangereux mais piquant pour tout ce petit monde.

La première étape de sélection se jouera dans le huis-clos de sa voiture banalisée. Qui aura cette année l'insigne honneur d'y monter ? Certains courtisans serrent les coudes pour s'en approcher... Inutile de se fatiguer à se montrer. Le Président a déjà choisi et a pris soin, la veille, de communiquer à son chauffeur la liste des heureux élus.

L'arrivée au sommet de la roche relève de la même logique. Ce n'est pas une question de souffle mais de stratégie. Les photographes et journalistes ne s'y trompent pas, qui éternisent des rapprochements qu'ils décoderont ensuite grâce à leur science longuement apprise des fragments du discours amoureux mitterrandien. Ainsi Pierre Favier, correspondant de l'AFP à l'Élysée et auteur avec Michel Martin-Roland d'une somme remarquable sur les deux septennats de Mitterrand, se souvient qu'en 1981 Mitterrand avait convié Hernu et Dalida et que, l'an dernier, c'était Gorbatchev qui y avait droit...

A chacun sa récompense, à chaque moment de la journée son étape, dûment codifiée : ainsi à la descente de la roche, le chien Baltik s'ébroue majestueusement dans un lavoir. Le Président regarde Baltik. Donc tout le monde regarde Baltik. Puis, avant le déjeuner, le cortège présidentiel s'arrête au bord d'une petite route où des pique-niqueurs attendent chaque année la venue de François Mitterrand avec du saucisson et des beignets. On discute, on mange, on prend des photos. Là aussi le rite est immuable depuis 1969. Après le déjeuner – bien arrosé – vient la rencontre avec les journalistes. C'est l'un des deux seuls moments de l'année, avec celui des vœux à la presse au mois de janvier, où chacun peut poser n'importe quelle question. Les journalistes adorent ce savant jeu du chat et de la souris qui peut durer des heures.

Entre 1946 et 1981, personne n'est venu importuner Mitterrand quand il escaladait la roche de Solutré. En 1981, ils étaient six malins, dont Bruno Masure et Pierre Favier. L'année d'après, ils étaient quarante. Puis on n'a plus pu compter. Les télévisions étrangères dépêchaient des envoyés spéciaux, Mitterrand parlait ou faisait semblant de parler. En 1988, il utilisa le rite de Solutré de manière politique et fit une véritable conférence de presse. En 1990, il dit qu'il en avait assez. Les journalistes eurent du mal à le croire. En 1991, ils étaient encore là. Ils se sentaient obligés, certains attendaient cyniquement qu'il tombe, dit Favier. Il ne parla toujours pas. En 1992, il choisit une autre roche. L'an dernier, il s'exprima le lendemain de l'équipée sportive au château de Cormatin, tant aimé par Lamartine, assis sous un chêne, en compagnie de Gorbatchev pendant plus d'une demi-heure. Cette année, il devise sans rien dire. Il lance gaiement aux journalistes : « L'an prochain vous ne serez pas quarante. Je vous intéresserai beaucoup moins... »

La joyeuse troupe élyséenne est partie en car de la cour de l'Élysée. Les chefs sont venus en R25 avec chauffeur un peu plus tard. Il faisait plutôt frais ce jour-là. L'apéritif était servi à l'intérieur. Le Président est arrivé à l'heure du déjeuner en hélicoptère. Au début, il semblait un peu gêné d'avoir à affronter tous ces regards. Alors il a proposé de se mettre à table. Il n'y avait pas de plan de table. Il a entraîné avec lui sa vieille garde et a souhaité à tous un bon appétit.

Le Président avait bien fait les choses. Au menu, homard, canard, vins fins. Avec le temps, l'atmosphère s'est détendue. A l'heure du café il pleuvinait. Il a proposé une petite marche vers la bergerie. Tout le monde a suivi. Les plus chahuteurs sont restés en arrière, prenant des mines de conspirateurs. Personne à l'Élysée ne savait pourquoi le Président invitait ses collaborateurs. Message politique? Signe de considération? Les plus pessimistes craignaient l'admonestation, les plus optimistes une confession.

A l'heure du thé, au moment où chacun s'apprêtait à repartir, François Mitterrand a retenu ses hôtes :

« J'espère que vous avez regardé les arbres, pas les dossiers, tout au long de cette journée. Aujourd'hui la politique et les responsabilités devraient passer au second plan. J'ai entamé la dernière année de mon mandat. Les mois se précipitent. C'est vrai de la vie. Cela ne doit pas l'être d'un mandat politique. Il n'est pas dans mon intention de verser un pleur sur moi-même. Rambouillet, la résidence présidentielle où vous vous trouvez, et plus encore l'Élysée sont des lieux recherchés. Dommage. Une seule personne peut y résider, mais laquelle ? C'est tout l'enjeu. Beaucoup de gens pensent qu'ils pourront. Ma succession sera assurée vraisemblablement par l'un de ceux qui seront en piste.

« Vous allez être beaucoup sollicités pendant tous ces mois. Prenez garde aux sollicitations politiques. Ne croyez pas ce qui se dit. Une longue ou une courte présence à l'Élysée, c'est à la fois quelque chose qui ne fait pas mal sur un pedigree, mais cela peut aussi se transformer en handicap. Il faudra donc que mes collaborateurs me saisissent de ceux qui vont se trouver en déshérence. Ceux qui appartiennent à la fonction publique connaîtront un peu le purgatoire – avoir occupé les lieux mérite sanction. Une petite chaîne de solidarité doit s'organiser pour que les lendemains soient plus faciles. »

JUIN

Marie-Louise est venue de l'Ardèche, Célestine des Alpes-Maritimes, Marie-Thérèse de la Nièvre (impossible d'échapper au charme nivernais lors de cérémonies de remise de médailles), Claudette de l'Aude, Bernadette du Doubs et Yvette de la Lozère. Marie-Louise concourt dans la catégorie or, Bernadette espère l'argent et Claudette rougit à l'idée de décrocher la médaille de bronze.

Est-ce la route, l'émotion ou la chaleur orageuse de ce début d'été? Les mères méritantes, donc médaillables, se dégagent cérémonieusement du rang pour recevoir leur décoration quand l'une d'elles, au moment où le Président la félicite chaudement, tombe... raide évanouie sur la belle moquette fleurie devant les yeux ahuris d'un Président occupé à l'exercice de célébration des vertus familiales. Stoppé net dans son élan, le Président! Il vient juste d'évoquer notre monde agité, le refuge que constitue la famille face au chômage et au sida... Il était exactement en train de dire que la famille constitue de nos jours la « charpente de notre vie » quand la dame en jaune s'est évanouie. « Ouvrez les fenêtres », lance-t-il, tout en appelant son médecin personnel, qui se tient juste derrière lui. Le médecin allonge la dame. Elle rouvre les yeux et le Président peut continuer à prononcer la sacro-sainte formule, à accrocher la fameuse médaille et à embrasser toutes ces mamies – plus d'une trentaine –, mamans de huit à quatorze enfants.

Danielle, maman de deux enfants seulement mais épouse du Président, se tient là sagement à côté de son époux. « Chaque chose a une fin et ce serait perdre son temps que d'avoir des regrets. C'est donc la dernière fois que je participe à cette cérémonie, dont j'ai repris la tradition en 1981. J'espère qu'il en sera de même pour mon successeur », conclut François Mitterrand. Allusion voilée à son prédécesseur, qui, après avoir sacrifié la première année au rite de la médaille de la famille française [1], en avait l'année suivante confié la charge... à sa femme.

Travail, famille, patrie : Mitterrand rétablit la continuité symbolique du rôle d'un Président représentant la France éternelle, orgueilleuse de son savoir-faire, fière de son rang dans le monde, une France atemporelle, puisant sa force dans ses racines et ses traditions. Giscard avait essayé d'épousseter, voire de moderniser tout cet appareillage protocolaire constitutif de la charge du Président. Mitterrand en a épousé les devoirs, se pliant avec délectation à toutes les obligations, endossant avec naturel les habits usés de Président de la Ve République tout-puissant. Respect pour ce qui ressort de la perpétuation des rites ? Estime et reconnaissance pour ses électeurs, dont une partie, même si elle est infime, peut franchir les portes du palais de la République à l'occasion de ces cérémonies ? Ou choix délibéré du rôle d'un Président objet, quoi qu'il en veuille, d'une vénération populaire mâtinée de pulsions royales mal éteintes deux siècles après la Révolution ? Tout cela sans doute à la fois, pris dans un maelström d'intuitions et de véritable connaissance de l'histoire de France.

« Revenez, revenez me voir. Vous faites partie de ce que vaut la France. La continuité d'un pays se mesure

1. La médaille de la famille française a été créée par l'Union nationale des associations familiales à la demande et avec le soutien du général de Gaulle. Elle regroupe toutes les familles de France, représente tous les courants politiques.

à la capacité de produire encore des chefs-d'œuvre. On ne se passera jamais de la qualité car on ne fait jamais rien dans la faiblesse », avait-il conclu quinze jours auparavant, à l'issue d'une cérémonie destinée à récompenser les meilleurs ouvriers de France. Un jour les ouvriers. Un autre les femmes. Il accroche, il parle, il embrasse, il tient dans ses bras, il congratule. Puis il recommence. Mitterrand, président des médaillés ? Ce jour-là, après en avoir distribué trois cent cinquante (!), il lâchera en souriant : « On pense qu'un Président de la République, ça sert à donner des médailles. Ça ne sert pas qu'à cela. Mais enfin, ça sert aussi à cela. »

La campage européenne se traîne et Mitterrand, enfermé dans son palais, enrage. Mélancolique et agressif, il juge ce qui se passe d'une grande médiocrité. Et esquisse un début de confession en forme d'autocritique. Mitterrand, ce jour-là, a envie d'ébaucher un bilan :

« Aucun problème européen n'est véritablement posé. En tout cas, cela ne m'est pas parvenu aux oreilles. J'aurais préféré un combat, un vrai, avec des avis et des opinions. Je n'en ai toujours pas vu à gauche. Et d'ailleurs, il ne reste plus qu'à appeler un prêtre pour l'extrême-onction. Tant pis pour la gauche. Elle est aujourd'hui assez grande pour se débrouiller toute seule. Moi, je suis maintenant à l'heure où on ferme. Je n'éprouve aucun sentiment de revanche. Un jour ou l'autre, il faut savoir tout laisser. Je crois qu'il y a beaucoup de gens qui s'escriment à écrire des tragédies alors qu'ils auraient mieux fait d'écrire des fables. Beaucoup d'écrivains se sont ainsi trompés de genre et beaucoup d'hommes qui ont voulu faire de la politique ont désiré aussi devenir des personnages. J'aimerais bien me sortir de tout cela. Je ne peux pas être toujours celui qui se situe à la charnière de l'amnésie. Je l'ai fait si longtemps. Cela commence à suffire.

« Le socialisme, ce n'est pas une expression. C'est une manière d'accentuer les affaires du monde, un moyen de peser sur les choses. Je me considère comme un praticien du socialisme et j'affirme qu'en quatorze ans nous n'avons pas perdu la boussole. Aucune des mesures que j'ai prises n'a trahi le socialisme, aucune ne l'a diminué.

« Mais si je veux commencer à esquisser un bilan, force est de constater que les circonstances n'ont pas été très favorables.

« La volonté d'accroître l'Europe a tout de même compliqué notre tâche. Il fallait choisir. Ce choix, je l'ai fait. Cela apporta une correction au socialisme. J'eus à tenir compte des social-démocraties majoritaires en Europe.

« L'Europe pour moi fut un choix de prospective, pas un choix sentimental. Je me suis trouvé à exercer un pouvoir au cœur de la plus grave crise économique en France depuis 1929. Ce fut difficile. Il y eut des dispositions à prendre que j'aurais voulu plus sociales.

« Mais pour autant nous n'avons en rien détourné le socialisme. On l'a ralenti. Des socialistes, certains qui sont seulement des théoriciens, ont forcément aujourd'hui à redire. Mais si l'on considère les choses dans une perspective plus globale, ce genre de réserves cède. Il y a même des gens qui s'en contentent.

« S'il s'agit de formuler des regrets, je le ferai : ils concernent tous le social. La démocratie renonce trop commodément à s'emparer des structures du pouvoir pour se contenter de peser philosophiquement et socialement sur les choses. C'est déjà très bien, mais ce n'est pas suffisant.

« C'est une lutte éternelle, la lutte des classes. Bien sûr, la lutte des classes existe. Ce n'est pas un vœu. C'est une réalité d'aujourd'hui. Il y a ceux qui possèdent, ceux qui ne possèdent pas. Il y a ceux qui dominent, ceux qui ne dominent pas. Ceux qui aiment le changement, ceux qui souhaitent le moins de changements possible pour conserver le pouvoir.

« Mais à un moment, j'ai dit à ceux qui m'entouraient : ou bien il faudra faire comme Lénine, ou bien il faudra se résoudre à faire le compromis. Choisir la première solution signifiait une dictature insupportable. Je ne regrette rien.

« Un corps d'idées, c'est une idéologie. Je trouve stupides les campagnes actuelles contre les idéologies. Prenez l'idéologie libérale triomphante. Cela va plus loin que le simple intérêt. Cela constitue un véritable corps de doctrine que de faire sauter toutes les interventions des États et que les plus forts gouvernent ensemble. Ils nous font croire aux bienfaits de cette idéologie. Et comment ne pas faire croire au bonheur du peuple? Nous vivons sur fond de paternalisme dominant. Et l'idéologie libérale continue à triompher dans la plupart des pays industrialisés.

« La lutte est tantôt ici, tantôt là. La conquête du pouvoir socialiste en 1981 a entraîné quelques pays du Sud, comme l'Italie, l'Espagne, la Grèce. Aujourd'hui il se passe un phénomène contraire. Mais ce n'est que provisoire. »

Cela fait plus de trois mois qu'une équipe de quarante personnes à l'Élysée prépare fiévreusement les cérémonies du Débarquement. Ils avaient tout prévu sauf le temps gris et cette mauvaise visibilité. Un sale brouillard enveloppe les prés et les dunes de Normandie, faisant s'arracher les cheveux à la chef de cabinet. Sur l'aéroport militaire de Villacoublay l'agitation des services du protocole est à son comble. La machinerie est si complexe, les déplacements prévus si nombreux que le moindre retard risquerait de provoquer un incident diplomatique. Dans l'avion militaire les conseillers diplomatiques et les généraux du Président brocardent ses retards légendaires mais pensent qu'aujourd'hui, tout de même, il fera attention. Eh bien, non! Les vingt minutes d'attente du Président sèmeront la panique. Et comment va le prendre Bill Clinton? Et la Reine d'Angleterre ne va-t-elle pas piquer sa crise et annuler son discours? Les techniciens de la logistique repensent à toute vitesse l'ordre des cortèges, recalculent les ballets d'hélicoptères, négocient par téléphone portable avec la gendarmerie.

On est là, sur la piste, enfermés dans le petit avion, chacun avec sa préoccupation : le docteur Kalfon, sourire jovial mais inquiétude rentrée, se demande comment va pouvoir tenir physiquement le Président : trop de ruptures dans son déplacement – voiture, hélico, marche –, trop de discours dehors et dedans, trop d'obligations protocolaires. Il a eu beau déconseiller à Mitterrand d'adopter ce programme surchargé, il n'a pas été écouté. « *It's a very long day* pour notre vétéran à nous », dit-il en fermant sa sacoche de médicaments. Pendant que les diplomates relisent leurs discours, vérifient leurs citations, les invités personnels du Président – Roland Dumas, Claude Cheysson, le général Mitterrand, Louis Marin, Élie Wiesel et le général de Bénouville – évoquent leurs souvenirs : « Le 6 juin 1944, j'étais à Marjevols, caché avec ma jambe blessée. Le jour de la Libération, je me souviens d'avoir pleuré », dit Bénouville. « De Gaulle m'a envoyé un avion pour me ramener à Paris. J'étais encore dans le camp de concentration le jour de la Libération, se rappelle Élie Wiesel. Nous étions à la limite de la mort. Pourquoi les forces alliées qui savaient tout n'ont-elles pas arrêté à ce moment-là le génocide? »

La journée de la commémoration du débarquement en Normandie sera celle du souvenir, de l'émotion, de l'exaltation du courage des résistants. Le vent soufflera très fort, le ciel et la mer seront gris comme lors de ce jour béni.

Discours, voiture, hélico, discours de nouveau. Vertiges des scènes entrevues. Draperies bleu, blanc, rouge devant les estrades installées dans le sable d'Omaha-Beach. Les mots « liberté », « dignité » prononcés avec ferveur. Silence de mort. A Utah-Beach, les officiels debout, comme de passage, les vétérans assis, installés depuis longtemps, parlent, plaisantent, vivants, si vivants.

Cette journée sera celle de la force que possède tout individu qui choisit de résister pour défendre la liberté. L'offrande de la vie pour combattre la barbarie. Cette journée sera celle des survivants. Dans l'enceinte des cimetières, les vétérans attendent depuis l'aube, debout devant les tombes de leur famille, de leurs amis, droits, fatigués, émus. Lors de la sonnerie aux morts, plusieurs pleurent, d'autres serrent très fort la main de leur voisin. Impossible de ne pas être ému. Une ambulance toutes sirènes hurlantes passe devant le cimetière britannique au moment de la sonnerie aux morts. La Reine sursaute. La douleur de la mort recule un peu, affirme Wiesel devant les honneurs rendus à ceux qui sont tombés. La force de la présence des disparus enveloppe les cérémonies. Les défunts se moquent d'être honorés, mais les survivants puisent en la mémoire la volonté de rester debout. Il faut un poids de mémoire pour permettre l'accumulation de souvenirs. Honorer aujourd'hui ceux qui, par esprit de liberté, ont donné leur vie. Mais un tel élan pour libérer un pays est-il seulement envisageable actuellement?

Mitterrand improvisera la dernière partie de son discours d'Omaha-Beach. Il s'éclipsera avec sa secrétaire particulière à la fin du déjeuner des chefs d'État et, dans la chambre du préfet repeinte pour l'occasion, rédigera des phrases de réconciliation qui effaceront – pour un temps seulement – l'opposition entre la Résistance intérieure et celle de Londres. Les gaullistes ne s'y tromperont pas, qui apprécieront la fin du combat entre les deux résistances en ce jour de commémoration. L'heure est au consensus. L'heure seulement car les lendemains ne chantent pas : la politique politicienne recouvre déjà les mots pour dire les brûlures de l'histoire. A droite on se dispute l'héritage gaulliste, à gauche une lutte fratricide oppose Rocard à Emmanuelli...

La nuit est tombée. Sur la piste de l'aéroport militaire un vieil homme tient par la main un enfant. Tout au long de la journée, le petit garçon a sagement assisté à côté de son grand-père à l'ensemble des cérémonies. Il est trop fatigué pour savoir ce qu'il gardera dans sa mémoire de cette journée mémorable. Mitterrand, lui, en pleine forme, voudrait se dégourdir les jambes et dit à son médecin horrifié que si le marathon était à refaire... il le referait « demain matin, si vous voulez ».

Le lendemain matin, c'est Hillary et Bill qui arrivent en grande pompe à l'Élysée. Tapis rouge, gardes républicains en tenue, services de sécurité français plutôt courtois mais, flics américains caricaturaux, œil torve, balaises mais bébêtes, investissant l'Élysée comme s'il s'agissait d'une vulgaire base de Normandie. Le personnel du palais râle : impossible d'emprunter un couloir, de faire une photocopie – l'occupation américaine. Mitterrand, en fin de journée, saura détendre l'atmosphère : entretien en tête à tête, direct à la télé genre décontracté dans une cohue d'invités indescriptible, puis dîner officiel dans la salle des fêtes : foie gras chaud excellentissime, petites cailles adorables, vins fins, personnel efficace. Le service doit être expédié en moins d'une heure et demie, a précisé le Président à son chef cuisinier, qui a pris soin de lui proposer trois types de menus. Mitterrand coche, annote et même suggère... Quand je fais part de mon étonnement à constater qu'un Président prenne du temps à arbitrer les plaisirs de la bouche, le manitou des cuisines du palais me répond en riant : « Détrompez-vous. Ils sont tous comme cela, les Présidents. Ils accordaient tous de l'importance à la confection des menus des dîners officiels. Même de Gaulle mais surtout Giscard. La différence avec Mitterrand, c'est que, quand il commande un poulet, il veut voir dans le plat le gésier et le foie à côté. » Dîner léger donc, suivi d'une visite nocturne, mystérieuse et romanesque à souhait, au Grand Louvre. Mitterrand a voulu épater Hillary. Il a manifestement réussi.

Voici le portrait que me fera Mitterrand de Clinton, à l'issue de sa visite : « Clinton est un homme intelligent, très réfléchi, qui étudie tout ce qu'on lui dit au point qu'on pourrait douter de son esprit de décision. Il est indiscutablement animé d'idées de gauche et il est courageux. Il vaut mieux que son côté caricatural américain. Quelle idée, ce jogging à la Concorde au milieu des vapeurs d'essence ! »

Mitterrand ne fait pas de jogging, mais il est quand même en forme. Après les cérémonies du 6 juin, l'accueil des Clinton le lendemain, il enchaînera le surlendemain sur un voyage express en Allemagne. Son entourage est épuisé, mais lui semble tout guilleret. Content en tout cas d'aller donner un petit coup de pouce à son ami Helmut, qui s'engage dans une campagne électorale s'annonçant plus agitée et plus difficile que prévu. Réponse du berger à la bergère au moment où l'absence de l'Allemagne aux cérémonies de commémoration a provoqué entre les deux pays un début de vilaine polémique.

C'est le printemps à Heidelberg. Un printemps bucolique pour les pêcheurs à la ligne, un printemps explosif pour tous ces jeunes étudiants rassemblés sur une place du quartier historique, maintenus derrière des grilles, surveillés par un service de sécurité offensif qui parle, avant même que les discours ne commencent, d'isoler dans la foule les autonomes.

Kohl se fait huer. La foule hurle des obscénités. Les sifflements couvrent sa voix. Il ne semble pas affecté mais abrège son discours, heureux de laisser la place à la victime suivante, qui, divine surprise pour les accompagnateurs français, se fait longuement applaudir avant de pouvoir prendre la parole : « J'ai l'impression qu'en trois jours j'ai vécu trois siècles. Je viens avec vous aborder le futur. Croyez-vous que ce soit facile? » demande-t-il à son auditoire, qui répond en chœur « non ».

Le Mitterrand homme des bains de foule, le Mitterrand tribun, le Mitterrand galvaniseur des congrès apostrophe la foule et la provoque : un dialogue vif s'instaurera avec ces jeunes dans une salle de l'université. Mitterrand n'aime pas qu'on le bouscule, mais il n'est jamais meilleur que lorsqu'on le provoque. Il prendra successivement position contre l'élargissement de l'Europe – « pour avoir élargi trop vite, on va être obligé d'abandonner certains acquis européens » –, contre l'envoi de troupes françaises en Bosnie et contre l'idée d'une culpabilité de l'Europe à l'égard du drame yougoslave : « Il n'y a aucune raison pour que les pays d'Europe occidentale s'engagent dans une guerre dont on ne sait pas comment sortir. C'est très concret. Il s'agit de la vie de nos soldats. Quand il y aura une cause européenne, on acceptera les sacrifices. Je sais que je ne me fais pas applaudir quand je dis ces choses-là. » C'est donc sous les sifflements qu'il conclut, avant de repartir : « Si le devoir de la jeunesse est d'atteindre l'impossible, le devoir des plus âgés est de ne pas faire de la démagogie avec la jeunesse. »

Helmut est heureux et sourit aux anges, François est fatigué – il n'a dormi que dix heures en trois jours – mais content. L'amitié franco-allemande, pivot du fonctionnement de l'Europe, n'est pas remise en cause par les cérémonies du Débarquement. Le geste de Heidelberg a pansé utilement les blessures de la mémoire.

Ça fait toc-toc à l'intérieur. Pour François Mitterrand le cancer est la maladie mortelle. Quand on l'a, on est doublement mortel : on sait qu'on va mourir, la maladie est en soi, elle est présente à son chevet. Ça ne frappera pas à la porte, cela viendra du dedans.

François Mitterrand est très affecté de la disparition de Mélina Mercouri. Il l'a vue il y a quelques mois. Elle était resplendissante. Elle avait gagné. « La maladie est bloquée, me dit-il, mais elle peut repartir très vite comme un incendie. »

Mitterrand ironise souvent sur son âge, évoque l'arrivée inéluctable de la mort, tout en s'indignant de passer pour quelqu'un de fasciné par elle. « C'est normal de se préparer à la mort à mon âge, me dira-t-il ce mois-là à plusieurs reprises au moment de nous séparer. Mais je n'en fais pas une histoire, contrairement à ce qu'on dit. »

Une histoire, non, mais il existe indéniablement chez lui la volonté d'approcher au plus près la frontière qui sépare la vie de la mort. En témoignent plusieurs collaborateurs de l'Élysée : Bernard Latarjet se souvient d'une matinée de mars 1994 où, accompagnant le Président au Grand Palais pour visiter l'exposition « L'âme au corps », un jour de fermeture, il a vu François Mitterrand s'arrêter très longuement devant la collection des écorchés vifs, en demandant avec insistance si ces hommes au seuil du vivant étaient bien de vrais hommes et non des cires anatomiques. Paule Dayan, elle, se rappelle avec émotion les visites répétées de François Mitterrand, comme un appel, un secours, à son père Georges durant son agonie à l'hôpital : « J'étais obligée de l'en empêcher », et de l'insistance qu'il a manifestée à le voir une dernière fois, lorsque la vie fut vaincue. Un de ses amis, ancien collaborateur et qui désire garder l'anonymat, trace un portrait psychologique du Mitterrand intime et dit de lui : « Il aime mieux accompagner ses amis à l'hôpital que les accompagner à l'Arc de Triomphe. »

Jean-Louis Bianco, qui fut longtemps son secrétaire général et sans doute son collaborateur le plus proche, a noté tout au long de ces années cette volonté d'accompagnement des amis malades, ses nombreuses visites à l'hôpital, sa fidélité aux familles dans l'épreuve. Que se passe-t-il après la mort? Le trou noir de la mort, certes, y est acceptable, mais après? François Mitterrand croit en Dieu, pense Jean-Louis Bianco, en un certain Dieu qu'il s'est fabriqué au gré des événements de sa vie. Il n'exclut rien par souci de rationalisme, comme en témoigne l'anecdote suivante, qui continue à intriguer Jean-Louis Bianco : « J'habite dans une région tourmentée. Je vis dans une petite maison des Alpes de Haute-Provence habitée autrefois par une vieille dame. Ma femme " voit " de temps en temps cette dame " se promener " dans les chambres. Je me moque d'elle et de ses superstitions. Mitterrand, à chaque fois qu'il vient nous rendre visite, demande le plus sérieusement du monde à mon épouse des nouvelles de la vieille dame [1]. » Il n'y a pas d'un côté les vivants, de l'autre les morts. Tracer des frontières n'intéresse pas François Mitterrand.

Certains, à l'Élysée, lui reprochent de trop parler de son âge. C'est lui qui donne les clefs de sa maladie. Personne ne lui en demandait tant. Il se met trop au chevet de la mort. Tant qu'il sera Président, il restera vivant. La fonction le protège non pas de la maladie mais de son étreinte mortelle. Superstition? Traces mal éteintes d'un Président « roi caché » en qui circule le courant de la vie? Bien naïfs en tout cas ceux qui imaginent régulièrement la démission de François Mitterrand avant l'expiration de son mandat. Pas question de céder vingt-quatre heures de ce temps pour lequel il a été élu et qui le protège des miasmes du réel.

1. Entretien du 16 avril 1994.

Quiconque n'a pas pénétré dans l'enceinte du village d'Oradour ne peut imaginer l'effroi que ce lieu inspire. La vie arrêtée, les maisons éventrées, le temps comme en suspens. Le silence de la mémoire. Sarah Farmer, une universitaire américaine, a admirablement décrit la fonction commémorative et les enjeux du lieu encore aujourd'hui [1].

C'est la première fois qu'un Président de la République s'y rend pour prendre la parole dans l'enceinte du mémorial. Depuis le procès de Bordeaux, en 1952, qui avait amnistié les Français engagés dans la division allemande, les « malgré nous », Oradour avait rompu les liens avec la nation. Une plaque avait été apposée par ses habitants à l'entrée du village, rappelant les noms dont celui de François Mitterrand, à l'époque député, de ceux qui avaient voté l'amnistie.

« Au moment du procès de Bordeaux, me dira Mitterrand [2], nous étions partagés entre le fait d'amnistier des actes abominables mais commis sur ordre et la nécessité qu'il y avait pour le gouvernement de dénoncer des relations inextricables avec l'Alsace, qui avait ses " malgré nous ". C'était une contradiction profonde. Cela posait un problème dramatique. Ceux qui, comme moi, ont voté l'amnistie l'ont fait en connaissance de cause, en espérant que les victimes comprendraient. »

François Mitterrand se souvient d'avoir été accueilli à Oradour en 1982 plutôt fraîchement. On avait beaucoup sifflé sur son passage. Il y est retourné à deux reprises en voyage privé, à titre personnel. A la demande du maire d'Oradour et du président de l'Association des victimes d'Oradour, il y revient aujourd'hui, cinquante ans après le drame.

Le village détruit fait une échancrure dans le paysage de prairies grasses. Dès que vous en franchissez

---

1. Sarah Farmer, *Oradour, arrêt sur mémoire*, Calmann-Lévy, 1994.
2. Entretien du 17 juin 1994.

l'enceinte, la proximité de la mort s'abat sur vous, presque palpable. La mort, ici, comme appel à la mémoire, a droit de cité. Seule la nature, avec le cycle des saisons, a continué à vivre, a repris ses droits. D'un rosier sauvage, à l'entrée du village, s'épanouissent des roses d'un jaune indécent dans ce que fut le jardin d'une maison calcinée.

Le cortège officiel s'avance en silence. L'émotion n'est pas feinte. Seul un homme parle. C'est l'un des survivants. Il raconte. Dans l'église où périrent femmes et enfants, une carcasse de landau rouillée gît encore sur un côté de l'autel entièrement brûlé. Le cortège s'avance au milieu des ruines dans un silence impressionnant. De chaque côté du monument aux morts, des soldats de la Seconde Guerre mondiale tiennent des drapeaux. Devant eux, en rangs serrés, des enfants habillés de blanc. L'un d'eux va entonner d'une voix enrouée par l'émotion un chant qui parle d'oiseau, de ciel, de pureté. Là-haut dans un arbre, un rouge-gorge lui répondra longuement. Mitterrand, le regard fixé sur les survivants et les enfants, prend la parole. Il délaisse le texte qui lui a été préparé, dit qu'il est impressionné par Oradour, ce lieu de mémoire, et par la force de la vie qui se dégage de cette cérémonie. Il trouve les mots justes pour réparer la déchirure de la douleur entre Oradour et la nation après le procès de Bordeaux.

Puis le cortège se rendra au cimetière. Étrange cimetière de campagne au milieu de la paix des champs. D'un côté, des tombeaux de famille, des inscriptions retraçant des généalogies, des histoires individuelles. De l'autre, une stèle dressée vers le ciel commémorant le massacre, les noms entrelacés pour l'éternité.

« Vous connaissez les théories de Vico? » me demande François Mitterrand. Nous sommes le 10 juin, l'avant-veille du résultat des élections européennes. « Il croyait aux cycles. Il avait raison. Je crois que tous les cent cinquante ans surgit un grand penseur. Entre-temps, ce ne sont que des commentateurs. Nous sommes dans une époque stationnaire. Il n'y a que des commentateurs. »

Le lundi matin, après le verdict des élections européennes, Rocard s'est disqualifié en tant que présidentiable pour l'écrasante majorité des collaborateurs du Président. « J'ai pourtant voté pour mon chef », se contente de dire François Mitterrand. Ironie méchante qui masque mal son désarroi. Mitterrand pronostiquait pendant le week-end Rocard à 17-18 % et Tapie à 8,9 %. Il prend les résultats comme un coup de poing à l'estomac. Il convie à déjeuner le jour même Mermaz, Lang et Cresson pour tâter le terrain.

Le mercredi se tient la réunion du bureau national du Parti socialiste. Les socialistes apparaissent divisés. L'écrasante majorité des collaborateurs de l'Élysée pensent que Rocard va devoir renoncer à sa candidature à la présidentielle.

Le vendredi, Mitterrand invite Henri Emmanuelli à déjeuner. Charasse partira ensuite à la pêche en Auvergne, mais le spécialiste des grandes manœuvres, Maurice Benassayag, fera tout le week-end la navette entre la réunion exceptionnelle du Parti socialiste et le palais de l'Élysée.

Ce même vendredi, il me reçoit dans son bureau. Un long entretien ponctué de coups de colère contre le PS, de confidences sur les gens. Et tout d'abord, la politique intérieure :

« Nous n'avons jamais eu une défaite de cette ampleur. En tout cas pas depuis que j'ai pris la responsabilité du Parti socialiste, en 1971. La querelle intérieure du Parti socialiste qui a éclaté en 1988 à Rennes a fait disparaître toute unité de travail et toute tentative de construction. Tous les clans se sont neutralisés. Plus aucune grande idée n'est sortie des travaux du congrès.

« Donc, avec le temps, tout s'est appauvri. Où étaient les messages de lutte contre chacune des thèses employées par la droite? Je ne les ai plus entendus. Cette défaite est un désaveu que les Français adressaient au Parti socialiste, pas à ma propre personne.

« Seule une vraie réflexion politique justifie l'ambition de faire de la politique. Mais il n'est jamais trop tard. Aujourd'hui, il n'est pas trop tard. Il suffit d'hommes, d'idées, de force de conviction, d'élocution, de présence, au lieu de perdre son temps dans des intrigues inutiles.

« Alors parlons des hommes en présence : Tapie, Rocard. Tapie sait toucher les pauvres gens. Il possède un don de présence, ainsi qu'une capacité dialectique exceptionnelle. Mais pour les idées, disons que c'est un peu court. Mais je remarque tout de même que ses choix sont à gauche. Rocard, lui, a toujours un œil sur le centre... Mais je crains qu'ils ne préfèrent garder quelqu'un de blessé à mort plutôt que de choisir quelqu'un de très vivant.

« Alors on dit que j'ai joué Tapie. Mais c'est un montage venu des équipes Rocard. Comme si Tapie n'était pas capable de se débrouiller tout seul! Nous vivons dans un monde de calomniateurs professionnels. Mais Tapie était un bon ministre. Il a mené son équipe au plus haut. Pour le reste, je n'y connais rien. Je n'ai jamais dîné avec lui, je n'ai jamais été invité sur son bateau, je ne connais pas son numéro de téléphone. Tapie, un aventurier? Oh, c'est sûr, dans son passé il n'a pas fait l'ENA. Si la justice a quelque chose à lui reprocher, qu'elle agisse. Mais je trouve qu'une telle concomitance des attaques contre lui en ce moment n'est pas claire...

« Certains – voyez le journal *Le Monde* – m'attribuent un comportement de droite. C'est merveilleux! Ils m'attaquent notamment sur ma politique monétariste de 1983. Mais après 1983 il y eut 1988 – et en 1988 j'ai été élu. Je peux donc considérer que le peuple de gauche m'a donné quitus. D'ailleurs, ne pas faire cette politique, c'était tuer l'Europe et faire sauter le verrou de la monnaie. Ce que même les gens de gauche n'acceptaient pas. Il fallait donc choisir. Mais je regrette qu'il y eut à faire ce choix.

« Le second argument utilisé souvent contre moi est que j'aurais favorisé délibérément une politique de classe. M'avez-vous déjà entendu parler des patrons comme des nouveaux chevaliers du monde moderne? Vous croyez que si l'on faisait un sondage chez les patrons, ma cote dépasserait les 10 %? Mieux vaut en rire. C'est de la pure malhonnêteté que de dire cela.

« Autre chef d'accusation : les affaires. La morale ressort du socialisme. Certains disent que les affaires atteignent même l'Élysée et mes proches. Il s'agit d'une campagne honteuse menée par certains journaux. On reparle de Pelat – mais Pelat n'a jamais été à l'Élysée. Le monde qui s'approche du pouvoir manifeste toujours quelques défaillances. Pelat n'a jamais participé ici à quelque décision que ce fût et je ne savais pas ce qu'il faisait par ailleurs. C'était un visiteur amical pour moi. Si vous exceptez ce nom et les pauvres racontars sur François de Grossouvre... Les journaux ne tiennent pas compte du fait que François de Grossouvre avait quitté officiellement l'Élysée depuis neuf ans.

« J'attends la première condamnation. Quand on pense à l'énorme campagne entreprise contre moi, quels sont les gros poissons qui ont été pris? Dans cette période que nous traversons, force est de constater qu'il y a beaucoup moins de condamnations d'hommes de gauche que d'hommes de droite. Bien sûr il y a des scandales, des petits scandales immobiliers, mais ce sont des histoires minables par rapport à ce qu'on a pu connaître sous la droite et sans aucun rapport avec l'Élysée, même si on a souvent voulu me compromettre.

« Il y eut une politique de gauche. Comment pourrait-on le nier aujourd'hui ? La France n'a jamais eu un tel rayonnement qu'aujourd'hui dans l'ensemble des instances internationales.

« La politique africaine que j'ai engagée a permis une mutation formidable. Bien sûr, il existe encore quelques pays qui se montrent récalcitrants vis-à-vis de la démocratie. Mais on n'a pas autorité sur eux. Le Mali, le Bénin, la Côte-d'Ivoire, le Sénégal, le Tchad, le Centre-Afrique, le Congo ont organisé des élections multipartites. A Madagascar, la dictature a fini par céder.

« Pour le Rwanda, j'ai pris la décision en Conseil restreint mercredi matin de la nécessité de l'engagement de la France. On croit que c'est le gouvernement. Mais je n'en tire pas jalousie. »

« Pendant les parlotes, les massacres continuent » : le général Quesnot n'a pas de mots assez durs pour stigmatiser la lâcheté des réactions internationales contre les massacres au Rwanda : « On se donne bonne conscience avec l'humanitaire. Pendant ce temps les gens continuent à mourir. » Quesnot s'étonne de l'attitude de ces 2 500 militaires de la mission de l'ONU qui, stationnés à Kigali, ne se sont pas interposés pour faire cesser les combats. Pas d'ordre, pas de mission. « En tant que général, j'aurais désobéi. Comme je l'ai fait au Tchad quand j'ai sauvé des vies humaines. Personne ne m'a réprimandé après. » Quesnot cite le chiffre de 500 000 morts et de 1 million de réfugiés et évoque les 50 000 morts du lac Victoria. « Toute aide humanitaire coûte plus cher et est moins efficace que l'entretien d'un régiment de parachutistes. » Baroudeur, certes, intempestif, sans doute, mais apprécié pour son efficacité, sa rudesse de langage et sa sincérité.

Chef de l'état-major particulier du Président, Quesnot a succédé à ce poste au général Lanxade, aujourd'hui chef d'état-major des armées. Amoureux de l'Afrique depuis longtemps, adepte du renseignement la semaine et de la cueillette des marguerites le week-end, Quesnot représente le Président à toutes les réunions militaires et participe, en compagnie d'Hubert Védrine, à la réunion du Premier ministre où est préparé l'ordre du jour du Conseil restreint qui suit, en période de crise internationale, le Conseil des ministres.

Le soir même de l'assassinat du Président rwandais Habyarimana, une réunion s'est tenue au Quai d'Orsay. « Les écluses de l'horreur étaient déjà ouvertes, dit Bruno Delaye, conseiller pour la politique africaine à l'Élysée. Les Belges ne tenaient plus l'aéroport. C'est un détachement de Bangui qui a pris en main l'opération. On a attendu. Puis on a donné l'ordre d'évacuation. La veuve d'Habyarimana avait demandé qu'on la protège. Ordre me fut donné par François Mitterrand lui-même de les faire évacuer, elle et sa famille. Il n'y avait que dix places dans l'avion. Elle est venue avec sa famille élargie. On lui a demandé de choisir avec qui elle voulait partir. A Paris, au cours de la réunion interministérielle du lendemain, Quesnot s'est insurgé violemment contre le fait qu'on prenne les Blancs pour les évacuer en laissant les Noirs s'entre-tuer. Le Premier ministre lui a répondu que l'égoïsme national était un devoir sacré [1]. »

Des réunions quotidiennes dites de crise se tiennent au Quai d'Orsay, auxquelles assistent le Premier ministre, le secrétaire général de l'Élysée, les ministres de la Défense, des Affaires étrangères, de la Coopération, l'état-major particulier de François Mitterrand et la cellule africaine élyséenne.

C'est au cours de ces réunions qu'est adoptée l'idée de l'intervention humanitaire. Cette hypothèse, soute-

1. Entretien du 19 avril 1994.

nue conjointement par François Mitterrand et Alain Juppé, provoque d'abord l'hostilité du ministre de la Défense [1] et une certaine réserve de la part du Premier ministre. Ainsi le 7 juin, le ministre de la Défense et le général Lanxade répètent qu'ils sont très réticents à l'idée d'une intervention. Le Président est averti le lendemain, par le général Quesnot, que le Premier ministre a demandé au ministère de la Défense d'étudier la faisabilité technique de l'opération.

Un Conseil restreint se tient le lendemain dans le bureau du Président, réunissant toutes les parties. Le ministre de la Défense réclame le soutien international et craint que la France ne soit victime de manœuvres médiatiques. Juppé déclare qu'il faut faire vite, parle des enfants à sauver. Le Premier ministre prend la parole et affirme solennellement : « Nous ne pouvons plus rester inactifs pour des raisons morales et non médiatiques. Dans des cas aussi affreux, il faut savoir prendre des risques. » Et le Président conclut : « J'approuve cette façon de voir, j'en tire la conclusion que notre effort devrait se concentrer sur certains sites – hôpitaux, écoles –, sans entrer dans une opération militaire d'ensemble. C'est une décision dont je prends la responsabilité [2]. »

Des contacts sont noués pour connaître la position et l'engagement des différents partenaires. Le général Quesnot est notamment chargé de se mettre en rapport avec les pays africains qui disposent de troupes et de tester leur engagement. Les réponses tardent. L'Élysée est informé de l'ampleur du génocide. Au cours d'un discours, le 18 juin à l'Unesco, concacré au développement du tiers-monde et à l'importance de l'axe Nord-Sud, François Mitterrand affirme que la France interviendra au Rwanda, « fût-ce sans le concours de ses partenaires ».

---

1. Entretien avec Hubert Védrine du 24 juin 1994.
2. Entretien avec le général Quesnot du 24 juin 1994.

Au Conseil des ministres de la semaine suivante, le 22 juin, Mitterrand annonce solennellement que la décision est prise de manière irrévocable : « Et nous le ferons, dit-il. C'est une question d'heures et de jour. » « Le problème, c'est l'arrêt des massacres », ajoute-t-il l'après-midi même à l'intention de ses collaborateurs.

Déjà l'annonce provoque critiques et suspicion. La majorité des associations humanitaires attaquera le bien-fondé de l'intervention. La veille du déclenchement, Mitterrand déclarera au Conseil restreint : « La semaine dernière, tout le monde me demandait d'intervenir ; aujourd'hui plus personne ne veut de cette opération. »

L'Élysée, comme Matignon, est informé en temps réel du déroulement de l'opération. Le général Quesnot avouera qu'il aurait bien été sur le théâtre des opérations. Cantonné dans son bureau de l'Élysée où trônent six téléphones, il se contente de suivre le mouvement militaire sur une carte du Rwanda installée sur un chevalet.

Mitterrand me dira, à l'automne 1994, avoir été profondément blessé par des articles mettant en cause sa responsabilité dans l'origine du conflit armé au Rwanda. En guise de réponse à des questions que je lui poserai sur le rôle véritable de la France au Rwanda, il me tendra en octobre une lettre signée du Président du FPR. Le chef militaire du Rwanda remercie en des termes très chaleureux François Mitterrand d'avoir aidé à la conclusion des accords d'Arusha qui ont sauvé tant de vies humaines dans son pays. La séance sera levée. Les questions resteront en suspens. Le Président n'a pas l'intention de se justifier.

JUILLET

Dans son joli bureau, boiseries anciennes, bouquets de fleurs odorantes, fauteuils brodés bordeaux, fenêtres ouvertes sur le parc dont on tond déjà le gazon en prévision du 14 Juillet, la secrétaire générale adjointe me montre un document ultra-confidentiel qu'elle vient de confectionner à l'usage du Président.

Cela tient en une page. C'est un tableau divisé en colonnes : titres, sommes, accusations. Elle l'a sobrement intitulé : liste des chefs des grandes entreprises mis en examen ou pouvant l'être prochainement. Ils sont treize pour le moment.

Le climat des affaires alourdit l'atmosphère politique. François Mitterrand ne cesse de répéter à ses collaborateurs qu'il faut couper le lien ombilical entre grandes entreprises et partis politiques et vitupère ce temps de la politique-spectacle, de la politique-affichage, de la politique publicitaire. De son temps, celui où il était député, une vieille voiture, des amis fidèles et l'énergie des fins de semaine suffisaient à inscrire l'action de l'homme politique sur le terrain.

Mitterrand joue au papy de la politique et vante les mérites du bon vieux temps. Il aime encore les réunions politiques provinciales où l'on peut humer l'atmosphère et tenter de retourner une salle. Les rassemblements l'électrisent, lui redonnent de l'énergie. La politique reste pour lui une affaire de conquête, de séduction, de force de conviction. Cela se passe entre hommes. Bien sûr, il faut de l'argent, c'est le nerf de la guerre, mais ce qui se consume pour lui, dans le jeu politique, c'est la maîtrise des êtres et le dosage des rapports de forces.

En ce début d'été, le Président s'ennuie. Il n'a plus les manettes mais doit montrer qu'il continue à administrer ce territoire de plus en plus symbolique qui s'appelle la Présidence de la République. Alors il gère de façon pépère, à la vitesse de croisière, la cohabitation. Plus la majorité se divise, plus le gouvernement s'enfonce dans la prudence. Le contenu des Conseils des ministres s'allège de plus en plus. La machine tourne presque à vide.

Mitterrand ne se réjouit pas outre mesure des scandales qui salissent la droite. « A chacun son tour », se contente-t-il de me faire remarquer.

Serait-ce la torpeur de l'été ou l'approche des vacances? Le rythme du travail à l'Élysée s'alanguit. Les filles vont au cours de gym du 14, rue de l'Élysée et devant un sémillant militaire affinent leur taille dans une salle souterraine ultra-sophistiquée.

Les *boys* de l'Élysée baguenaudent, répandent dans les dîners en ville que Balladur ne passera pas l'été. Dans le petit monde des techno-politiques tout se sait. Ce genre de propos est immédiatement rapporté au secrétaire général, qui s'irrite de ces rodomontades inutiles qui risquent de froisser Nicolas Bazire, son jumeau de Matignon.

Mitterrand profite lui aussi de l'été et propose des déjeuners sur l'herbe à l'Élysée. Il s'est en effet fait aménager du côté des appartements privés une petite clairière au milieu de bosquets. Parasols, nappe blanche, fleurs roses et mauves. On prend l'apéritif après un tour dans le parc et au milieu des pépiements d'oiseaux. Serge Reggiani, Frédéric Dard sont des hôtes privilégiés. En compagnie d'anciens ministres, Mitterrand parle gaiement de son voyage en Chine ou de l'Élysée du temps de la IVe République. Malgré l'atmosphère conviviale et les questions qui lui sont posées, jamais il ne se laisse aller à commenter l'action du Premier ministre. Par contre il en rajoute sur Chirac, dont il dit qu'on a exagéré l'agressivité pendant la première cohabitation.

La sherpa du Président et le jardinier s'agitent : ce dernier préfère le petit matin pour arroser, couper, tondre. La première travaille des nuits entières pour le prochain sommet européen. Dans la journée, le téléphone n'arrête pas de sonner dans le bureau du chef de cabinet. Béatrice n'en peut plus. Sur le thème de « ce sera le dernier », la France entière des notables de tout poil veut être invitée le 14 juillet. Une délégation de personnes nées un 14 juillet exige d'avoir un carton. Le dernier. Le dernier été.

Calendrier diplomatique chargé : Naples, Corfou s'enchaînent... La succession de Jacques Delors, par définition compliquée, devient un véritable casse-tête et avive les susceptibilités dans un climat européen en proie au doute, aux interrogations. L'Europe va mal, disent les spécialistes de l'Élysée. De Corfou les collaborateurs du Président sont revenus déçus, déroutés. « Les gouvernements marchent de plus en plus à l'applaudimètre, dit Hubert Védrine. Ils n'osent pas affronter l'opinion publique. » Certes, le texte sur Tchernobyl est bien passé. L'Élysée menait une véritable guérilla depuis des mois pour convaincre les autres pays de l'importance de ce dossier, mais les financements n'ont pas été adoptés. Pour le reste, rien ne fut opérationnel. Blabla que tout cela. Dans un Corfou berlusconisé à souhait, l'impression de malaise persistera. Cette Europe composée de pays qui hésitent ainsi va-t-elle survivre au rendez-vous de 1996 ? Gonzalez est affaibli, Mitterrand n'a plus de pouvoir. L'Europe est mal partie. Le traité de Maastricht fut adopté au forceps, mais l'avenir paraît bien sombre, pronostique le conseiller européen de Mitterrand, Thierry Bert.

Le départ de Jacques Delors relance la perspective présidentielle. « Delors veut peut-être devenir Président, mais veut-il vraiment être candidat ? » me demande Mitterrand. « Lang veut devenir candidat pour devenir Président. Il en a le désir, mais en a-t-il la volonté ? » ajoute-t-il. Ce petit jeu l'agace un peu. Sans doute n'a-t-il pas envie qu'on tourne la page, déjà... Le temps de l'après est encore lointain. Mieux vaut parler du présent. J'apprendrai fin juillet que François Mitterrand sait alors qu'il doit se faire réopérer. Il hésite. Retarder encore, continuer à faire comme si ou accepter de se plier à l'humiliation que provoque toute rechute dans la maladie ?

Le schéma de fin de règne consistant à tenter d'assumer démocratiquement le pouvoir jusqu'à la date du départ programmé se met alors en place. Mitterrand n'évoquera plus désormais, même pour en sourire, l'hypothèse d'une nouvelle candidature. Les rois meurent. Les deux Présidents de la Ve République sont partis avant l'échéance. Il fera tout pour être le premier à rester jusqu'au dernier jour.

Le temps des regrets va-t-il commencer ? François Mitterrand paraît bien décidé à goûter jusqu'au bout les charmes de sa fonction. Mais il commence à prendre du champ. Après tout, il n'y a pas que la vie de Président qui vaille d'être vécue. Alors il se penche sur son passé – jauge ses anciens métiers. Rester dans l'histoire vaut-il mieux que rester dans l'histoire de la littérature ? Ce n'est pas si sûr. François Mitterrand a encore aujourd'hui des coquetteries d'écrivain :

« En tant qu'auteur de livres, j'ai réussi à gagner un peu d'argent. *La Paille et le Grain* s'est vendu à 200 000 exemplaires, les tirages de mes autres livres oscillaient entre 35 000 et 150 000.

« J'étais un avocat coté. Je gagnais ma vie normalement. J'ai acheté la rue de Bièvre en copropriété avec Roland Dumas et maître Joinot. J'ai emprunté pour acheter Latche, que je n'ai aménagé que quatre ans plus tard.

« Depuis que je suis Président de la République, je gagne 50 000 francs par mois, je ne déjeune pas beaucoup, j'achète des livres ou je vais au restaurant, je n'ai pas une action, pas une obligation, je n'ai personne à mon service. Mes seuls biens au soleil sont Latche et un bout de la rue de Bièvre, où demeurent Joinot et nous. Le jour où je mourrai, il n'y aura rien et je m'en flatte.

« Par rapport aux hommes de mon âge qui ont une certaine réussite de carrière, je suis plutôt considéré par eux, question argent, comme subalterne. Mais ce que j'ai me suffit. Je me trouve riche. »

Partir de l'Élysée : il y pense souvent. Il en parle de plus en plus fréquemment. Oui, il vaut mieux en parler. Il rit encore de Giscard, du ridicule de la chaise vide. Il voudrait faire cela d'un cœur léger. Sans ostentation mais avec gravité. Il ne s'en réjouit pas. Pas encore. Mais il veut être au net avec lui-même. Les problèmes d'argent le soucient. Il veut se justifier d'avoir correctement gagné sa vie. Déjà il met les choses en ordre :

« Ceux qui me haïssent ne trouvent rien à dire sur mon mode de vie, sur mon patrimoine. Ce que j'ai, je l'avais avant d'être ici. Je l'avais avant d'être Président de la République. Je l'avais gagné en tant qu'avocat. Je n'ai rien de plus. En partant d'ici, je n'aurai rien du tout. J'aurai le traitement de la retraite, c'est-à-dire la moitié de ce que je gagne ici. Je ne m'en plains pas. Je n'ai aucun besoin. »

Au pavillon d'honneur, Simone Veil fait les cent pas, trépigne, regarde de nouveau sa montre. Le Président est en retard (comme d'habitude). Elle connaît de meilleures façons de passer la soirée du dimanche que de battre la semelle avec ses collègues du gouvernement dans ce hall sinistre, éclairé au néon et rempli de courants d'air. Impassible comme à son habitude, le Premier ministre attend patiemment, garde constamment aux lèvres un léger sourire et n'arrête pas de dodeliner de la tête. Cinq ministres tuent le temps en bavassant. Pasqua préfère se mêler aux invités du Président, se montre très chattemite avec Barbara Hendricks, très star – lunettes noires, casquette noire, pantalon noir –, et plutôt bonhomme et gros nounours avec Fode Sylla, le nouveau chaleureux président de SOS-Racisme. Jack Lang arrive. Il arbore une magnifique veste verte qui sied à son teint bronzé. Fidèle à sa réputation de séducteur, il accapare le Premier ministre jusqu'à l'arrivée du Président. Le Président arrive enfin. Garde à vous, tous!

Tapis rouge, musique militaire, le déploiement maximal prévu par le protocole pour les visites d'État se met en place. En bas de l'avion les militaires, en haut les hôtesses de l'air. Le champagne est déjà servi.

L'atmosphère du voyage présidentiel mitterrandien s'apparente à la fois à la colonie de vacances chahuteuse, à la leçon de choses politiques et à une tragicomédie où les acteurs – les invités du Président – tenteront désespérément, et souvent en pure perte, de voir le Président, de parler au Président, de recueillir les impressions du Président.

Quoi, en effet, de plus approprié qu'un avion comme espace privilégié pour voir se déchaîner certaines passions bien connues de ceux qui fréquentent les allées du pouvoir : le goût de l'intrigue, la jalousie, la courtisanerie?

Le champagne délie les langues, la nuit aussi. Le Président est loin devant. Il dispose d'une salle à manger et d'une petite chambre au-dessus. Le protocole de l'Élysée m'a placée à côté d'un jeune homme, plutôt beau garçon, plutôt sympathique mais manifestement timide et silencieux. Je préfère cela au bavard impénitent qui vous enquiquine toute la nuit. Mais c'est compter sans la curiosité de mes petits camarades de l'Élysée, qui, discrètement, viennent à la queue leu leu me demander d'essayer de le faire parler. Le jeune homme, en effet, est totalement inconnu au bataillon. Personne ne sait qui il est. Non répertorié par le protocole, non inscrit sur la liste officielle, sa présence n'a été mentionnée par aucun des membres du cabinet de Mitterrand, y compris le secrétariat particulier. Tout ce que l'on sait, c'est qu'il est arrivé dans la voiture du Président. De quoi faire pâlir de jalousie la cour élyséenne qui brûle de curiosité. Mitterrand, c'est bien connu, a le goût du secret. Ce n'est pas la première fois qu'il joue à étonner sans prévenir quiconque à l'Élysée. Mais qui est donc ce clandestin des croisières élyséennes? Nul ne le sait, excepté le Président. Pour l'heure il est assis sagement à sa place. Mais il n'a pas attendu longtemps que l'aide de camp du Président vienne le chercher pour l'emmener dîner dans la salle à manger du Président.

Le mystère s'épaississait. La cour des envieux jappait de jalousie. Quand il eut regagné sa place, il se plongea dans Alexandre Dumas. Il fallut attendre le petit matin et déployer des ruses de sioux pour apprendre qu'il venait d'être collé à l'examen d'entrée de Normale Sup et qu'il hésitait à se représenter. J'avais compris. Ce n'était pas la peine de le répéter. Sa discrétion, sa gentillesse m'encourageaient à le « protéger » de ceux qui voulaient savoir ce que Mitterrand n'avait pas envie qu'on sache. La filière Normale Sup expliquait sa présence. L'Afrique du Sud comme lot de consolation... Mazarine venait d'être reçue. Donc elle n'était pas là. Lui, entre son amour pour Alexandre Dumas et son admiration pour Nelson Mandela, oubliait – un peu – son échec scolaire. Merci, monsieur le Président.

Nuit agitée. Dans l'aube grise, des avions militaires nous escortent dès que nous franchissons la frontière. Le ciel est bleu vif au petit matin. Drapeaux enlacés, petite estrade bricolée sur la piste même de l'aéroport. Un avion de la British Airways rugit au moment de l'exécution de l'hymne national français. Les paranoïaques du voyage élyséen y verront un mauvais coup de John Major, fou de rage, paraît-il, d'avoir constaté que Mitterrand l'a coiffé au poteau. Les chefs d'État se battent en effet pour venir saluer les vertus de la nouvelle Afrique du Sud. Mitterrand réussira à être le premier.

Pendant toute la durée du séjour, l'observation des règles protocolaires sera remisée au profit du contact direct et de l'émotion. Mandela, par sa stature intellectuelle et la très grande humanité qui émane de lui, autorisera un début de rencontre. Par sa présence quasi constante auprès du Président, sa modestie et son sens du combat, il impressionnera l'ensemble de la délégation française, composée d'industriels, de ministres, d'ex-ministres, de juristes.

A peine arrivée à l'hôtel (chic, très chic), la délégation doit repartir : le discours des deux Présidents à l'Assemblée sud-africaine est prévu dans un quart d'heure.

L'Assemblée nationale sud-africaine n'est pas un hémicycle mais une grande salle carrée aux bureaux disposés en quinconce. Noirs et Blancs enfin mélangés. Beaucoup de députés vêtus de boubous colorés. Beaucoup de femmes aussi dans cette assemblée. Mme la Présidente, en sari rose vif, accueille Mitterrand sous les applaudissements. Un invité de marque manque ce matin à l'appel : le Président De Klerk. On susurre à l'ambassade de France qu'il a préféré assister à la finale de tennis de Wimbledon. A chacun ses priorités...

En bas les politiques, en haut le public. Beaucoup de

Noirs, pauvrement habillés, manifestement émus. A côté de moi, une jeune femme avec un bébé dans les bras (quand verra-t-on des enfants à l'Assemblée nationale?) tient une pancarte : « Mandela-Afrique libre. » Mandela a révisé ses leçons d'histoire et évoque avec ardeur la Révolution française, puis loue les qualités de résistant de notre Président, qu'il nomme obstinément « François-Maurice ». Ce « François-Maurice », familial et légèrement gouailleur, donne un ton de décontraction à l'ensemble de la cérémonie. François-Maurice en lâche son discours et, tel un oiseau piquant de temps en temps du bec dans la mer, y retournera pour s'en nourrir et de nouveau improviser. Son conseiller diplomatique, qui a peiné pendant dix jours pour concocter son discours, paraît plutôt inquiet. Va-t-il se faire réprimander?

« Les plus belles victoires sont celles que l'on gagne sur soi-même. Ce sont les victoires où l'on s'arrache à son destin. » Le conseiller peut se rassurer : Mitterrand réentonne l'une de ses litanies préférées, qu'il énonce dans les occasions graves, officielles ou pas. Être au plus proche de soi-même. Garder le cap. Trouver son équilibre intérieur. Parvenir à l'unité de l'être. Ces thèmes sont aussi souvent martelés au cours des conversations privées. « Quand vous aurez terminé votre tâche, vous vous direz : il reste tant à faire », lance-t-il à Mandela. Pense-t-il aussi à lui?

Comment restituer cette ferveur populaire qui entoura, telle une citadelle d'amour et de vie, la personne de Mandela quand il arriva dans le township de Khayelitsha? La cérémonie – les deux chefs d'État devaient actionner un interrupteur pour inaugurer l'installation électrique de cinquante foyers – pouvait paraître pourtant bien dérisoire. Mais l'importance de cette expérience pilote dans cette ville de plus de 500 000 habitants à la croissance la plus rapide d'Afrique du Sud est apparue comme une évidence si l'on en juge par les réactions des habitants venus de tout le quartier. Pieds nus dans la terre rouge, ils ont attendu longtemps pour voir et toucher Nelson Mandela. Les femmes chantaient, les enfants tapaient dans leurs mains, les hommes dansaient. Corps à moitié nus, vêtements en guenille, malnutrition marquée, les ventres des enfants étaient gonflés et les sourires édentés. Ils étaient là, les habitants de Khayelitsha rieurs, contents, pacifiques, en train d'attendre leur Président au bord d'un chemin boueux, encadrés par des policiers blancs bien habillés, en uniforme, harnachés, armés, portant guêtres et gants blancs et formant un cordon sanitaire. Étrange impression. Les Blancs étaient de quel côté?

Le soir, au dîner officiel dans le plus grand hôtel du Cap, grosse bonbonnière anglaise du début du siècle, après avoir écouté quelques chansons interprétées par Barbara Hendricks, Mandela s'éclipsera. Son état-major nous confiera que, depuis ses années de captivité, il a pris l'habitude de se lever à quatre heures du matin et d'arriver à son bureau à l'aube.

Le fête continue tard dans la soirée. Les délégations se mélangent, les vestes tombent, le vin épicé sud-africain circule. Dans le bar de l'hôtel, au milieu de la nuit, deux ministres français légèrement éméchés refont le monde avec une jeune conseillère élyséenne stratège des mouvements subversifs. Quand on part à l'étranger avec le Président, on a droit à tous les égards. Votre étiquette collée sur vos bagages le précise : vous devenez une personnalité. Et c'est vrai : chambre luxueuse – je devrais plutôt dire suite –, repas fastueux et nounous de l'Élysée prenant en charge tous vos problèmes. Bref, le rêve. Oui, mais à l'unique condition de vous plier à l'emploi du temps officiel – distribué sous forme de feuille de route à chacun des invités tous les matins. Je connais des malins qui échappent au carcan protocolaire et profitent de l'occasion pour transformer le voyage officiel en excursion touristique. Mais ils ne sont pas légion. Mitterrand d'ailleurs ne leur en tient pas rigueur. L'amoureux des chemins buissonniers témoigne plutôt une haute estime à celui ou celle qui sait s'évader pour son propre plaisir. A l'Élysée tout le monde se souvient des félicitations amusées qu'il adressa au Viêt-nam, devant la passerelle de l'avion qui ramenait la délégation officielle, à l'une de ses collaboratrices qu'il avait vue disparaître à l'arrivée et qui était censée le suivre partout où il allait...

Barbara dort tard, mais Bernard est sur le pont tôt le matin, haranguant la troupe élyséenne sur le thème : « Il faut que j'arrive à convaincre Mandela d'intervenir dans le conflit au Rwanda. » Kouchner n'arrivera d'ailleurs pas, malgré sa fougue et son enthousiasme, à ébranler les certitudes d'un Mandela plus soucieux de se battre pour les droits de son peuple que désireux de se transformer en professeur médiatique de morale africaine.

Pendant que les Présidents travaillent, les invités visitent les musées avant de quitter Le Cap pour Johannesburg. Le petit livret du protocole de la Présidence de la République le précise, le déjeuner sera servi dans l'avion. J'ai donc bien compté : il y a trois repas pendant toute la durée du voyage, auxquels le Président peut convier des invités. Le jeu cruel va recommencer. Qui donc aura aujourd'hui l'honneur insigne de figurer parmi les cinq invités (il n'y a que six sièges, coulés dans le même bloc que la table, dans la salle à manger présidentielle) ? Pic et pic et colégram. Des ex-ministres en brûlent manifestement d'envie. Alors ils plastronnent dans les travées, essayant, comme des gamins, de se faire remarquer par l'état-major particulier du Président. Ils parlent fort, rient avec ostentation. Rien n'y fera. Ceux qui estiment devoir être invités ne le seront pas et échafauderont des théories sur le machiavélisme du chef et sa volonté d'humilier en public. Ceux qui ne prétendent à rien et ne s'attendent à rien le seront peut-être...

Il faudra alors se lever sous les yeux perfidement attentionnés des autres – mais vraiment, pourquoi elle? –, subir les regards des anciens ministres, passer ensuite devant les actuels et s'asseoir enfin, en compagnie de deux couples d'amis du Président, pour manger du caviar et du saumon fumé en devisant gaiement sur les éventuels candidats à la Présidence de la République. Mitterrand ne « sent » pas Delors et nous dit qu'il ne lui a aucunement fait part de ses intentions. Rocard n'ira plus. C'est fini pour lui. Et Lang vient de lui souffler qu'il s'y prépare « au cas où ». Rien ne presse, dit-il. Laissons les choses se décanter. Mitterrand refait les comptes de la gauche depuis vingt ans. Il affirme avec ardeur que l'ampleur de la catastrophe des européennes ne peut se reproduire. Il se recoiffe, descend de l'avion, rend les honneurs militaires, puis disparaît dans Soweto.

La délégation essaiera de le suivre mais se perdra ensuite dans les terrains vagues bordant le township. Aucune signalisation, pas âme qui vive pour nous renseigner. Une fumée âcre enveloppe le paysage constitué de tours de contrôle dévastées, de champs à l'abandon ceinturés de temps à autre par des fils de fer barbelés. Les touristes politiques en goguette dans leur car climatisé prêté par le gouvernement sud-africain vont ainsi errer à la recherche d'une tombe : celle d'Hector Pietersen, premier lycéen abattu par la police lors des émeutes du 16 juin 1976.

Il existe trois cimetières à Soweto. Ils s'étendent à perte de vue, hérissés de croix jusqu'à l'horizon. Les tombes sont creusées à même la terre. Les familles les plus riches les clôturent avec des arceaux de fer forgé peints en blanc qui ressemblent étrangement aux lits d'enfants français du début du siècle. Impression de malaise, sentiment de communion. La délégation au milieu des tombes écoute les chants de l'ANC. La nuit descend, glaciale. Seule traînée de lumière, celle du projecteur d'un hélicoptère militaire qui survole de façon menaçante ce carré de douleur.

Mandela et Mitterrand embrassent les parents de l'enfant. Tout le monde est à l'unisson. Mais pourquoi donc rendre publique l'émotion? Pourquoi cette tribune en bois parmi les tombes? Pourquoi ce dérisoire tapis rouge qui sera enroulé après le crépitement des flashs des journalistes accrédités?

Aller, puis retour. Le voyage aura en tout duré deux jours. La nuit sera longue. Mon voisin, toujours le beau jeune homme, aura le temps de me dire qu'il a été impressionné par le charisme de Mandela avant de se faire enlever par l'état-major particulier pour l'ultime dîner dans l'espace salle à manger. Ceux qui espéraient encore la divine récompense mitterrandienne baissent les bras, ferment les yeux et en ronfleront de rage. A l'aube, le beau jeune homme se replongera dans Alexandre Dumas. A huit heures du matin, Mitterrand, content, serrera la main de ses invités et repartira pour l'Élysée se raser avant de recevoir Bill Clinton.

Il est cinq heures, Paris s'éveille. A l'Élysée, on s'active déjà. Un cauchemar, cette journée, pour les jardiniers qui verront le fruit de leur patience attentive littéralement dévasté par les visiteurs. Une opération quasi militaire que cette fête de 8 600 personnes, pour les responsables de cette machine élyséenne qui, depuis trois mois, sélectionnent les demandes d'invitation, lancent les appels d'offre aux traiteurs et veillent à l'intendance jusqu'au moindre détail de cette réception qui, placée sous le signe de l'Europe, sera la dernière de l'hôte François Mitterrand.

Mais n'en déplaise aux nostalgiques, il ne s'agira ni d'une longue cérémonie d'adieux ni d'un chant du cygne annoncé. Pendant tout le temps où nous le suivrons, François Mitterrand se montrera préoccupé de l'état de santé de sa femme Danielle, qui devrait être opérée le lendemain matin à huit heures. Il en parlera à quelques proches durant cette fête à l'Élysée, mais ne fera jamais la moindre allusion à son état de santé, ni à l'intervention qu'il devrait subir deux jours plus tard. Juste un 14 Juillet, un de plus, mais le premier à ne plus être franco-français.

Onze heures trente : dans le jardin, des cuisiniers, toque sur la tête, prennent en photo des serveuses, et vice versa. Le jardin de l'Élysée ressemble encore à un océan de verdure et à un havre de paix.

Midi quinze : le Président rentre du défilé militaire, a juste le temps de remonter quelques instants dans son bureau pour redescendre accueillir les chefs d'État. Dans le salon des portraits règne une atmosphère bonhomme. Chacun s'assoit comme il peut, où il veut. Kohl a les larmes aux yeux. Il avoue son émotion d'avoir vu l'Eurocorps. Mitterrand est content et le dit. Il trouve que les troupes ont bien défilé et s'inquiète de savoir si ses invités n'ont pas trouvé la manifestation trop longue. L'Empereur des Mossis, grand boubou chamarré, fait une entrée remarquée. Le Président colombien, qui a reçu neuf balles dans le ventre du cartel de Medellin, explique qu'il lui en reste cinq mais qu'il s'y est fait.

Midi trente : le Président passe dans un salon voisin où attendent les membres du gouvernement, anciens et actuels confondus. Poignée de main chaleureuse avec Pasqua, que Mitterrand épinglera une demi-heure après à la télévision en le traitant d'« homme du passé ». Aparté avec Fabius. Discussion avec Mauroy. Le Président s'éclipse pour rejoindre le studio situé au fond du jardin. Amusant de voir Mitterrand côté cuisine serrer les mains des employés en tenue de travail pendant que les invités côté buffets, pomponnés, le cherchent dans la foule pour lui serrer la main.

Une heure de télévision. C'est le rite. On parle de tout et de rien. On attend les petites phrases. C'est l'habitude. Patrick Poivre d'Arvor et Alain Duhamel « rebondissent », se relancent. Le climat est à la convivialité. En revenant vers le perron, Mitterrand s'inquiétera de ce ton vif et détaché qu'il aura adopté et qu'il ne voudrait pas qu'on puisse interpréter comme de la légèreté. Les deux Jacques – Jacques Pilhan, l'homme de confiance du Président, pour ce qui concerne la communication, et Jack Lang, l'ami présidentiable – le rassureront. Trois brèves poignées de main sur le perron, un verre d'eau vite avalé, un coup d'œil rapide à son cher jardin, devenu, à deux heures de l'après-midi, un vaste champ de pépiements politiques, de batifolages mondains, de marchandages de pouvoir, d'exhibitions de séduction. « Allez, on y va ! » dit-il, un sourire malicieux au coin des lèvres, à l'adresse des hommes du GSPR qui ont pour mission d'assurer sa sécurité.

Comment décrire la demi-heure qui suit, où Mitterrand s'élance à travers la foule ? Mitterrand, tel un fétu de paille, protégé courtoisement mais fermement par deux cercles concentriques du GSPR et de gardes républicains, oscille au gré de la foule. Les mains se tendent, certains veulent raconter leur vie. On veut parler au Président, on veut toucher le Président. Survivance de la tradition ancestrale des rois thaumaturges ou simple expression, un peu mâtinée de superstition, de liesse et d'affection pour un Président exerçant depuis treize ans ?

Peu importe, tout le monde est content : les gens qui ont serré la « pince » du Président et amorcé un brin de causette avec lui, et Mitterrand, porté par le bain de foule, qui sourit, répond, pose pour la photo de famille et rétorque à ceux – nombreux – qui lui demandent de se représenter qu'il est décidément trop vieux.

Aussi vite qu'il s'est lancé dans la foule, Mitterrand décide de rentrer. Les hommes du GSPR ont bien du mal à lui frayer un passage. Des petits malins attendent encore dans les salons particuliers, et de nouveau cela recommence : la photo avec le fiston, la demande d'autographe, le récit d'une vie... Mitterrand s'éclipse enfin vers ses appartements privés. Il ne voit pas Bernard Tapie mais croise Alain Delon, qui lui dit : « Il faut vous représenter. » En soupirant, le Président répond : « Il y a la dure loi de l'âge. » Delon rétorque : « Et que faites-vous de la loi du peuple ? » Mitterrand sourit, ferme la porte. Dans le brouhaha, la fête continuera. Dans l'intimité de sa famille – quelques parents et des amis proches –, Mitterrand pourra enfin méditer sur ce dernier 14 Juillet.

SEPTEMBRE

La maladie a envahi la maison de la Présidence de la République. Elle est là, tapie en permanence dans les couloirs déserts, rôdant dans l'antichambre du Président délaissée par les visiteurs habituels – le général de Bénouville, des Nivernais de passage à Paris, un ami médecin, un syndicaliste, quelques anciens ministres –, qui aimeraient tant venir parler à François Mitterrand, le soutenir, l'assurer de leur fidélité et de leur amitié. Mais le Président ne sort pas. Quand il n'est pas à Latche, il vit reclus ou presque dans l'aile droite du bâtiment, dans son appartement privé. Le Président étirera le temps légitime des vacances – habituellement celui du farniente dans le monde politique – pour essayer de récupérer physiquement. Puis il rentrera au palais, d'où, progressivement, il sortira pour assumer ses charges officielles. Mais, en cette fin d'été, l'atmosphère est mélancolique, morose, les gens sont inquiets. Le Président est là, mais peu de collaborateurs le voient. Il se lève. Il vient à son bureau, puis repart s'allonger. Une secrétaire l'a aperçu sur le palier qui relie l'appartement privé à la pièce lambrissée donnant sur ce bureau. Il avait l'air fatigué. Il était voûté. Elle dit et elle répète à la cantine du sous-sol du 2, rue de l'Élysée qu'il lui semble qu'il a beaucoup vieilli en très peu de temps. Un chauffeur de la régulation ajoute qu'il l'a vu sortir de sa voiture en dépliant son corps douloureusement.

Le personnel de l'Élysée – neuf cent trente personnes – est inquiet. Il l'aime bien, son Président, pour sa gentillesse et ses airs de toujours faire semblant de vous écouter. Il sait que son patron n'a jamais dédaigné d'essayer de résoudre ses problèmes. Il reçoit des gardes républicains en mal d'affectation, favorise des mises en disponibilité. Plutôt social et sympa, le patron. Alors ils ont envie de l'aider, voire de le protéger, de lui dire qu'ils sont là. Mais comment faire? La direction du personnel leur a fait savoir qu'il ne fallait pas parler de la maladie du Président, alors ils n'osent pas lui envoyer des petits mots. Même consigne de silence au secrétariat général de la Présidence. Le Président va mieux. Point. Il y a des jours sans et des jours avec. Inutile de commenter les rumeurs émanant de quelques ministres qui louent son courage mais l'ont vu grimacer de douleur quand il s'est levé à l'issue du Conseil. Un vieil assesseur de l'Élysée affirme que Georges Pompidou, dans les dernières semaines, était porté sur son fauteuil par des gardes républicains pour présider le Conseil. Il n'en est pas là, ajoute-t-il. Il marche, mais il a mal. Le secrétariat particulier, fidèle à sa réputation de discrétion efficace, ne pipe mot. Il avoue des nuits agitées, peuplées de cauchemars, et se dit impressionné par le calme du Président. L'une des deux secrétaires pleure souvent, en cachette du Président. Elle n'accepte pas de le voir si amaigri, si épuisé.

Le Président est fatigué, certes, très fatigué. Cela ne l'empêche pas d'être agacé. Il ne s'est pas privé de dire au Premier ministre, lors du tête-à-tête qui a précédé le premier Conseil des ministres de la rentrée, qu'il n'a guère apprécié son attitude pendant sa maladie. Du rôle de Premier ministre à celui de vice-Président, il y a un abîme que Mitterrand n'est pas décidé à lui laisser franchir. Il y a eu d'abord des déclarations du Premier ministre à Radio-Monte-Carlo sur la politique étrangère, que Mitterrand a jugées inopportunes, voire déplacées. Ce fut ensuite une interview au *Figaro* qualifiée de tonitruante, d'arrogante. C'en est trop. Cela devient malséant. Si le Président est épuisé physiquement, il n'en est pas pour autant impotent intellectuellement.

De fait, le Président ne coupera pas le cordon ombilical du pouvoir. Jamais il ne cédera une once de ses prérogatives à son Premier ministre. Conscience de son rôle, sursaut d'énergie pour remplir le « contrat » qu'il s'est fixé à lui-même et qu'il a fixé aux Français – tenir deux septennats – ou instinct politique de survie face à une droite qui l'encercle de toute part ? Tout cela sans doute à la fois, avec l'ombre vénéneuse de Pierre Bérégovoy, pour qui la défaite politique et les accusations de déshonneur avaient signifié la perte du goût de vivre. De l'appétit de vivre, Mitterrand en possède encore, malgré ou à cause de la maladie. De son état de santé il usera comme d'une arme à double tranchant : il saura se faire plaindre par ses adversaires du gouvernement, à qui il inspirera du coup un immense respect, et puisera sa force dans ses souffrances, qu'il ne taira guère, pour s'avancer nu, seul, à bout de forces, afin d'expliquer son attitude pendant l'Occupation.

Entre autres révélations dans le livre de Pierre Péan [1], il y a celle d'un jeune homme pétri d'orgueil, désireux de pouvoir et empli de la certitude d'arriver un jour aux plus hauts sommets de la responsabilité. On découvre ainsi l'ivresse d'un ambitieux conscient de ses capacités intellectuelles et voulant en découdre avec un milieu politique qu'il jugera très vite médiocre tant il manque à la fois de convictions idéologiques et de chefs charismatiques. Ce désir de forcer le destin, enraciné au plus profond de l'adolescence, subsiste. Mitterrand l'utilise pour savoir tenir tête. Alors la maladie, dans cette longue vie politique qui charria tant de déconvenues, d'espoirs, de défaites, de dégoûts,

---

1. Pierre Péan, *Une jeunesse française*, Fayard, 1994.

de trahisons, plus tard de conquêtes, de victoires, de déceptions, n'est qu'un épiphénomène, un petit accident. Au début on essaye de ne pas voir la maladie pour l'écarter de son chemin, puis, quand elle se fait insistante, on la traite avec mépris, avant d'être contraint de la considérer comme... un véritable adversaire qu'il faudra combattre à armes égales. « Vous verrez, quand vous aurez soixante-dix-sept ans, disait-il au printemps dernier à un général de l'Élysée qui partait à la retraite. Ce n'est pas du tout pareil qu'à soixante-quinze. » Mitterrand s'observe vieillir, ironise souvent sur les méfaits de l'âge. Existe-t-il une vie après l'Élysée? Telle est la question. C'est parce qu'il a finalement cru qu'il pourrait survivre à sa fonction de Président que Mitterrand, de guerre lasse, a accepté de se faire opérer.

Il aimait bien, à l'occasion, avant sa première opération, parler de sa bonne santé, disant qu'il ne la cultivait guère, n'y portant pas une particulière attention. Il la voyait comme un don familial, n'hésitant pas à comparer sa robustesse à celle d'un paysan charentais. Les origines et la simplicité de son enfance et de son adolescence devaient le protéger.

Après la première opération, il s'étonnait auprès de ses visiteurs d'avoir récupéré si vite, d'être si peu embarrassé par la fatigue. « Encore un privilège », riait-il. Agacé par ceux qui manifestaient à l'ex-opéré certains égards, il avait repris ses habitudes : golf le lundi et le jeudi matin, longues marches pendant le week-end. Très rapidement aussi la vie officielle avait retrouvé ses droits, avec son cortège de lourdeurs protocolaires et de cérémonies répétitives. Je me souviens alors d'un Président irrité de ne plus voir arriver sur son bureau la bonne trentaine de notes quotidiennes rédigées par ses collaborateurs, ayant reçu de leur côté la consigne du secrétaire général de le « ménager » en ne lui faisant parvenir que les urgences...

Mais aujourd'hui, en ce début d'automne 1994, aucun collaborateur ne songerait à accabler le Président de dossiers. Tout est suspendu à son souffle. Rien ne sourd des trois pièces du haut. Sa santé oscille au gré des jours. Il a perdu sa voix au dernier Conseil des ministres mais a tenu à terminer son intervention, chuchotent certains membres du gouvernement. Les rares personnes qui ont accès à lui à l'Élysée – Anne Lauvergeon, Hubert Védrine, le secrétariat particulier – insistent sur sa férocité d'analyse, restée intacte. Les femmes qui travaillent avec lui depuis si longtemps tiennent le coup devant lui, font comme si de rien n'était. Faire comme si... Le porte-parole n'a pas de message à délivrer, le service de presse n'a rien à commenter, les proches se taisent. Mitterrand est là, à l'Élysée, presque tout le temps. Comme une bête blessée. C'est sa maison. C'est aussi le lieu symbolique où il conserve toutes ses prérogatives. Au cœur de la nuit, le premier étage de l'aile droite des appartements privés s'allume. Le Président ne trouve pas le sommeil. Le Président est angoissé. Le Président a envie de parler. De la vie, de la mort. De l'avenir, de tout et de rien.

A l'intérieur du bâtiment qui longe la rue du Faubourg-Saint-Honoré, dans une petite chambre Directoire, un téléphone blanc posé sur la table de chevet, un homme a choisi de revenir dormir toutes les nuits, depuis le retour du Président de Latche au début de septembre. De l'Élysée il a fait son antre, son point d'arrimage, son port d'attache. Depuis quatorze ans, il y vit, il y mange, il y reçoit. L'homme n'a pas tort d'avoir pris cette décision. Il connaît son Président. Pas besoin de grandes explications entre eux. Question d'intuition, de fidélité, de longueur d'onde. C'est ainsi depuis longtemps. Le téléphone blanc sonne souvent. Le Président sait qu'il décrochera. Michel Charasse, toujours là, toujours présent, toujours prévenant. La maladie impose le respect et le silence à l'intérieur de l'Élysée mais alimente les rumeurs les plus folles à l'extérieur. Ce huis clos et cette absence-présence de la personne du Président font admirablement fonctionner la machine à fantasmes. Le Président devient un mort vivant. Certains journalistes n'hésitent plus et demandent désormais au service de presse de l'Élysée de leur fournir des éléments pour rédiger sa nécrologie.

Le Président constate cette volonté de le faire mourir. Il s'en indigne sans en paraître autrement surpris. Cela renforce le mépris qu'il affiche souvent envers la nature humaine. Bassesses et servitudes. L'homme est ainsi fait. Mitterrand ne croit plus guère à la bonté, la loyauté, la fidélité. Ses amis politiques s'entredéchirent à son chevet et affichent publiquement, à la une des journaux, leur mépris, voire leur dégoût envers celui qui leur a permis, autrefois, d'exister. Mitterrand accuse le coup, n'oublie pas mais s'en moque. Plus rien ne l'étonne. Il n'a plus confiance en quiconque excepté en lui-même. Vivant il est, vivant il combattra, y compris contre les siens. Car il ne faut pas croire que la maladie l'ait fauché par surprise. Il y avait réfléchi avant même la campagne pour la présidentielle de 1981. Lors de l'accession au pouvoir il avait pris soin de rendre public, une fois l'an, son bulletin de santé. Il devenait ainsi le premier Président à édicter des règles de transparence visant à empêcher la répétition du drame des derniers mois de Pompidou. En 1974, au lendemain de la défaite, il avait réuni son état-major pour le remercier. Ambiance de tristesse, de dépression post-opératoire, goût amer dans la bouche, climat de débâcle. On n'y arrivera plus jamais, se disent les militants en rangeant les ronéos et en nettoyant les bureaux. Lui, devant l'ascenseur, avant de repartir, lâche : « Dommage, on est passé tout près. 1974, 1981, j'aurais pu rempiler. » 1981, c'était tard, 1988 peut-être trop tard. Il a fallu faire avec l'âge. Mais l'hypothèse de l'empêchement par la maladie fut, dès le début, soulevée. La première intervention chirurgicale le contraignit, intellectuellement en tout cas, à examiner la possibilité d'une rechute. Dès lors, Mitterrand fit sienne cette hypothèse que le temps mûrit, et élabora son plan de bataille. S'il gardait ses capacités intellectuelles, il resterait à l'Élysée. Il le dit d'ailleurs avec gravité aux ministres de son dernier gouvernement lorsqu'il décida de les réunir pour la dernière fois. C'était le 24 mars 1993, dans un temps suspendu, juste après l'annonce du désastre pour la gauche et avant les débuts de la nouvelle cohabitation.

Ils étaient tous venus, vides, défaits. Ce jour-là, Mitterrand leur parla, comme jamais il ne l'avait fait : « Comme vous l'imaginez, il y a longtemps que s'est posée la question : rester, partir? Des offensives ont démarré il y a quelques mois, sous un volume attendu, encore discrètes mais considérablement intensifiées dès lundi. C'est logique, le RPR serait en mesure d'avoir un Président de la République s'il y avait une élection présidentielle dès le mois de mai prochain.

« Vous avez lu que Philippe Tesson me compare à Louis XVI après Varennes. Mais je n'ai pas l'intention de m'évader! Après y avoir réfléchi, j'ai décidé de rester tant que ma santé me le permettra. Je ne veux pas me draper dans les institutions, même si c'est très important, même si elles jouent un grand rôle. Si on suit leur raisonnement, j'aurais dû partir en mars 1986, et alors que penser de 1988? De Gaulle est parti en 1969, mais il avait fixé l'enjeu.

« Partir? Cette élection, nul ne pouvait se tromper sur le résultat qui en sortirait. Si la situation était différente, je serais plus incité à passer le témoin, mais ce n'est pas le cas. J'ai un devoir : devoir personnel, devoir politique, devoir institutionnel. Et il ne comporte que des inconvénients. C'est un devoir d'État, et sur le plan politique j'ai aussi à signifier que l'ensemble des forces rassemblées dans ces années-là auront dans l'avenir un rôle à jouer. J'incarnerai ce combat. Mais rassurez-vous : je n'entrerai pas dans la ratière la semaine prochaine.

« Il faut réfléchir aux raisons de ce résultat. N'oublions pas de répertorier l'ensemble des forces hostiles : les Chirac, Giscard, Bouygues, Poivre d'Arvor ; si nous étions au temps des anciennes guerres, à qui devrais-je rendre ma rapière ? »

Rester donc. Sa vie comme une arme. Le cours de la vie politique a d'ailleurs été peu affecté par la maladie même si Matignon a feint de laisser dire le contraire. Malséant et discourtois, juge l'entourage du Président, qui s'agace de plus en plus de voir le Premier ministre endosser si rapidement ses charentaises de vice-Président. Le Président va mal, mais la France va bien. M. Balladur préside le Conseil des ministres. M. Balladur gère avec dextérité la fin de l'intervention française au Rwanda. M. Balladur règle les problèmes diplomatiques compliqués sans coup férir. Faux, répond l'Élysée. Mitterrand n'a jamais abdiqué une once de la moindre de ses prérogatives. Il y a même mis une certaine ostentation. Anne, la sherpa du Président, se souvient de sa convocation à l'hôpital Cochin, le surlendemain de l'opération. C'est un Président en pyjama sous perfusion, avouant seulement un léger mal aux mains, qui la reçoit pour préparer l'ordre du jour du Conseil des ministres. La machine Élysée doit continuer à fonctionner comme si de rien n'était. Ce sont les ordres du Président. Deux émissaires de toute confiance, Anne Lauvergeon et Michel Charasse, feront donc la navette hôpital-Élysée pour que l'institutionnel administratif et politique tourne normalement. Ce mélange de stoïcisme personnel et de théâtralisation publique de la maladie en a étonné certains. Mais tout ici fut prémédité. Car Mitterrand sait parfaitement que lorsqu'on est Président, tout devient signe, signal, symbole. Leur multiplicité risque de nuire à l'image. Chaque geste de lui communique en effet un message, que le Président le veuille ou non. Le Président redevient un malade : l'Élysée veillera donc à la lisibilité maximale de la maladie pour empêcher ou tenter d'empêcher la prolifération des rumeurs.

Premier mot d'ordre de l'état-major élyséen : le Président est malade, certes, mais il n'en reste pas moins Président. Cela semble une évidence mais il faudra, désormais, la rappeler... A l'Élysée, on veille donc à tout, notamment à la meilleure façon de « gérer » la sortie de l'hôpital. On se réunira, on en discutera, on proposera au Président plusieurs dispositifs. Mitterrand aurait préféré quitter les lieux discrètement, mais ses conseillers lui firent remarquer que cela risquait d'alimenter les pires hypothèses sur son état de santé. Le point de presse dans un des salons du rez-de-chaussée de l'Élysée fut également envisagé, mais les médecins avaient exigé que leur patient n'ait pas à se lever. De là à ce qu'une certaine presse pense qu'il était devenu infirme... Le porte-parole imaginait déjà la une des journaux du lendemain. Le pire étant toujours à craindre, l'interview à la sortie même de Cochin fut donc retenue.

Ira ? Ira pas ? Depuis mars le Président savait qu'il devait être réopéré. « J'ai besoin de vous quinze jours, lui avait dit le professeur. – Quinze jours, mais vous n'y pensez pas ? » Le Président avait retardé l'échéance de la décision jusqu'à l'été. Il avoua à un de ses collaborateurs craindre l'anesthésie et le moment du réveil. « Retrouverai-je la totalité de mes facultés intellectuelles ? » C'était surtout cela qui l'inquiétait. Alors Mitterrand, fidèle à sa méthode de mise en examen de la vérité, multiplia les avis, les diagnostics. Il s'entoura de six médecins. Au moins il obtint ce qu'il voulait : la division entre médecins. Certains jugèrent l'opération facultative. Pourquoi donc prendre des risques inutiles? Mitterrand donna du temps au temps. Écouta les uns, refusa d'entendre les autres. Pour les choses importantes – la mémoire et la vie –, Mitterrand complique à dessein.

Il multiplie les contacts. Dans ce dédale de points de vue, il se perd rarement. Ce système en échos de vérités morcelées sert à le protéger et renforce sa tendance profonde à haïr le manichéisme. Mitterrand déteste juger et déteste encore plus ceux qui se permettent de le faire. Il cite souvent Nietzsche, qu'il admire pour sa férocité, son non-conformisme et son analyse de la volonté de puissance. Se situerait-il, pour paraphraser le philosophe, par-delà le bien et le mal?

Dans la vie, pour lui, il n'y a ni héros ni salauds mais un constant mélange des genres. Mitterrand excelle à la stratégie du double jeu. Adversaire des jugements définitifs, il n'est jamais si à l'aise que dans les morcellements de vérités, les complots du clair-obscur.

Ainsi donc, en cette fin de second septennat, quatre archivistes – deux officieuses, deux officielles – et pas moins de six médecins – dont deux, un personnel, le docteur Gübler, un militaire, le docteur Kalfon, à l'intérieur de l'Élysée – travaillent à tresser l'écheveau des vérités d'un Président.

Mais comment imaginer, après quatorze années, une vie loin des douceurs quotidiennes et des facilités qu'offre l'Élysée? Il y a cette vieille passion pour les vitraux des cathédrales romanes qu'il aura enfin le temps d'assouvir. Il y a ce vibrant plaidoyer pour l'Europe qu'il désirerait tant rédiger lui-même: l'Europe n'est pas seulement un sujet d'examen pour étudiants de sciences politiques en fin de cycle; il aimerait tant y faire circuler le sang de la nécessité, y mêler ses propres souvenirs de prisonnier, en faire comprendre les enjeux au-delà de sa propre personne. Il y a aussi la marche, les découvertes, la lecture:

relire William Styron, *Les Confessions de Nat Turner* – « Quelle ampleur ! » –, des journées entières dans les livres. « Songez que je n'ai lu *Les Misérables* que cet été grâce à l'opération. » Il y a encore certains paysages d'Andalousie, les promenades sur les quais de la Giudecca à Venise au printemps. Après...

Il y a aussi l'avant et l'après sur le plan de la santé. L'avant, du temps où Mitterrand était soigné comme tout le monde. Et l'après, où la fonction complique le rapport au malade, tord le jugement. Le docteur Gübler avait, depuis 1969, François Mitterrand dans sa clientèle. Tout naturellement, Mitterrand est resté son patient.

Mais le rapport de Gübler à Mitterrand a changé, même s'il s'en défend : « On n'appartient qu'à soi-même. Le Président n'est pas la France. Il n'y a pas d'identification. Son état le regarde. Il a le droit de se soigner comme il l'entend. Je critique beaucoup le silence autour de Pompidou, mais depuis, de par la volonté de Mitterrand, on est tombé dans le système pervers des bilans. Ou bien les bilans publiés sont exhaustifs et il faut savoir les interpréter, ou ils sont laconiques et on m'accuse de ne pas tout dire. Je ne sais plus où il faut commencer, où il faut arrêter. »

Le docteur Gübler, en ce mois de septembre 1994, a pris sur lui la maladie du Président. La relation s'est compliquée d'autant. Le médecin donne dans la psychanalyse, considérée comme une discipline risible par le Président. Il y a six mois déjà, il avait tenté de le mettre sur le chemin de l'après. Il avoue ses difficultés : « François Mitterrand a du mal à revenir à la conscience du je. C'est un jeu que de revenir au je, un jeu de rôles. Plus le temps passe, plus François Mitterrand se montre réticent à revenir à son vrai personnage, et ce d'autant que la fin du mandat approche. Ce mécanisme n'est pas simple mais vital. Il devrait avoir moins de mal que de Gaulle, qui s'est, lui, identifié à la France. » Le docteur Gübler souffre pour le Président, souffre de voir la maladie du Président étalée, quelquefois de manière obscène, dans les journaux. Il ne cache pas ses sentiments et cela agace Mitterrand, qui a tendance à faire de lui l'incarnation du messager de la maladie et de la mort.

La mort, le mot est lâché, mais personne n'ose le prononcer devant Mitterrand. Comme le dit, les yeux plissés par un éternel sourire, l'affable et toujours courtois docteur Kalfon, l'autre médecin, le militaire, qui accompagne partout le Président : « Moi, je ne lui parle que de la vie, que des plaisirs de la vie. Et il y en a beaucoup. Pas question de lui parler d'autre chose. Il y a un temps pour tout. »

Le masque de la souffrance, l'amaigrissement subit, la voix éteinte, l'ensemble de ces éléments a contribué à fabriquer le début d'une rumeur qui démarra dès la sortie du premier Conseil des ministres qu'il présida. De sa perte de poids au début il plaisanta, trouvant qu'elle était plutôt seyante. Du manque de tessiture de sa voix il s'agaça, espérant la recouvrer vite pour les discours qu'il devait prononcer aux cérémonies qu'il avait décidé de parrainer. Une rumeur, par définition, possède de nombreux émetteurs. Elle virevolte, agrège des éléments distincts, repart, dénoue, renoue, empêchant le coup d'arrêt brutal. L'un des premiers propagateurs de la rumeur sur la gravité de sa maladie fut le Président lui-même, qui ne se cacha pas, auprès de beaucoup de ses interlocuteurs, d'accuser le coup, d'avoir mal, d'être fatigué et de ne pas récupérer aussi vite que lors de la première opération. Jetée ensuite dans l'arène politico-médiatique, la rumeur prospéra. Comment pouvait-il d'ailleurs en être autrement ? Mais la rumeur enfla encore. Démesurément. A l'Élysée, la presse téléphonait tous les jours pour savoir si le Président avait bien des piqûres toutes les heures, s'il allait démissionner dans trois semaines ou dans deux, s'il pouvait encore marcher.

Il y a du Franco dans l'air... Les images de l'agonie du dictateur se mêlent aux souvenirs de la maladie de Pompidou. Un vent mauvais souffle sur l'Élysée. Au secrétaire général de l'Élysée, qui vient juste de le quitter, on apporte une dépêche annonçant que le Président a eu un grave malaise. A la secrétaire générale adjointe, qui l'attend pour déjeuner, on passe des communiqués selon lesquels il vient d'être hospitalisé. Au service de presse les agences étrangères réclament, heure par heure, des bulletins de santé. A l'Élysée même on crée des rumeurs qu'on amplifie. Un chauffeur l'a vu s'écrouler dans un fauteuil, un cuisinier l'a aperçu porté par deux hommes qui le soutenaient pour marcher. « Il a un cancer. Il a soixante-dix-huit ans. C'est pas marrant. Ils le donnent pour mort tous les jours », résume sobrement Jean-François Mary, chef du service de presse, qui n'en peut plus de démentir ces insinuations morbides et qui en fait des cauchemars toutes les nuits.

« Balladur a trop vite enterré le Président », affirme Jean Musitelli, le porte-parole de l'Élysée. Le Président a réagi en attaquant sur plusieurs fronts; furieux de voir le Premier ministre parler à sa place de politique étrangère et lassé de constater qu'on tend à attribuer à Edouard Balladur la sauvegarde de l'État comme si le pouvoir était vacant, il le rappellera à l'ordre au cours d'un de ces tête-à-tête qui précèdent invariablement le Conseil des ministres : « Voilà où est votre place. Voilà où est la mienne. Je le lui ai dit d'un ton glacial », me confiera-t-il un peu plus tard. Quelques jours avant, lors de la réception annuelle des ambassadeurs, à la stupéfaction de son état-major, il intervient devant un Premier ministre gêné et transforme une réunion compassée en véritable conférence de presse improvisée : « Les affaires étrangères sont, parmi les fonctions qui sont les miennes, les plus importantes et les plus clairement définies par la Constitution. J'entends préserver très exactement les différentes répartitions des tâches de l'exécutif car c'est une sauvegarde pour la République et la démocratie. » Personne, dans l'assistance, ne doutait du contraire, sauf, peut-être, M. Balladur, à qui le message était destiné, qui dut, *in extremis*, revoir sa copie, et rajouta de nombreuses références au Président. Hélas, le service de presse de Matignon avait cru malin de distribuer, la veille, le discours de son patron. La soudaine considération du Premier ministre pour le Président fut donc immédiatement remarquée et amplement commentée par la presse spécialisée.

La petite « guéguerre » entre Matignon et le Président continue de plus belle. Guerre larvée, guerre cachée. Tout peut devenir prétexte à l'ouverture d'une crise. Les adversaires se jaugent. Balladur teste les limites de sa fonction. Mitterrand l'a compris, qui érige des barrières. Sur le terrain des nominations, on peut vite livrer bataille. Matignon bavarde et répète à qui veut bien l'entendre que le Premier ministre s'opposera à celle d'Édith Cresson au Conseil de l'Europe. Le Président l'apprend. Le cabinet communique que la crise est ouverte. Le lendemain, la nomination d'Édith Cresson passera comme une lettre à la poste...

Plus on le dit mourant, plus il décide d'apparaître sur la scène officielle. Plus on le dit épuisé, plus il est désireux de tenir ses engagements au-delà même des nécessités du protocole. Ainsi cette journée à Berlin qui s'annonce si prometteuse d'ennui : défilé, discours, retraite aux flambeaux. Lors de la préparation du voyage, avant l'été, il n'a prévu d'arriver que dans l'après-midi. La veille du départ, constatant l'atmosphère délétère créée par son état de santé, il décide de faire la « totale » et de partir tôt le lendemain matin. Mais peu importe la réalité, la rumeur continue à enfler. L'agence Reuter prévient à l'aube l'Élysée que le Président annule ces cérémonies pour cause de malaise. Dès neuf heures du matin, le téléphone sonne donc sans discontinuer dans le bureau du service de presse de l'Élysée. Toutes les radios et télés de France et de l'étranger veulent avoir confirmation du malaise. Le Président, pendant ce temps, est dans le ciel et les liaisons radio ne peuvent l'atteindre. Jean-François Mary, resté à Paris, commence à s'affoler. Et si c'était vrai? C'est le propre de la rumeur que de réussir à vous ébranler. Il faut attendre la descente de l'avion pour la fin du feuilleton. Le Président va bien, merci. Le général chef de l'état-major particulier, ahuri, n'y comprend rien. Il confirme : oui, le Président va bien. Il est à côté de lui. Le Président s'inquiète de cette soudaine agitation. On préfère lui en cacher les raisons...

A l'Élysée, on a basculé dans l'ère du soupçon. On se méfie de la presse. Exemple : Mitterrand s'apprête à recevoir le Président chinois. Réception à Orly, discours, puis dîner officiel, d'où sont bannies les (interminables) cérémonies de présentation des invités. L'Élysée n'a pas communiqué à la presse cette entorse protocolaire de peur qu'elle n'alimente encore la méchante rumeur...

Ils vont tuer le Président à coups d'articles, disent-ils. L'hallali est sonné, les bêtes féroces lâchées, ne cessent-ils de répéter. Tous les collaborateurs de l'Élysée décrivent l'attitude de certains journaux, particulièrement celle du *Monde*, en termes de chasse, de guerre, de meurtre symbolique. Un article outrageusement précis quant aux conséquences anatomiques de l'opération a notamment choqué. *Le Monde* se prend pour le *Washington Post* et voudrait contraindre Mitterrand à la démission, ce qui lui permettrait d'augmenter ses tirages, disent en chœur le secrétaire général et le porte-parole. Mitterrand, lui, a demandé qu'on cesse les abonnements, contraignant ainsi malicieusement ses collaborateurs à traverser l'avenue de Marigny chaque début d'après-midi pour acheter l'objet du délit.

Le coup de poignard ne viendra pas d'un journal. Le Président, pour cette fois, ne sentira pas arriver l'orage. Mitterrand n'a jamais caché son estime pour le travail de Pierre Péan, cet écrivain-journaliste, enquêteur de grand talent, en qui il a toute confiance. Dans des cercles privés, il a plusieurs fois souligné les qualités de ses travaux sur le Roi du Maroc et la politique africaine de la France. « Un homme honnête, d'une grande probité », dit-il de Péan, à qui il a donc, au printemps dernier, livré ses souvenirs, précisé des faits. Péan n'est pas venu sans biscuits. Il avait rencontré de nombreuses personnes et avait alors quasiment achevé son enquête historique. Mitterrand ne bavarde pas, il répond et il confirme son état d'esprit de jeune homme issu d'une famille de droite avant la guerre et s'explique sur son passé à Vichy. En toute bonne foi, sans avoir l'impression de faire des révélations. Mitterrand et Vichy : les faits sont connus et la Présidence attend tranquillement la sortie du livre de Péan, dont ni le texte ni la couverture n'ont été montrés à François Mitterrand, qui d'ailleurs n'a rien demandé.

Ce sera Laurence Soudet, spécialiste, entre autres, des publications sur et autour du Président, qui découvrira la première, en couverture, Mitterrand avec le Maréchal.

Le Président reçoit le livre de Péan un jeudi. Le lendemain matin il convoque ses collaborateurs : « Les perspectives de Péan sont fausses, biaisées involontairement, dit-il. Dans mes entretiens avec lui, je n'ai pas insisté sur la Résistance. Je pensais que l'auteur remplirait les blancs. » La photographie de couverture le choque. Il dit que le jeune homme à côté de lui sur la photo sera arrêté, puis déporté. Il rappelle les circonstances : il s'agissait d'une convocation, non d'une audience, chez le Maréchal, et raconte qu'en 1965, déjà, on a essayé de le salir avec cette histoire. Mitterrand n'est pas content mais pas inquiet. Il est loin d'imaginer l'ampleur que prendront les « révélations » de Pierre Péan.

Les premiers jours suivant la publication sont paisibles. Le Président parle abondamment du livre à celles et ceux qu'il rencontre, corrige le portrait, à son goût trop à droite, que Péan dresse de lui jusqu'à la période de la guerre, mais affirme que l'ouvrage est honnête. Mitterrand n'a rien à se reprocher et le dit à son entourage : « L'important, c'est qu'en dépit de mes influences familiales je sois entré dans la Résistance. » Le secrétaire général, Hubert Védrine, conseille la lecture du livre à ceux qui veulent mieux connaître Mitterrand et considère qu'il constitue une très bonne réponse aux milieux gaullistes, qui ont tendance, encore aujourd'hui, à sous-estimer ce que fut la Résistance intérieure.

Les coups viennent plus de la gauche que de la droite. Il s'agit d'abord de trouble, puis de méfiance. Pour certains, de dégoût, puis de mépris. L'exploitation du passé du Président donne lieu à un grand rite sacrificiel, où, sur l'autel de la culpabilité douloureuse de la génération de ceux nés après la guerre, on jugera avec passion et sans recul un homme qui eut le tort de n'être pas devenu assez tôt un acteur de l'histoire, voire un héros.

Mitterrand, s'il n'a pas vu venir le coup, réagit vite. Il convoque ses principaux conseillers et leur tient ce discours : « Péan, finalement, me cherche des circonstances atténuantes, c'est agaçant. On me reproche d'avoir travaillé au commissariat au reclassement des personnes. On fait comme s'il n'y avait rien eu entre la Résistance et la Collaboration. On oublie que j'ai été résistant. Quand je regarde la moyenne... J'ai fait comme d'autres le voyage à Alger, puis celui de Londres, mais moi, je suis reparti pour la France. » Il répète qu'il a fait ce qu'il devait et se souvient d'avoir déjà subi ces polémiques dès 1945. Il s'avoue irrité par ce que Péan dit de ses options politiques pendant sa jeunesse. Il n'a d'aucune façon le sentiment d'un militantisme fasciste au Quartier latin. « J'allais folâtrer vers l'avenue Félicien-Rops », ajoute-t-il. Il ne se souvient aucunement d'avoir participé à une manifestation fasciste comme le montre une photographie du livre, et demande à son directeur de cabinet ainsi qu'à Jean Kahn, ancien résistant, de déclencher une enquête. Il cherche les preuves. Il donne l'ordre à son état-major de ne pas communiquer sur ce sujet. Lui-même, dit-il, s'en chargera en temps voulu. « A ma manière. »

Le processus de mise en cause s'enclenche. Des interrogations fusent : Mitterrand est-il de gauche ? Nous a-t-il tous trahis ? L'affaire Mitterrand-Bousquet ne fait que commencer. Les premiers coups de l'offensive sont portés par de jeunes socialistes réunis en congrès – Moscovici et Le Guen –, qui se déclarent outragés. Mitterrand est fou de rage. Il le dit sans ménagements à Maurice Benassayag, à qui il confie ses sentiments sur Bousquet : « Cet homme a été assassiné. Il n'a pas eu d'avocat. Pourquoi ne l'aurais-je pas fréquenté ? Je l'ai connu par Martin. Il a sauvé des dizaines de gens. Il nous fournissait des moyens pour la Résistance. Je ne l'ai connu qu'après la guerre. Il a été acquitté pour services rendus à la Résistance. C'était un homme étonnant, chaleureux, j'avais plaisir à le fréquenter. »

Mitterrand, fidèle à lui-même dès qu'il se sait attaqué, fourbit ses armes sans éprouver la moindre culpabilité. Durant cette période où il sera vivement mis en cause et où il avouera lui-même avoir été profondément blessé, il revendiquera, auprès de ses conseillers, sa relation avec Bousquet avec fierté. Il aurait suffi d'un mot, juste un mot, pour dissiper tout malentendu.

Un jugement sur Bousquet, un regret sur la période qui précéda le basculement dans la Résistance auraient apaisé. Mais Mitterrand ne veut pas être absous. Il ne veut pas se mettre dans la situation de l'accusé face au tribunal de l'histoire. « S'excuser, c'est reconnaître qu'on a été coupable, me dira-t-il. Or je ne suis pas coupable. » Puis, offensé par le fait même que je lui pose la question de sa relation avec Bousquet, me classant ainsi *de facto* dans le camp de ses pires agresseurs : « Ah, vous ne le saviez pas? Je ne suis pas de ceux qui frappent les gens à terre. »

Mitterrand est un homme qui ne regrette rien. Il déteste les jugements *a posteriori*, qui s'avèrent inutiles. Sur son propre passé il s'est beaucoup exprimé dans des cercles privés. Je l'ai entendu à plusieurs reprises raconter longuement sa captivité, narrer avec force détails ses trois évasions. Sur la période de Vichy, il s'est peu exprimé auprès des personnes qui travaillent depuis très longtemps avec lui mais n'a jamais caché qu'il a été décoré de la francisque. Même s'il a laissé dire – sans rectifier – qu'il l'a obtenue quand il était à Londres, il a toujours affirmé, notamment à Laurence Soudet et à Maurice Benassayag, qu'il a travaillé pour Vichy tout en se situant sincèrement contre les Allemands. « Ce qu'il faisait en sous-main, ajoute Laurence Soudet, et clandestinement pendant cette période, il n'en reste, par définition, aucune trace... »

Sur sa captivité et les conséquences qu'elle eut sur lui, une lettre envoyée à Georges Dayan en octobre 1941 témoigne de son état d'esprit. Elle commence par le récit de son évasion à travers la Souabe et la Thuringe :

29 octobre 1941.

Vingt-deux jours de marche. Pendant deux jours marcher dans la neige à la recherche des traces de sanglier. Nous avons couché dans des mangeoires à biches, cassé des fenêtres de cabane de bûcherons...

Trois semaines de marche, douze biscuits de guerre, deux cent vingt grammes de chocolat par jour...

Je suis sorti de là sec et affamé.

Je suis devenu professeur. J'ai sans doute bien vieilli. A vingt-quatre ans, une guerre et une captivité comme celle-là sur le dos, cela vous fait passer une jeunesse insoucieuse. Le temps passe. Nous avons ici une impression d'oubli indiscutable. Combien d'entre nous sentent le cercle des affections se resserrer. De tout cela on sort le corps bien trempé et le cœur dur. Mais où est le cœur ? On acquiert une dure pitié des hommes teintée de mépris. A force de vivre en foule on connaît mieux sa solitude.

Cette guerre ne m'a pas été favorable, j'avais une thèse de doctorat en droit à passer. Elle n'a pas avancé d'une ligne.

Je suis décidé à prendre la vie à la gorge et à laisser courir ma fantaisie.

Nous organisons des moments de distractions, nous buvons du thé, nous écrivons. Cela nous change des commandos. Nous sommes des privilégiés sur des milliers de malheureux. Et encore ces privilèges nous auraient semblé catastrophiques il y a deux ans.

Il n'est pas impossible que j'atterrisse en zone libre. J'irai alors à Saint-Tropez. Toulon n'est pas loin.

Vous qui devez entendre parler des prisonniers ne vous laissez pas prendre par une certaine propagande. Nous ne sommes pas des châtelains ni des touristes. Il y a tant de misères.

La seconde lettre qu'il envoie à Georges Dayan est datée du 12 août 1942. Cela fait six mois qu'il est entré au commissariat au reclassement des personnes dirigé par Maurice Pinot. Il y fabrique de faux tampons et de faux papiers qui seront envoyés aux personnes pour qu'elles s'évadent et organise des filières d'évasion. De cette période, un jour dans l'avion qui le raccompagnera de la cérémonie d'ouverture du musée de la maison d'Izieu, il me parlera à bâtons rompus en insistant sur le fait qu'ils étaient plusieurs à agir ainsi et « qu'on n'en faisait pas une histoire ». Cette lettre ne fait pas allusion, censure oblige, au « double jeu » mené alors et n'évoque pas, évidemment, la création, le mois précédent, du centre d'entraide de l'Allier, avec Jean-Albert Roussel et Marcel Barrois, qui mourra en déportation. Elle montre la blessure d'un jeune homme de vingt-sept ans, marqué intérieurement par son expérience de la captivité, songeant à son avenir et assez peu politisé, sauf à interpréter exagérément l'énigmatique phrase : « Il y a tant de choses à continuer et à reprendre » :

12 août 1942.

Mon cher ami,

Depuis deux mois, j'ai beaucoup circulé en zone libre. Je souhaite que tu me répondes immédiatement. Comment tu vis? Quel avenir tu prévois? Je t'avoue que je suis souvent tenté moi-même d'aller de l'autre côté de la Méditerranée. J'ai moi-même une cousine germaine qui habite Tlemcen et m'a invité avec insistance. Je crois seulement qu'en des temps comme ceux-ci il serait dommage de se retirer du monde.

A Vichy je travaille actuellement au commissariat du secrétariat général aux Prisonniers de guerre et je suis chargé du bureau de presse. La vie que nous menons ici paraît difficile à beaucoup de gens. Le ravitaillement est à l'ordre du jour. Mais pour moi qui ai connu pendant dix-huit mois un autre régime, je juge plus impartialement.

J'ai subi l'à-coup normal du prisonnier. Après être allé si loin et si séparé de tout, je ne sens plus un besoin égal à celui d'autrefois de m'exprimer. Ce qui ne signifie pas l'indifférence.

J'ai retrouvé ici beaucoup de camarades de la fac qui se situent évidemment dans les horizons les plus divers. Cela me rappelle les années du Quartier latin mais cela ne vaut pas la rue Gay-Lussac ou Saint-Germain.

Malheureusement, ma famille réside en zone occupée, mes amis résident au diable, Saint-Tropez, Montauban ou le Jura.

Il y a tant de choses à continuer et à reprendre. Mon adresse : 20, rue Nationale, Vichy.

Puis la correspondance avec Georges Dayan s'interrompt jusqu'au 17 février 1944. A cette date, il est à Londres et ne parvient pas à obtenir de l'organisation gaulliste un avion :

Londres, 17 février 1944.

Rien à faire pour continuer mon voyage. Je dois attendre encore. Frenay est ici et je le vois chaque jour. J'aimerais bien régler ton entrée au commissariat.

Je t'enverrai deux membres de mon mouvement qui seront désignés par l'Assemblée consultative.

Les nouvelles ne sont pas mauvaises. Pourtant la répression

s'est accentuée. Je vais avoir une tâche énorme. Je l'entreprendrai avec courage. Courage facile quand on a la certitude de travailler une matière magnifique : un pays à refaire. Garde bien contact avec Frenay. Pense à moi comme je pense à toi.

Si Irène Dayan, après beaucoup d'hésitations, a décidé de sortir les lettres de son époux, c'est parce qu'elle est bouleversée par cette campagne de presse. Elle juge qu'un piège maléfique s'est refermé sur un homme dont on ne veut plus entendre les explications. Se faire entendre, c'est justement le but de Mitterrand. Et se faire entendre particulièrement des honnêtes gens. Le plus tôt sera le mieux. L'entretien qu'il accorde à Jean-Pierre Elkabbach le 12 septembre sera une affaire rondement menée par Jean-Pierre Elkabbach lui-même, avec la complicité de Jacques Pilhan et d'Hubert Védrine. Le principe du direct est adopté, la liberté de ton demandée par le Président. « C'était un des jours où j'étais au plus bas physiquement », me dira-t-il deux mois plus tard. Mais l'urgence de s'expliquer prime sur la souffrance. « On s'est planté et sur la maladie et sur Vichy », confiera le lendemain Anne Lauvergeon. « Épouvantable émission qui n'a rien éteint », confirme Hubert Védrine. Pourquoi donc le Président s'est-il abaissé à passer devant un tribunal pour se justifier se demandent, consternés, l'écrasante majorité des conseillers, qui l'ont trouvé dramatiquement épuisé, certes émouvant dans son désir de convaincre mais pas assez catégorique dans sa condamnation du régime de Vichy. C'est un homme gravement malade qui est apparu alors à la télévision. Dans toutes les têtes il existe désormais la possibilité bien réelle que Mitterrand ne puisse terminer son mandat. Au cours de son intervention, il a commis des erreurs, précise son service de presse, notamment sur la législation antijuive de Vichy. Il n'a pas parlé de sa résistance, n'a pas précisé que Martin a sauvé bien des vies. Le chef du service de presse, qui a suivi la prestation dans un bureau annexe, s'est rendu compte de tout cela immédiatement. Catastrophé, il a convoqué sa petite équipe et lui a dit de s'attendre au pire sur le passé de Mitterrand dans les commentaires de la presse du lendemain matin.

Tout le monde est consterné ce soir-là à l'Élysée, excepté le Président, plus en forme et en verve après sa prestation qu'avant. Il est heureux de s'être expliqué et pense que sa sincérité touchera celles et ceux qui lui importent : non la classe politico-médiatique qu'il voue aux gémonies mais les gens du peuple, ceux qui ont voté pour lui en 1981 et en 1988. Mitterrand ne s'est pas trompé. Des centaines de messages arriveront le lendemain et le surlendemain à son secrétariat particulier. Lettres de soutien argumentées, mots griffonnés. Le ton général est à l'émotion : « Tenez bon », écrivent des anonymes. « Les salauds, ils veulent votre peau », s'émeuvent des militants.

Mitterrand a chaud au cœur. Il se sent rasséréné. Il reprend des forces, bien qu'il soit obligé de beaucoup s'allonger, garde son énergie pour quelques apparitions longuement mûries : un discours sur le thème de la solidarité, une intervention devant le corps diplomatique. Mais à l'Élysée la vie tourne au ralenti. L'atmosphère devient délétère. Certains pensent à leur plan de carrière et commencent à paniquer. On ne fait pas les bagages, mais c'est tout comme. « On ne sait pas où on sera dans dix jours », me dit, d'un air las, un conseiller. Les rumeurs alarmistes ont gagné le palais. Puisqu'on ne leur dit rien sur l'état de santé de leur patron, les membres de son cabinet se mettent, eux aussi, à craindre le pire. Ils comptent les jours et s'enfoncent dans la dramatisation de la maladie.

Le Président est de plus en plus seul. Et il le sait. Chaque matin lui apporte son tribut de félonies. On ne compte plus ceux qui quittent le navire. A gauche, nombreux sont ceux qui pensent que pour pouvoir continuer il faut tourner définitivement la page du mitterrandisme, quitte à cracher sur celui qui vous a permis d'exister. La trahison et le lynchage font partie de l'arsenal de ceux qui se sont beaucoup servis. C'est le désastre, l'effondrement. Au Parti socialiste, les clans se déchirent, les coups d'État s'accumulent, la volonté de suicide collectif s'intensifie.

François Mitterrand se dit de plus en plus blessé par les attaques dont il est l'objet. Chaque jour, il lit les articles qui le concernent. Et chaque jour il s'en indigne et ne cache pas que cela lui fait mal. Dans ce climat difficile, le 16 septembre au soir, le Président convoque une réunion de sa garde rapprochée à l'Élysée. Il dit son dégoût de l'attitude de certains, s'explique longuement sur les liens qui unissaient les siens avec la famille juive qui l'hébergea à Saint-Tropez et déclare ressentir un certain amusement du fait qu'on le présente maintenant comme un dignitaire du régime de Vichy : « La vérité est que je n'étais qu'un simple commis. » Il demande à Jean Kahn de retrouver le montant de son bulletin de salaire à Vichy. « Plus ça va, plus je monte dans le régime de Vichy, ajoute-t-il. J'étais un clochard. Comment le clochard que j'étais pouvait-il rencontrer le dignitaire qu'était Bousquet ? » Il a beau user du ton du sarcasme, il se sent salement lâché et s'étonne du lourd silence de la défense.

Le chemin de croix continue. Discours à Bayonne, dialogue à Normale Sup malgré sa voix enrayée, Mitterrand veut parler fort, mais le contenu de son discours – sauver la Sécurité sociale, maintenir la cohésion sociale – est brouillé par l'aveu de sa faiblesse physique. On ne guette plus que la droiture de sa démarche, la blancheur de son teint. On ne l'écoute plus. On admire son courage. Certains craignent le faux pas, la chute, l'évanouissement, en direct, devant les caméras. Ce serait bon pour l'audimat. Les chaînes ne s'y trompent pas, qui rôdent non loin du faubourg Saint-Honoré.

Les retombées de l'« affaire » Mitterrand-Bousquet n'en finissent pas de le faire souffrir. « Ils veulent que je dise que la République est responsable de la déportation des juifs. Ils attendent de mon successeur cette parole », confie Mitterrand à Hubert Védrine, Anne Lauvergeon et Jean-François Mary. A l'intérieur de l'Élysée, certains s'avouent troublés par la « part d'ombre » que continue à laisser planer Mitterrand. « Je saurai me défendre », leur avait-il dit. Mitterrand a allumé la mèche et déclenché lui-même une polémique qui ne cesse de s'envenimer. Orgueil, goût de la provocation, certitude d'être du côté de la vérité ? Nul ne sait à l'Élysée, mais le Président ne se pliera pas à la demande qui lui est faite par ses collaborateurs les plus proches. Un mot juste. Juste un mot sur Bousquet. Anne Lauvergeon, au nom de tous, aura beau argumenter, Mitterrand restera muré dans son silence.

L'onde de choc causée par les révélations de Péan n'a frappé que la jeune génération des collaborateurs du Président. Les vieux de la vieille, éternels compagnons, confidents, savaient sans véritablement savoir, tout en ne voulant pas complètement savoir. Mitterrand est ainsi. On le prend comme il est, ombrageux, secret, compliqué. Trente années à le voir vivre sans en avoir percé le fonctionnement le plus intime. Laurence Soudet a l'impression qu'enfin le puzzle s'assemble. Elle qui prépara sa campagne de 1965 comprend mieux le report de certaines voix de droite au second tour, l'antigaullisme viscéral et la présence physique auprès de lui de Martin, Saunier et Cazaux, dont elle ignorait le passé. « Venant de ce personnage, plus rien ne me choque, avoue-t-elle. Jamais je n'arriverai à en faire le tour. »

Paul Legatte, autre vieux compagnon du Président, n'en revient pas de tout ce tintouin sur son passé :

« Moi aussi, j'y étais, à Vichy, et je vais vous raconter la vérité. » Dans son bureau douillet du 14, rue de l'Élysée, où trônent des classeurs administratifs et des dictionnaires de droit admirablement rangés, le « clandestin » de l'Élysée rassemble ses souvenirs, cherche dans sa mémoire des faits précis, des noms. Il n'a plus rien à prouver, rien à cacher, pas de dette à honorer auprès du Président, qu'il n'a d'ailleurs jamais croisé à Vichy. Il aimerait tant qu'on accepte de se replacer dans le contexte de l'époque : « Vichy était en 1942, 1943 une pépinière de gaullistes qui utilisaient leur poste comme une couverture. Ce n'était pas un repaire de collaborateurs, plutôt un rassemblement de résistants. Moi, j'ai préparé le concours du ministère des Finances, passé l'oral à Vichy en juillet 1942 et en août j'ai été affecté en tant que rédacteur au ministère des Finances. La direction du personnel avait muté un sous-chef de bureau du nom de Brisseau à Vichy pour le protéger. On disait ce qu'on voulait sans prendre beaucoup de précautions. Jacques Cruchon, directeur du cabinet de Pinay, parlait ouvertement des gestapistes. » Paul Legatte n'a jamais prêté serment au régime de Vichy. « Cela n'existait pas, ce genre de choses, pour des petits grades comme nous. » Il a quitté Vichy en 1943. Rappelé au ministère des Finances à Paris, il entre immédiatement dans un groupe clandestin, formé au ministère, qui résiste. Aujourd'hui encore, Paul Legatte ne veut pas employer le mot « Résistance » : « On distribuait des tracts qui disaient que l'Allemagne serait vaincue et qu'il ne fallait pas collaborer. Nous ne disposions pas d'armes. J'avais demandé à mon frère son revolver. Il n'avait que douze balles. La contribution à la Résistance était purement formelle. Si nous avions pu faire davantage, nous l'aurions fait. » Paul Legatte a vraiment bien du mal à comprendre l'ampleur des réactions suscitées par la publication du livre de Péan, qu'il a apprécié personnellement. « Mitterrand ? Ce n'était qu'un petit bonhomme à l'époque. Une sorte d'huissier. Il ne trempait pas dans la politique. » Non, ce qui l'a proprement interloqué, ce n'est pas tant l'idéologie de droite de son futur compagnon que le formidable appétit de pouvoir dont fit preuve alors le jeune Mitterrand : « Il n'était rien. Il s'y voyait déjà. Bravo, l'artiste! Il a quand même bien joué. Ce n'était pas évident qu'il devienne Président, *a fortiori* deux fois. »

Le Président vient de regarder d'un air distrait les derniers sondages. 54 % des Français lui accordent toujours leur confiance. Les lettres – deux cents, trois cents par jour – continuent à affluer. L'Élysée se transforme, au fil des jours, en département d'histoire universitaire spécialisé dans la période de l'Occupation. Tout le monde cherche : l'archiviste historienne Dominique Bertinotti cherche des textes administratifs, Jean Kahn cherche des documents de Vichy, Jean-François Mary cherche des textes politiques d'intellectuels de l'époque, Maurice Benassayag cherche les décrets d'amnistie du Général, Hubert Védrine cherche à comprendre en lisant l'excellent livre d'Éric Conan et Henry Rousso, *Vichy, un passé qui ne passe pas* : c'est le cas de le dire... A l'Élysée, cet intense travail collectif de recherche se concrétisera par la rédaction d'un épais document à usage interne, daté du 23 septembre, adressé à l'ensemble des conseillers. Le but? : « Fournir des contre-arguments aux critiques et attaques dont est victime le Président de la République, de la part du *Monde* notamment, mais aussi dans de nombreux autres médias. » Le texte est découpé en cinq chapitres : François Mitterrand et le régime de Vichy, le cas Bousquet, François Mitterrand et la mémoire juive, mesures judiciaires relatives aux persécutions racistes et à l'antisémitisme, procès des responsables vichyssois. La rigueur historique n'exclut pas les envolées militantes. Ainsi, sur la question de l'engagement tardif dans la Résistance de François Mitterrand, le scribe anonyme de l'Élysée écrit : « Qui peut se permettre de le juger ainsi ? Au nom de quoi ? En le comparant à qui ? » Ces pages vont pouvoir permettre de « répondre avec précision, fermeté et sérénité à l'amalgame, à l'anachronisme et à la confusion utilisés dans les calomnies contre le Président de la République, pour qui nous sommes fiers de travailler ». Étrange façon de se rassurer... La fierté de travailler pour François Mitterrand n'irait-elle plus de soi ?

Plus que jamais, en ce début d'automne, l'équipe de l'Élysée doit se ressouder. Le pire est à venir.

OCTOBRE

Les conseillers paraissent de plus en plus ébranlés par les « sinuosités » du parcours politique de leur patron. L'amitié avec Bousquet ne passe pas. « Ce n'était pas une amitié. Juste une connaissance », répète Mitterrand à ses collaborateurs. Mitterrand est blessé et il l'avoue. Sa rage froide s'est muée en emportement. Il revient souvent sur cette photo de lui publiée dans le livre de Péan où on le voit souriant dans une manifestation fasciste. Il dit n'avoir aucun souvenir de ce moment et semble persuadé qu'il s'agit d'un montage photographique. Mais les recherches menées par le directeur de cabinet n'aboutiront pas.

Les plus vieux fidèles rassemblent leurs souvenirs. Paul Legatte ne se remémore pas avoir jamais rencontré Bousquet et ignorait le passé d'hommes comme Martin et Saunier qu'il avait, dès 1965, beaucoup côtoyés. Laurence Soudet se rappelle Bousquet attendant Mitterrand au pied de la passerelle à Toulouse lors de la campagne présidentielle de 1965. Cazeaux, Saunier, Martin étaient alors physiquement très présents.

Le livre de Péan circule à l'Élysée. Tout le monde l'a acheté. On l'annote. On le commente. On découvre. On s'indigne. Cela dépend des générations. Paule Dayan, fille de Georges et d'Irène, actuelle conseillère de Mitterrand pour la justice, est la plus défaite. A peine arrivée à la moitié de la lecture, elle appelle sa mère et lui demande, étranglée d'indignation : « Maman, tu savais que tu avais hébergé chez nous pendant si longtemps un collabo? » Paule découvre, en effet, le passé de Martin, devenu au fil des années un familier qui venait quasiment quotidiennement déjeuner chez ses parents rue de Rivoli. Irène ne savait rien. De Vichy on ne parlait jamais. Et pourquoi en aurait-on parlé? On ne naît pas de gauche. On le devient. A partir de quand Mitterrand est-il devenu de gauche? La question est posée à l'Élysée. Alors les conseillers relisent les écrits du chef pendant la guerre et tentent de discerner le moment du basculement, puis celui de la « cristallisation » politique, pour reprendre le vocabulaire amoureux cher à Stendhal. Comment, en politique, ce qui n'est qu'un sentiment se métamorphose en détermination? Mitterrand, avant puis au début de la guerre, est bien un Fabrice del Dongo qui fait du tourisme politique dans toutes les mouvances de la droite.

Mitterrand d'ailleurs ne s'en est jamais caché. Bien avant que l'affaire Péan n'éclate, au mois de mars 1994, à la question sur le début de son intérêt pour la politique il me répondait : « Avant la guerre, je n'avais pas fait de choix véritable. J'allais indifféremment écouter les discours de Doriot, de Blum, de La Rocque. [...] J'ai vécu pendant ces années-là une expérience très riche, très immédiate. Je n'étais pas engagé. Je faisais partie d'une bande d'étudiants qui se piquaient de musique, de philosophie, d'art. C'est la guerre qui a construit ma détermination à faire de la politique. Disons, pour être plus juste, que les circonstances ont précisé un goût pour la politique. »

Mitterrand est un pragmatique qui professe encore aujourd'hui son mépris pour les bâtisseurs de théories politiques. En politique, il existe des circonstances qu'il faut savoir transformer en opportunités et des hommes qui ont envie ou pas de se donner les moyens de réussir.

En 1946, Mitterrand aime bien la politique, certes, mais sans éprouver pour elle une passion immodérée. Il préférerait devenir écrivain, mais il ne suffit pas de le décider. Pour gagner sa vie, tout en se rapprochant du monde de l'écriture, il devient éditeur, part à la recherche d'auteurs d'essais historiques et scientifiques, de romans, tout en continuant à s'occuper du mouvement des prisonniers de guerre. La politique? Pourquoi pas? Oui, peut-être. Mais avec qui et pour quelle cause? Il ne sait...

Juillet 1945.

A Georges Dayan.

Je commence à tailler dans le vif. A quoi sert de travailler si on ne garde pas de temps pour sa vie privée? Je dirige un journal et suis à la tête du Mouvement des prisonniers de guerre. Je dirige une maison d'édition.

J'ai bien quelques hésitations politiques. J'attends le 14 octobre et d'ici là il faudra savoir où on est.

L'atmosphère est trouble. J'adhérerais bien à la SFIO mais le parti rassemble tant de vieilles cloches!... Les communistes m'embêtent, les autres sont des jean-foutre. Reste l'inconnu. On verra bien! La chaîne est renouée.

Les hésitations continueront. Sur le plan des idées, Mitterrand croit à la division de la société en classes – il y a les pauvres, dont il faut améliorer le sort, et les riches, qu'il faut combattre –, sans épouser pour autant la théorie de la lutte des classes, et aspire à plus de justice. Il ne se rallie aucunement à un parti ni à un corps de doctrine. Grand bricoleur devant l'Éternel, il dresse ironiquement le constat d'un monde politique déjà en proie aux luttes intestines, aux affrontements destructeurs entre factions, et beaucoup trop éloigné des préoccupations et de la vie quotidienne des gens. Alors il tâte le terrain, comme un paysan charentais, et soupèse les possibilités.

3 janvier 1946.

A Georges Dayan.

Je suis éditeur depuis six mois. C'est devenu mon métier. Ma maison fait paraître *Votre beauté*; différentes modes et élégances. Je cherche des romans, des travaux historiques et scientifiques dans la mesure où mes très maigres attributions du papier me le permettent. Ceci constitue mon occupation quotidienne, mon gagne-pain qui, ma foi, mérite d'être considéré quand une salade coûte 22 francs sur le marché d'Auteuil.

Je suis toujours membre du comité directeur de la Fédération nationale des prisonniers de guerre. Je suis à la tête de la tendance majoritaire et le dernier congrès, après des bagarres épiques avec le Parti communiste, a fortement consolidé ma position. Je suis à la direction de *Libre*, quotidien du soir que j'ai créé, avec quelques amis, dans la clandestinité. Moi, débordé de travail, je l'ai quitté pour ne plus figurer qu'au conseil d'administration.

Sur le plan politique, dès la Libération, j'ai participé à de nombreux organismes et comités proches des communistes. J'étais proche d'eux par les buts poursuivis mais, n'étant pas membre du parti et ayant gardé mon indépendance, j'ai dû m'opposer à lui en diverses occasions. Les relations se sont tendues au point qu'aujourd'hui on me qualifie de néo-vichyssois ou de néofasciste.

Ces gens-là son impossibles. Leur résistance est sans limite. Leur obédience stricte ne leur apporte aucune ouverture amicale et humaine. Le dilemme demeure : ou se laisser absorber, ou combattre. Je préfère cette seconde solution.

Malgré tout, je n'ai adhéré à aucun parti.

J'ai failli me présenter aux élections à la Constituante dans le département des Vosges mais j'ai renoncé. Aller au Parti socialiste m'embête. Bagarres prévisibles entre les éléments minoritaires et les réformistes. Vieillesse et carence des cadres. Anarchie des fédérations. Si j'y vais, j'y serai vite mangé, perdu et je n'ai point l'intention d'aller dans un parti comme on entre en religion.

Aller au MRP m'embête aussi. Sa clientèle est très souvent conservatrice. Ses dirigeants sont un peu falots et son allégeance catholique me gêne, moi, catholique, qui ai la naïveté de croire en l'immortalité du christianisme.

Alors je réfléchis. En essayant d'aller vite pour ne pas me laisser doubler par les élections législatives.

Tu penseras que tout cela ressort du calcul et non pas de l'idéal.

Mon idéal est pour l'unité ouvrière et restera fidèle à sa prise du pouvoir. Mais, à l'expérience, les hommes sont de tels chiens qu'on a envie de les fouailler et qu'il est normal de conclure que le premier but à atteindre est à tout prix de se dégager de la vase de la médiocrité, de la sottise dans lesquelles consciences et organismes se débattent avec tant de bonheur.

Ni le temps, ni le silence ne rompront les liens qui font de notre amitié l'une des choses les plus fidèles et durables de notre vie, l'une des choses les plus vraies, plus que tant de choses quotidiennes.

« En politique rien ne change », dit souvent Mitterrand laconiquement. C'est la roue du destin qui fait bégayer l'histoire. La gauche, en cet automne 1994, continue à décliner. Elle a déjà si profondément intériorisé sa propre défaite qu'elle a créé les conditions de son propre échec. Elle persévère à l'accentuer. Elle s'enferme dans l'autoflagellation et récuse l'idée même d'un bilan de conquêtes depuis quatorze ans. « La gauche ne dispose d'aucune chance aujourd'hui », dit Michel Charasse, et les espérances mises par certains en Delors ne sont que des affabulations destinées à masquer le vertige du vide. Vide idéologique, absence de projets, refus d'établissement de priorités, haines fratricides. A l'Élysée, où l'on maintient les liens avec le Parti socialiste dans les secteurs prioritaires – Parlement, éducation, politique étrangère –, on se dit consterné. Même Emmanuelli, aimé et estimé de tous ici, excepté de quelques femmes qui le trouvent terriblement macho, ne parvient pas à redonner souffle de vie et espoir au parti. Mitterrand ne croit pas, mais pas du tout, à la candidature de Delors. Il s'étonne que celui-ci ne vienne pas le consulter. Mais jamais il ne s'abaissera à l'appeler pour discuter de l'avenir de la gauche. Le climat des affaires s'alourdit. Mitterrand se réjouit que la gauche ne soit plus seule à posséder le triste privilège de la mise en examen. Il convoque ses collaborateurs et leur rappelle qu'en septembre 1992 il avait soutenu un projet de loi relatif à la prévention de la corruption qui interdisait toute contribution d'une personne morale au financement des partis. A l'époque, le débat avait fait rage chez les socialistes tout l'été. Mitterrand avait eu l'occasion de dire et de redire à ses proches du Parti socialiste que tant qu'on ne couperait pas le lien ombilical entre parti et entreprise, la politique resterait contaminée par le virus de la corruption. Lors du Conseil des ministres du 8 septembre 1992, devant les résistances de certains de ses ministres, il s'était fortement engagé. Certains se souviennent de ses phrases et de la passion mise à décrire le temps béni où l'on faisait de la politique en parlant dans des préaux d'école, où l'on collait des affichettes sur les vitres des mairies, de ce passé pas si lointain où politique ne signifiait pas corruption.

Ce jour-là il avait donc parlé avec fougue et vivacité pour défendre le projet : « Ma position est tranchée, y compris sur la partie du texte interdisant le financement par les entreprises. Accepter ce mode de financement serait organiser la concussion. Vous craignez d'avoir moins d'argent? Mais vous nourrissez des illusions. On a pris de mauvaises habitudes depuis vingt ans. On se fait des illusions sur l'efficacité des campagnes. N'a-t-on pas assez souffert des faiblesses, des mille et un accommodements depuis des années? Les digues sont rompues, et le torrent passe. Sur qui? Qui se noie? L'occasion nous est fournie. Il faut en finir avec cette affaire! De toute façon, ceux qui sont du côté de l'argent en bénéficieront. Vous, ne sortez pas de votre logique. Est-ce que vous reconnaissez que les campagnes doivent atteindre ce coût? Il faut nettoyer! Et quant aux élus socialistes, leur malheur principal vient de là. Ne le comprennent-ils pas? L'argent, croyez-moi, n'est pas le fer de lance des réussites électorales. Et en plus, maintenant, il y a un financement public. Et puis, si les électeurs le sanctionnent, tant pis pour eux! »

L'interdiction de financer les partis par les entreprises ne put être adoptée lors de la session parlementaire et Pierre Bérégovoy dut s'incliner devant les résistances issues tant de la droite que de la gauche. Deux ans plus tard, les faits donnent raison à Mitterrand, qui explique à ses collaborateurs qu'il ne laissera pas à Edouard Balladur l'avantage d'apparaître en ce moment comme le seul représentant de la morale en politique. Il cherche une occasion d'intervenir, se fait présenter les textes du projet de loi. Mais il refuse, pendant cette période, de sonner l'hallali contre les ministres inculpés, Carignon, Longuet puis Roussin, dont il regrettera personnellement l'éviction – il affirmera apprécier ses qualités professionnelles et sa droiture. Il se contentera de me dire qu'« il fallait que la justice suive son cours... »

Mitterrand est un homme obsédé par le XIXe siècle, qu'il affectionne sur les plans tant littéraire qu'historique. Il a longuement médité les leçons de la révolution de 1848, connaît par cœur les déclarations politiques de Lamartine en février de cette année-là et a examiné attentivement les propositions politico-économique de Louis Blanc, qui luttait déjà pour le droit au travail pour tous garanti par l'État. Il juge la Commune comme un des moments capitaux de notre histoire contemporaine et s'indigne qu'elle ne soit qu'à peine mentionnée dans les livres scolaires... Mitterrand, s'il évoque souvent le Front populaire, ajoute toujours que si la gauche est alors venue au pouvoir, c'est parce qu'elle a profité des divisions de la droite. L'expérience n'a duré qu'un an. La gauche n'a pas eu le temps d'apprendre le pouvoir. Mitterrand reste fidèle à une vision de la politique où l'on se donne physiquement, où l'on tente de convaincre soi-même ses électeurs. Il le faut pour gagner. C'est un combat autant physique qu'idéologique. L'argent pourrit la relation à l'électeur, gangrène l'idée même de politique.

Les juges, en cet automne, font tomber les hommes politiques à un rythme accéléré. La magistrature devient de plus en plus exigeante. Mais derrière cette revendication d'indépendance de la justice, Mitterrand me dit que se cache autre chose : un conflit de pouvoirs, un vrai problème politique entre la magistrature et les pouvoirs publics. Il estime que l'État n'a pas à s'abandonner, à laisser tomber l'action politique : « Je suis garant de l'indépendance de la magistrature. En treize ans, aucun problème ne s'est posé, repète-t-il. Si l'on demande une séparation complète de la justice et de l'État, cela veut dire que l'État ne sert à rien, que le gouvernement ne sert à rien. »

L'état-major élyséen savait qu'il reprendrait l'offensive sur le terrain des affaires mais sans en connaître ni la date ni la circonstance. Surfer sur la crête des vagues, se décider au dernier moment mais après avoir longuement préparé ses munitions, prendre à rebrousse-poil l'adversaire pour mieux l'étonner et le désarmer, telles sont quelques-unes des ficelles du mitterrandisme. Mitterrand créa donc la surprise. Pendant ce mois d'octobre 1994, au moment où une certaine gauche bêtement optimiste pensait que Balladur allait exploser en plein vol à cause des affaires, le Président de la République, répondant au cours d'un Conseil des ministres à une longue intervention du Premier ministre relative aux améliorations qu'il désirait apporter à la législation pour empêcher la corruption en politique, parla avec passion de son propre passé et des expériences qu'il en avait tirées. Un silence absolu se fit. L'un des ministres, toujours le même, qui affectionne, paraît-il, chaque semaine de lire ostensiblement son courrier en face du Président, leva les yeux et écouta pour la première fois. D'autres mémorisèrent avec exactitude ses propros :

« J'ai moi-même dirigé un parti politique. C'était commode de demander au trésorier de se débrouiller... et de ne pas trop savoir puisqu'il n'y avait pas de règles. Le plus grand défaut depuis vingt ou trente ans, c'est ce grand besoin d'argent dans les campagnes électorales. Toutes ces revues sur papier glacé, ces affiches, etc., ça ne sert à rien! J'ai parlé devant beaucoup d'assemblées sous des préaux d'école. Aujourd'hui, cela fait sourire, mais ils étaient gratuits. Qu'il faille améliorer la loi de 1990, j'en suis d'accord. Mais je suis heurté par cette injustice qui se répand et qui crée du désordre dans les esprits, et qui veut qu'actuellement toute personne qui se consacre à l'action publique est supecte, alors qu'il ne s'agit que de quelques cas!

« Il y a une centaine d'années, il y a déjà eu ce débat. La République était peu assurée sur ses bases. On a élu Sadi Carnot, un grand nom de la Révolution, pour cela. Aujourd'hui, les responsables politiques accusés *a priori* se défendent comme ils peuvent. Ils y sont obligés, mais cela donne à leurs plaidoiries un côté trop personnel.

« Presque arrivé au terme de mon mandat, je m'inquiète de tout cela. Il faut être impitoyable en ce qui concerne les manquements personnels et être vigilant, mais il faut aussi que les responsables politiques exercent leurs droits – et n'abandonnez pas vos pouvoirs sur le parquet. Cette mode anti-État affaiblira aussi la démocratie. La magistrature est un corps qui est tenaillé par la jalousie et le manque de moyens. Vous voyez où cela nous conduit... »

Ils étaient contents. Ils avaient chaud au cœur. Surtout les ministres déjà en examen et ceux qui se savaient sur la touche. Ils auraient bien applaudi. Mais ils n'ont pas osé.

Les rumeurs ont recommencé. Elles circulent entre New York, Milan et Paris. Des petits malins en profitent pour créer des mouvements de Bourse! Le secrétaire général de l'Élysée en a parlé avec le président de la COB pour l'avertir de ces nouvelles pratiques. Le Président est au plus mal. Mais le scénario est déjà rodé. Monory va s'installer dans les quinze jours au palais. Le Conseil constitutionnel déclarerait alors la vacance du pouvoir. On court après les rumeurs comme on court après les papillons. Au lieu d'acheter un filet, mieux vaut les laisser s'envoler. TF1 et Reuter se montrent particulièrement coriaces. A force de se voir enterré tous les jours, Mitterrand se sent plutôt en forme et, en attendant la publication de son testament, rit aux éclats quand certains de ses conseillers – ils ne sont pas nombreux à oser le lui avouer – lui racontent que des journalistes leur demandent de plus en plus de documents pour préparer sa « nécro ».

Face à ces tempêtes médiatico-morbides où la qualité du teint du Président détrône le débat sur la gravité des affaires, Mitterrand choisit de ne pas répondre aux propositions de TF1 mais d'apparaître en privé, en petit comité. Il déboule ainsi un jour, en début d'après-midi, dans le bureau de Maurice Benassayag, qui reçoit une délégation de jeunes du MRG. Il leur parlera, à bâtons rompus, de sa jeunesse, des valeurs de gauche, du financement des partis politiques, avant de conclure, devant l'auditoire ébahi par tant de bonhomie : « On cherche à me déstabiliser en exploitant mon état de santé. Ne craignez rien, j'irai jusqu'au bout. »

Jamais, au cours de cette année où je le rencontrerai régulièrement, je ne le verrai plus en colère que ce matin-là. Il reprend les entretiens mais ses proches collaborateurs insistent : il faut le ménager. Il est encore très éprouvé. Son secrétariat particulier dit qu'il va un peu mieux. Sa secrétaire générale adjointe confirme. Mais il reçoit très peu. D'ordinaire, la cérémonie de l'entretien se déroule calmement, courtoisement. Le Président n'a d'ailleurs guère l'habitude de s'emporter même si certains de ses collaborateurs finissent par avouer que, quelquefois, ils se sont fait copieusement réprimander... Ce jour-là, j'ai droit à une de ces colères froides dont ses proches disent qu'il a le secret. Le Président se montre emporté, irascible, il se lève et tourne dans la pièce comme un lion en cage, se rassoit et martèle ses mots en tapant sur son bureau. Il enlève le masque et dévoile en même temps sa douleur, qui se transforme en colère, d'être depuis deux mois traité de pétainiste et considéré comme un traître :

« Je ne m'attendais pas à toutes ces réactions. Il n'y avait rien de honteux à voir Bousquet. Après la Libération on lui a même rendu la Légion d'honneur. Il était à l'époque une vedette du Tout-Paris. Bien sûr, je savais qu'il avait travaillé pour Vichy. Mais je savais aussi qu'il avait été acquitté. Pourtant, en 1949, le climat n'était pas tendre pour ces gens-là... Combien de fois l'ai-je rencontré dans ma vie? Dix à douze fois en trente ans. Ce n'était pas un ami. C'était une relation comme beaucoup d'autres. Son véritable rôle pendant la guerre n'a été dévoilé qu'avec les déclarations de Darquier de Pellepoix. Je trouve horrifiante la rafle du Vel' d'Hiv'. Je savais que cela existait mais les responsabilités individuelles, je ne les connaissais pas. Je ne pensais pas que Bousquet ait pu y être mêlé. Ce n'est qu'en 1978 que j'ai réalisé qu'il avait une responsabilité particulière dans la rafle du Vel' d'Hiv'. »

Mitterrand se lève, tourne en rond, hausse le ton, me prend à témoin de son indignation et m'invective parce que je lui pose la question qui brûle les lèvres de tant de Français : pourquoi n'a-t-il pas trouvé les mots pour juger Bousquet, pour dire son horreur de la rafle du Vel' d'Hiv'?

« Je vous trouve dégueulasses, vous et tous les journalistes. Je ne veux plus avoir de relations avec vous. Je trouve votre attitude honteuse. Je le répète, la rafle du Vel' d'Hiv' fut atroce. Au moment de l'*Exodus,* il n'y eut que deux ministres à protester, Depreux et moi. Ce qui se passe contre moi dépasse la mesure. Il s'agit d'une action honteuse à mon encontre. »

La colère monte encore, ses doigts tambourinent de plus en plus nerveusement sur son bureau. Il oublie son interlocutrice et soliloque :

« Ils veulent aller jusqu'au bout de leur pouvoir. Ils veulent que la République s'excuse par ma bouche. Ils attendent les excuses de la France. Ce serait de la lâcheté de ma part. Jamais je ne le ferai. »

Puis la colère retombe. D'une voix lasse il conclut : « On est toujours affecté par une injustice. Politiquement ce n'est pas grave, mais cela me blesse. Heureusement, il y a les réactions de la population. »

Mais les centaines de lettres qui lui parviennent encore quotidiennement n'arrivent plus à l'apaiser. Tel un venin, le passé de Vichy empoisonne ses nuits et ses jours. Il ne pense plus qu'à cela. Beaucoup trop, estiment ses conseillers, qui aimeraient bien clore ce chapitre et passer à l'offensive politique. Mitterrand est un briseur des légendes dorées. Il allume des incendies dont il sous-estime les conséquences dévastatrices et qu'il n'arrive plus à maîtriser. Après tout, rien ne l'obligeait à répondre aux questions de Péan. Et *a fortiori* à s'y livrer avec cet abandon. Il faut n'y voir aucune rouerie particulière mais le simple désir d'être au clair avec soi-même sans craindre le jugement d'autrui. De son parcours pendant la guerre, Mitterrand est fier quand il le compare à celui de la majorité des Français. Il répète qu'il n'a rien à cacher. Bien au contraire.

Depuis quelques jours, la garde rapprochée du Président reprend son souffle : dans la presse on lui lâche – un peu – les baskets. Il faut dire que l'actualité politique décoiffe : au feuilleton de l'éventuelle démission de Gérard Longuet s'ajoute l'emprisonnement de Carignon. Fidèle à son idée que dès que l'homme politique chute c'est la crédibilité de l'ensemble de la classe politique qui se trouve attaquée, Mitterrand n'enfonce pas le clou. Il n'utilisera pas, comme le feront naïvement certains de ses conseillers, la multiplication des inculpations à droite pour sous-entendre une certaine fragilisation du Premier ministre. Par contre, il en profitera pour resserrer les boulons de la cohabitation. Balladur va peut-être devenir un jour Président. Il n'a pas intérêt, en ce moment, à diminuer l'importance de cette fonction. Alors Mitterrand s'amuse à jouer au professeur. Et ne se prive pas de me dire que cela lui fait plaisir :

« J'ai donné récemment à Balladur non pas une leçon de morale, mais une leçon constitutionnelle. “Monsieur le Premier ministre, lui ai-je dit, il faut garder à tout moment le respect des règles qui nous lient. Vous vous êtes, il y a peu de temps, laissé porter par votre succès [1]. Il n'y a pas que moi qui puisse vous le dire.” Il était là devant moi. Il n'a rien dit. Après les négociations du GATT, il est aussi devenu triomphant. Il a fait une déclaration à l'Assemblée où il était seul à s'en attribuer le succès. Dans un de nos tête-à-tête, je lui ai dit ce que j'en pensais. »

Mitterrand n'attaque pas, il lance des piques. Quand le décret qui ne permet plus au pouvoir exécutif de nommer, au tour extérieur, des personnes étrangères au corps des conseillers référendaires à la Cour des comptes, il lança, au cours du Conseil des ministres, un avertissement solennel à Balladur : « Au nom de quoi fait-on aujourd'hui juger les corps eux-mêmes de ces nominations ? Il s'agit bel et bien d'une déperdition de l'État. Je n'en fais pas une affaire, mais personnellement je n'aurais pas soutenu cette mesure. Depuis que j'assiste au Conseil des ministres, j'ai vu les corporatismes avancer ce genre de revendication. C'est au gouvernement de gouverner, monsieur le Premier ministre, je livre cela à vos

1. Au tout début de l'automne, quand le Premier ministre, notamment dans *Le Figaro*, parlait de défense en son nom, et de « politique étrangère de la honte ».

réflexions. » Cela jeta, me dit un des ministres, un certain froid dans l'assistance.

Mitterrand sait souffler le chaud et le froid. Il se gardera de porter l'estocade à Carignon. Après son arrestation il me dira : « Carignon me fait un peu pitié. Nous sommes dans une époque de barbarie. Peut-être est-il coupable? Je n'en sais rien, mais avait-on besoin de le mettre en prison alors qu'on savait pertinemment qu'il ne s'enfuirait pas? On humilie trop les gens. Cela me choque. »

Le Premier ministre saura apprécier le silence officiel de Mitterrand sur l'arrestation d'un ministre important de son gouvernement. Cependant il n'appréciera pas, et c'est peu dire, le choix par le Président de la ville de Foix pour le huitième sommet franco-espagnol. Edouard Balladur ne s'est guère trompé sur les intentions malignes du Président. A son arrivée, le Premier ministre, en effet, a été accueilli par des slogans violemment antigouvernementaux assortis de jets de tomates. Mitterrand a feint de se sentir choqué. Foix est une ville socialiste qui a bien besoin d'un petit coup de pouce avant les prochaines municipales. Foix n'a pas d'hôtel assez convenable pour loger le Premier ministre, a fait savoir d'un air pincé le chef de cabinet de Balladur au chef de cabinet de Mitterrand. Vous comprendrez donc, a-t-il ajouté, que le Premier ministre ne pourra assister à la conférence de presse et qu'il s'envolera tout de suite pour Paris. Message reçu. Mitterrand profitera de son absence pour se lancer devant un parterre de journalistes internationaux dans une de ces improvisations qu'il affectionne. Mêlant son expérience de prisonnier sous l'Occupation à son vécu de chef d'État, il se livre à haute voix à une réflexion historique sur la gauche au pouvoir. Il remet les choses en perspective, quitte à paraître prosaïque et à en décevoir plus d'un : gouverner, c'est gérer le réel et non imaginer une société idéaliste. La politique, c'est le pain quotidien au risque de la désillusion spirituelle.

Feintes, fausses alliances, les escarmouches se multiplient à droite. Les malheurs du gouvernement Balladur ne profitent pas à Chirac. Maurice, le penseur politique de l'Élysée, estime que Séguin va se présenter. A gauche on se requinque. Mitterrand invite souvent Emmanuelli à déjeuner. Delors monte dans les sondages. Pierre Bergé fulmine et me dit que Delors va se « rocardiser » – autant dire se diaboliser. Face à tous ces problèmes, Mitterrand va se représenter, me dit-il. Certes, il joue de nouveau au golf pour la première fois et mange des langoustines mais enfin... On sent tout de même, au premier étage de l'Élysée, un petit vent frais requinquer la garde rapprochée. Delors commence à inquiéter Matignon, dit-on. Il n'y a que le Président pour hausser les épaules de manière un peu hautaine quand on commente la hausse de popularité du président de la Commission européenne. « Delors ne se présentera jamais », répète-t-il à des conseillers qui font semblant de l'écouter mais ne veulent pas l'entendre. Il retourne alors à son obsession, celle de la photo de la manifestation fasciste quand il était étudiant. Vraiment, il ne s'en souvient pas. D'ailleurs n'y a-t-il pas au fond une pliure qui expliquerait? Photo-montage? Le directeur de cabinet piétine. Mitterrand s'impatiente.

NOVEMBRE

C'était autrefois un crime de lèse-majesté que de s'enquérir du successeur du Roi. On habitait le pouvoir, le pouvoir vous habitait et aucun sujet ne pouvait vous disputer cet attribut. Mais les Rois, eux aussi, sont mortels et les hommes sont faillibles. On raconte que quelques mois avant sa mort, François Ier, déjà très malade, fut abandonné des siens, qui désertèrent le château de Fontainebleau pour aller faire acte d'allégeance auprès du Dauphin, le futur Henri II. « L'on vit presque toute la cour quitter ce soleil en son couchant afin de courir au-devant du soleil levant, je veux dire vers le Dauphin Henri. Lequel ne se tenait guère alors près de son père, mais que la jalousie de la succession faisait éloigner de la cour. » Cela se sut à Fontainebleau. François Ier en prit ombrage. Cette façon de le faire disparaître prématurément pour occuper sa fonction plus rapidement lui redonna des forces. Il alla mieux. Il tint à porter lui-même le dais du Saint Sacrement le jour de la Fête-Dieu. A ses conseillers restés fidèles il murmura : « Je leur ferai encore une fois peur avant que mourir [1]. »

Mitterrand en a assez qu'on l'enterre prématurément. Sa disparition programmée quasi quotidiennement lui donnerait plutôt de l'appétit. Non pas qu'il ne veuille pas affronter la maladie : il vient enfin de

1. Yves-Marie Bercé, *Le Roi caché – Sauveurs et imposteurs – Mythes politiques et populaires dans l'Europe moderne*, Fayard, 1989.

renoncer à un traitement hasardeux administré par un médecin ami d'une dame qui... traitement jugé dangereux par le professeur, le médecin militaire et le médecin personnel mais auquel il continua à se soumettre pendant plusieurs mois malgré les souffrances brutales, vertigineuses, qu'il eut alors à supporter. Mitterrand a accepté d'être un cobaye, au grand désespoir des spécialistes. Il ne déteste pas cette idée de jeu avec la vie, de prise de risque avec lui-même, d'instrumentalisation de son propre corps. Chez lui il y a encore cette idée du sait-on jamais... Il est toujours permis d'espérer à celui qui ose sortir des chemins balisés. Il expérimente donc des manières peu orthodoxes de lutter contre la maladie. On a frôlé la catastrophe, disent, en chœur, deux femmes proches de lui, Laurence Soudet et Anne Lauvergeon.

Mitterrand tente. En politique comme dans sa vie, c'est un joueur. Tant qu'il reste des cartes, il faut continuer à jouer. Lors d'un entretien qu'il m'accorda ce mois-là, au moment où je sentais qu'il fallait m'en aller, il me retint. Quittant le terrain de la politique et du commentaire sur l'actualité, il me dit : « J'avais un ami qui m'avait succédé à la présidence du conseil général de la Nièvre. Il était médecin et ne pouvait pas se mentir. Un jour il est venu me dire qu'il avait un cancer et qu'il ne pourrait pas s'en sortir. J'allais le voir régulièrement à l'hôpital. Il maigrissait, allait de plus en plus mal. Un jour il me dit : “ Je vais mieux, je vais m'en sortir. ” Je ne disais rien mais je sentais la mort approcher. Il est mort quelques jours plus tard. Vous savez, en tout homme, tant qu'il y a une étincelle de vie, on s'accroche... »

Le Président parle de sa vieillesse depuis longtemps. A chaque âge ses plaisirs. Dès 1965, il évoquait auprès de ses collaborateurs les splendeurs de l'automne. La maladie a perturbé la sérénité qu'il comptait puiser dans la force du temps. La maladie l'agace, l'humilie. Alors il se plaint. Rien ne va. Il se plaint de ses collaborateurs actuels, qu'il traite aussi mal que ses médecins, de ses collaborateurs d'antan, comme François Stasse, qui vient de lui envoyer son livre sur Mendès France et lui. Furieux de l'éternelle comparaison entre la pureté de Mendès et le pragmatisme de sa gestion du pouvoir, il ferme le volume en maugréant : « Tous des traîtres. » Il dit qu'on ourdit des complots contre lui, qu'on ne lui rend pas justice, qu'on s'acharne sur sa personne. Il se plaint beaucoup du chef du protocole qui ne sait pas veiller aux détails de sa vie officielle. François Mitterrand a toujours été, depuis 1981, soucieux d'observer minutieusement les règles protocolaires mais, en ce moment, il ne tolère aucune entorse, fût-elle minime. Il peste contre son cuisinier, qui n'est plus à la hauteur, contre ses médecins, tous des imbéciles, contre la pluie qui tombe, contre le chien bruyant et turbulent de sa secrétaire particulière.

Ceux qui l'aiment comprennent sa douleur et l'appellent affectueusement « Tatie Danielle », du nom de l'héroïne du film qui s'irrite en permanence de tout et de rien. « On ne tiendra pas six mois, je ne dors plus la nuit », avoue Jean-François, le chef du service de presse, devant la nouvelle vague de rumeurs morbides alimentée par l'extrême fatigue du Président au cours du dernier Conseil des ministres, auquel il décida finalement d'assister après avoir demandé qu'il soit allégé. Le système pour l'acculer à partir fonctionne désormais sans limite. Mais cet homme vilipendé à longueur de colonnes dans les journaux continue à se promener tranquillement dans les sondages entre 41 et 45 %, note ironiquement l'Élysée.

Mitterrand à satiété. Mitterrand overdose. Mitterrand fond de tiroir. Le déballage est pourtant loin d'être terminé. L' « affaire » *Paris Match* vient, à point nommé, réamorcer la pompe de l'acharnement. Le Roi est nu, vive le Roi ! Du temps de la monarchie, le Roi se donnait en spectacle de la naissance jusqu'à la mort. Cette publicité pour la personne des Rois de France était à l'origine une condition du pouvoir, la garantie de l'authenticité et de la légitimité du Prince. Elle devenait un instrument prestigieux de gouvernement, le moyen de la permanence de sa justice, rappelle l'historien Yves-Marie Bercé [1]. Cacher une partie de son existence au peuple français relèverait-il du crime de lèse-majesté ? La question semble légitime tant fut grand le bruit occasionné par le dévoilement d'un pan de sa vie privée.

Anne, jeudi en début d'après-midi, lui tendit la couverture de *Paris Match* où figurait la photographie de Mazarine. La garde rapprochée du Président avait évoqué avec sérénité l'existence de ces photographies. Un des directeurs de *Paris Match* avait en effet, trois semaines auparavant, contacté le Président pour l'en informer et connaître son opinion en cas de publication : « Je suis au-dessus de cela », avait-il d'abord répondu à ses collaborateurs. Puis il avait hésité, s'était ravisé et avait alors demandé de consulter Roland Dumas, qui s'était enquis de la réaction de la mère de Mazarine, de Mazarine elle-même et de son père. Tous trois conclurent négativement. La décision du Président fut très clairement signifiée à l'hebdomadaire. Le refus de publier n'étonna guère la direction du journal, qui s'engagea donc solennellement à garder dans son coffre-fort lesdites révélations.

Mitterrand joue sur le fil du rasoir. Toujours. « Il ne manque pas de sang-froid », dit Pierre Bergé, qui découvre non pas l'existence mais le visage de Mazarine. Il renforce ainsi indéniablement son rôle de monarque. A l'intérieur de l'Élysée la nouvelle n'est guère commentée. L'écrasante majorité des collabora-

---

1. *Le Roi caché, op. cit.*

teurs du Président ignorait l'existence même de Mazarine, qui ne vient jamais voir son père au palais et qui en a franchi très récemment la grille pour la première fois afin d'assister au dîner officiel en l'honneur de l'Empereur du Japon. Jean-Louis Bianco, qui fut pendant sept ans son secrétaire général et son collaborateur le plus proche durant les années mouvementées, n'était pas censé savoir mais avait été intrigué par les questions saugrenues que lui posait invariablement avant Noël le Président sur les bonnes adresses de maisons de jouets. Les jouets, encore les jouets. Mitterrand était-il un collectionneur de jouets d'enfant? Cette passion étrange intriguait certains amis. Ainsi André Rousselet, au retour d'une partie de golf dans les Landes, il y a bien longtemps, bien avant que François Mitterrand ne soit Président, avait été intrigué par la présence de jouets à l'arrière de sa voiture. Il le questionna. Mitterrand resta évasif. Quelques jours plus tard, ce dernier lui présentait une jolie petite fille.

Au palais, le lendemain de la publication, il n'y a guère que le conseiller au Affaires sociales, vertueux devant l'Éternel et pratiquant, qui ose s'indigner de la nouvelle. Il vient en effet d'adresser au secrétaire général une note circonstanciée expliquant qu'il faut démentir de toute urgence ces nouvelles rumeurs destinées à discréditer le Président et préparer un communiqué pour l'AFP. Les autres collaborateurs du Président restent plus prudents, ne doutent pas un seul instant de la véracité de la nouvelle et trouvent le comportement de leur patron... plutôt romanesque et sympathique. Les frasques du monarque imposent donc plutôt le respect à l'intérieur de l'Élysée. Chez Mitterrand, la voix de l'inconscient devient de plus en plus audible. Comme s'il en avait assez de sa part d'ombre. Alors il ne dévoile pas, mais il ne cache plus. Il donne l'impression à ses proches de vouloir délivrer tout son personnage et de mettre en lumière les facettes qu'il a occultées.

Les jours suivants, le Président a tellement entendu : « Oh, qu'elle est jolie, votre fille ! », « Vous ne trouvez pas qu'elle a un petit côté Adjani ? », que le papa en lui s'en est attendri. On n'est plus au temps béni où, comme le dit Laurence Soudet, on pouvait arrêter une affaire : « A l'époque, on tenait beaucoup de choses en main : quand Jean-Edern Hallier avait voulu publier son livre parlant de Mazarine (qui était alors mineure), il ne se serait trouvé aucun éditeur. »

Une fois les photographies parues, le Président n'a pas souhaité, fidèle à la promesse qu'il avait faite en 1981 de ne jamais poursuivre la presse, intenter un procès. Mais l'hebdomadaire ayant savamment laissé planer le doute sur son accord pour la publication, il s'est fâché tout rouge, a convoqué son secrétaire général et son chef du service de presse pour leur intimer l'ordre de faire savoir la vérité. « Ce sont des voyous, je veux qu'ils sachent où est leur devoir. » L'Élysée a donc rédigé des communiqués. Cela n'a pas empêché l'hebdomadaire de continuer à laisser penser le contraire à ses lecteurs et de publier de nouveau les photographies la semaine suivante...

A l'Élysée, la cellule africaine et les deux conseillers diplomatiques préparent fiévreusement le sommet de Biarritz. Le porte-parole s'attend à un hommage des chefs d'État pour Mitterrand l'Africain. Mais un livre de Pascal Krop sème la zizanie. L'Élysée se sent de nouveau en position d'accusé et prépare des munitions sur la politique africaine. Deux documents internes sont rédigés au 2, rue de l'Élysée. Jour et nuit on travaille à rassembler des chiffres, à dégager des perspectives qui innocenteraient Mitterrand. Pendant que les intellos de l'Élysée planchent pour argumenter, les services du protocole font des repérages dans le grand hôtel de Biarritz sous un temps brumeux. Leur problème n'est pas mince : il s'agit de trouver LA chambre idéale pour le Président, c'est-à-dire celle qui ne l'obligera pas à rencontrer, sur le parcours qui mène à la salle des conférences, des chefs d'État à qui il n'a pas envie de serrer la main... notamment Mobutu.

Le Président subit encore une fois une grande crise de fatigue. L'Afrique a beau lui tenir au cœur et au corps, la cause n'arrive pas à effacer son accablement. Le matin même du début du sommet, à Latche, où il se repose et d'où il s'envolera pour Biarritz, il confie à son conseiller de politique africaine venu le chercher : « Je me demande ce que je vais faire à ce sommet. Je devrais être hospitalisé. Ma place n'est pas là-bas mais à l'hôpital. » Il monte quand même dans l'avion. A peine arrivé à Biarritz, il confiera au maire de la ville – dont il dit : « C'est un adversaire politique mais c'est un homme bien » – son immense fatigue et ses douleurs. Il prononcera tout de même son discours – neuf pages dactylographiées! – et quittera la tribune en s'appuyant un peu lourdement sur le bras de Bongo. Il n'en faudra pas plus pour déclencher la nouvelle du grave malaise. Un photographe prendra un cliché montrant le Président défait. De Paris, les agences demanderont confirmation de l'hospitalisation du Président. La conférence de presse avec Bongo et Compaoré n'y changera rien : le Président, pour une certaine presse, est de nouveau à l'agonie.

Les rumeurs sur la santé de Mitterrand vont alors se mêler à celles concernant la dissolution de l'Assemblée nationale. L'affaire Roussin éclate pendant le sommet. Le Premier ministre est obligé de quitter discrètement à plusieurs reprises la tribune. Les détails du remplacement sont réglés pendant le week-end du 11 novembre, entre Hubert Védrine et Matignon. Le Président répète plusieurs fois à ses collaborateurs qu'il regrette personnellement le départ de Roussin, ajoutant : « On aura du mal à retrouver un type aussi bien », et il lui a ostensiblement serré la main longuement au cours du sommet. Mais le Premier ministre semble déstabilisé, observent les conseillers de l'Élysée. Le départ du troisième ministre de son gouvernement va-t-il susciter une réaction importante du Président? L'arme de la dissolution va-t-elle être brandie? Les socialistes en rêvent, les chiraquiens l'espèrent. Fidèle à sa tactique de ne jamais être là où on l'attend, Mitterrand n'utilisera pas cette période délicate pour son Premier ministre : « La survie du gouvernement n'est pas en cause. Ce qui se passe ne traduit pas l'effondrement politique du Premier ministre mais l'action des juges », confiera-t-il à Hubert Védrine, qu'il enverra comme émissaire à Matignon pour calmer les inquiétudes d'Edouard Balladur. « Le Président ne se place pas dans cette logique », dira le secrétaire général au Premier ministre, qui comprendra immédiatement.

Mitterrand pense qu'il est trop tôt pour ouvrir les hostilités et considère que le Premier ministre conserve un poids considérable dans le pays. Il note avec plaisir son propre redressement dans les sondages. Il affecte de ne pas y accorder la moindre importance, mais quand ils sont bons, il les commente de manière gourmande avec ses collaborateurs. Il considère que s'il se maintient dans l'opinion publique, c'est parce qu'il ne joue pas avec les institutions et qu'il laisse le gouvernement gouverner.

En ce mois de novembre au temps somptueux, François Mitterrand profite dès qu'il le peut d'une fin d'automne rougeoyante dans les Landes. Il lit beaucoup (surtout des textes du XIXe siècle), marche autant que possible et récupère.

Calme et sérénité. Le grand frisson, ce n'est pas pour lui. Loin des turbulences médiatico-politiques qui peuvent laisser croire à un nouvel espoir pour la gauche en mai 1995, Mitterrand réfléchit déjà à sa sortie. A l'Élysée, la cellule politique s'agite, les réunions se multiplient avec les socialistes. Le moral n'est plus en berne, le climat virerait presque à l'euphorie. Le narcissisme des conseillers est de nouveau flatté : les appels et sollicitations des quémandeurs de toute sorte recommencent à affluer. Au palais, on respire mieux et on a de nouveau l'impression d'exister. Merci, Delors. Ce dernier n'a rien dit, mais c'est justement parce qu'il n'a rien dit que tous les espoirs sont permis. Les conseillers du Président se transforment en amoureux transis : toujours en attente d'un signe, en émoi, fragiles et agressifs. Delors n'a toujours rien dit. Et alors? Comme me le résume sobrement l'expert ès courants de Mitterrand : si Delors n'a pas fait savoir qu'il n'ira pas, cela veut dire qu'il ira.

Au mess de l'Élysée – nappes blanches, vaisselle aux armes de la République, tableaux de Jean-Charles Blais aux murs –, où ne peuvent déjeuner que les « personnalités » (entendez les conseillers du Président et les militaires gradés), il y a une table ronde où celles et ceux qui n'ont pas d'invités ce jour-là viennent deviser. Là se colportent les derniers cancans. Là s'échangent les informations sur les cabinets ministériels. Là s'allument les mèches des rumeurs politiques et se confortent des certitudes. Entre un assortiment de crudités (insipide) et le couscous (spécialité de la maison), on ne parle depuis deux semaines que de Jacques Delors – Delors la chance, Delors l'espoir, Delors l'avenir. Mais si, Delors est totalement sorti du bois. D'ailleurs ne s'apprête-t-il pas à publier un livre politique? Pensez donc... Jacques est bien trop honnête pour laisser ainsi fantasmer les Français. Mais si, c'est sûr, il ira.

Rue du Faubourg-Saint-Honoré, l'énergie est revenue. L'Élysée est un organisme vivant, une mécanique fragile qui réagit très vite sentimentalement. Dans une maison ordonnée autour et par le désir du Président, la plus petite baisse de baromètre de sa cote de popularité peut donner lieu à des états d'âme et le plus petit souffle d'espoir requinquer ses collaborateurs. L'état-major politique rosit donc de joie et retrousse les manches. Le secrétaire général m'avoue qu'il se mettra à la disposition du candidat si le Président en accepte l'idée. Des idées, il en a. Maurice Benassayag, quant à lui, fait le mystérieux. Il ferme la porte de son bureau, débranche le téléphone et me dit : « Delors a un manque à gagner dans les associations laïques et dans la franc-maçonnerie. Je prends les contacts nécessaires et je m'en occupe. » Le conseiller aux affaires sociales, ancien collaborateur de Delors dès 1974, devenu son ami proche, accumule méticuleusement des propositions concrètes de lutte contre le chômage des jeunes pour le futur Président.

Delors parle, parle, mais ne se découvre toujours pas. Mitterrand se tait, mais n'en pense pas moins. Delors lui a dit qu'il n'irait pas. Mitterrand est le seul à le croire. Il comprend alors que la candidature Delors est un leurre, un chiffon rouge agité par certains socialistes aveuglés par l'espoir et assoiffés de pouvoir. Ils font temporairement semblant d'oublier leurs haines, seul ciment entre eux. Il sait, par contre, depuis dix jours que Balladur va se présenter. Le Premier ministre lui en a parlé au cours d'un de ses tête-à-tête du mercredi avant le Conseil. Il lui a demandé l'autorisation de s'exprimer de nouveau sur la politique étrangère. Courtois, très courtois, comme d'habitude, a remarqué le Président. « Il m'a dit qu'il avait besoin d'espace pour le futur. J'ai parfaitement compris », a-t-il commenté en souriant malicieusement.

Le Président continue à s'échapper, dès qu'il le peut, à Latche. Il s'y repose mais il reçoit aussi. Il vient d'inviter Emmanuelli, qui lui propose de se rendre au congrès du Parti socialiste à Liévin. Mitterrand en meurt d'envie. Faire un beau discours social et recevoir l'hommage des congressistes ne serait pas pour lui déplaire. Il hésite, puis accepte. La rumeur de sa prochaine démission en vue de favoriser Delors le fera changer d'avis. Il ne dira pas non, tout en ne disant pas oui. Il veut rester dans sa fonction de Président tout en n'abdiquant pas ses idées. C'est lui qui trouvera l'« astuce » d'aller dans les terres du socialisme sans se mêler des affaires du congrès. Il déteste l'idée, pourtant si répandue, qu'on puisse penser de lui : après moi, le chaos. Il aimerait bien que le socialisme – une forme de socialisme – puisse lui perdurer même s'il n'y croit plus. Alors il donne des signes, accomplit des rites, organise sa cérémonie d'adieux.

François Mitterrand a des hauts et des bas. Il a des pics de fatigue, douloureux, difficiles à surmonter. Il continue à se rebeller contre ses médecins et les méthodes traditionnelles de traitement. Il n'éprouve aucun mépris pour les pratiques dites parallèles. Il offre son corps à ceux qui peuvent le sauver. Au grand dam des spécialistes qui n'en peuvent mais, François Mitterrand souffre tellement par moments que son emploi du temps en est parfois bousculé.

Ses conseillers lui interdisent tout déplacement. Lui n'en a cure. Il dit oui jusqu'au dernier moment et voit comment il se sent. Ainsi de sa visite à Blois – inaugurer un pont pour faire plaisir à Jack Lang. Les conseillers s'arrachent les cheveux, les médecins lui enjoignent de ne pas y aller. Ce sera oui, puis non, finalement oui. Dans l'hélico qui le transporte – brouillard, humidité poisseuse, sifflement aigu dans les oreilles pendant une heure et demie –, le Président ne va pas bien et il le dit. Il est blême, son corps est cassé, son visage crispé par la douleur. Le docteur Kalfon sort de sa sacoche des médicaments. Il refuse. Il demande à manger. Il ne peut pas avaler. Anne et moi, à l'avant de la cabine, en face de lui, baissons les yeux. La douleur impose le respect. On aimerait bien lui venir en aide, lui parler.

On n'ose pas. On a tort. Un Président n'est plus tout à fait un homme. On ne supporte pas qu'il ait mal. Dans ce petit espace où nous sommes emprisonnés, dans le vacarme assourdissant de la machine, au-dessus des terres grasses enveloppées de brume, personne ne vient au secours de François Mitterrand abîmé dans la solitude extrême que crée la grande souffrance. Nous avons tort. Mais qui oserait avoir l'outrecuidance de consoler un Président?

Et la vie a continué. L'hélico posé, le dispositif de la visite officielle s'est mis à ronronner : ruban à couper, petites filles à embrasser, dames déguisées à écouter. Le vent était fort, le fleuve charriait de la boue, le crachin persistait. Le médecin observait anxieusement son patient. Blême mais debout. « Vas-y, Mimi! » a crié une vieille dame accrochée à une barrière. Il a fendu la foule pour l'embrasser. Hourras. Applaudissements. C'était reparti : notre Président rosissait à vue d'œil. Le discours, qui devait durer cinq minutes, en durera quarante et fut improvisé. D'un ton bourru le médecin lui fit remarquer qu'il avait dépassé les limites. « C'est le plus beau compliment que vous puissiez me faire », lui a-t-il répondu.

Ainsi vont les jours du Président. En l'attente du retour de ses forces. Sur l'agenda officiel, pas grand-chose. Mais des désirs plein la tête, avec la fatigue comme obstacle. La fatigue comme une ennemie qu'il faut savoir estimer pour pouvoir mieux la vaincre. Le Président l'a vaincue ce matin-là en se rendant au dernier moment sur l'insistance de Michel Charasse au congrès de l'Association des maires de France. Beaucoup étaient désespérés et hésitaient à se présenter aux prochaines élections tant le discrédit qui affecte la classe politique en son entier les perturbait. Il est plus facile d'être à Paris abrité derrière les épais murs du palais que d'être en contact permanent avec des citoyens en colère.

« Je viens de la même terre que vous, j'ai vécu les mêmes choses que vous, partagé les mêmes expériences. Je suis comme vous même si je suis encore un peu Président. » C'était la première fois qu'un Président de la République en exercice se rendait devant cette assemblée de maires républicains et légitimistes. Il leur a parlé sur le ton de la confidence badine, en glissant, mine de rien, quelques vacheries sur le gouvernement actuel. A la fin, Chirac a murmuré à l'oreille de Charasse : « Chapeau, l'artiste! Moi, je ne sais pas faire ce genre de choses, hélas... » Mitterrand en a profité pour développer l'historique du rôle du Président et pour lancer un avertissement : « La France est un pays à part aujourd'hui et le jour où vous élirez un nouveau Président de la République, il ne faudra pas simplement vous occuper des textes qu'il vous proposera, il faudra regarder un petit peu ce que vous pensez, non seulement de ses textes mais de lui. » D'amour il a parlé, entre les Français et le Président. De la nécessité de l'amour, du lien affectif qui doit les unir. Il faut que le chef de l'État aime les Français et il faut que les Français sentent qu'il les aime. Tout le reste n'est que littérature. Le grand monarque, le Roi des derniers jours qu'évoquent les prophètes ne se serait pas exprimé autrement. Cette idée du lien sentimental qui rattache le Président à ses électeurs comme autrefois le Prince à ses sujets appartient à la généalogie de la légitimité. Hier c'était le sang, maintenant c'est l'amour qui devient le garant de la pureté de la relation.

La fonction sacrificielle du pouvoir existe encore de nos jours. Mitterrand la connaît et continue de l'endosser pour quelque temps. Il aimerait bien que son successeur fasse de même.

Le Premier ministre occupe le champ médiatique. Entre ciel et terre, rien ne lui échappe. Il parle aux cosmonautes et lance la course du Rhum. Dédaignant le firmament, loin du rugissement des océans, le Président se demande plus prosaïquement comment honorer le socialisme en se déplaçant à Liévin, tout en demeurant au-dessus des querelles du parti. Védrine et Charasse l'en dissuadent, Benassayag l'y encourage. En fait, il organisera tout seul son voyage, directement avec Emmanuelli, sans prévenir son entourage. C'est dur quelquefois de travailler avec le Président. Il est imprévisible jusqu'au dernier moment, secret jusqu'à la maniaquerie, colérique jusqu'à l'injustice. Ne vient-il pas, de retour du sommet franco-britannique de Chartres, de reprocher au chef du protocole... le mauvais temps qui causa le retard de John Major ? Le Président devient de plus en plus irascible. Il se replie sur lui-même, pardonne de moins en moins, critique avec véhémence son entourage. Personne, il ne veut plus de personne, excepté d'Anne Lauvergeon, confidente de jour, et de Michel Charasse, auditeur de nuit. Il décidera la veille au soir de partir en train pour Liévin et n'acceptera que la présence de Maurice Benassayag. Beaucoup de ses collaborateurs s'y rendront tout de même. La consigne du secrétariat général sera de se disperser et de se fondre dans la foule.

Dans le train, il peste contre ses collaborateurs qui lui écrivent tant de mémos sur des choses qu'il sait déjà... D'un air las, il les parcourt tout de même en les annotant de son mélancolique « vu »... A la gare d'Arras, son humeur s'éclaircit. Mitterrand recharge ses batteries au contact de la foule. Devant la stèle, des mineurs casqués patientent déjà depuis longtemps. Ciel gris et bas. Attente sourde, atmosphère grave. Mitterrand n'a pas eu besoin de relire Zola. Il se souvient de la catastrophe de Liévin. On venait de fêter Noël en famille. A la reprise du travail, vers six heures, l'explosion se produisit et causa la mort de quarante-deux mineurs. Mitterrand raconte, Mitterrand se rappelle,

Mitterrand célèbre l'histoire ouvrière, avec son cortège de martyres, de révoltes et de douleurs. Lui que des esprits acides disent être plus proche de Barrès que de Jaurès excelle dans cette évocation du combat de la classe ouvrière. Devant le dais dressé face à la stèle il retrouve des accents de tribun, convoque les morts – « Si ces disparus pouvaient parler, ils nous diraient » – et appelle à la solidarité, puis à la justice. L'assistance est très émue. Des hommes baissent la tête et pleurent. Mitterrand continue de parler. Lui-même semble touché. *Marseillaise*. Pleurs. Embrassades.

Dans la salle des fêtes de l'hôtel de ville, les socialistes de la fédération du Pas-de-Calais patientent. A l'extérieur, beaucoup de monde. Un haut-parleur grésille. Il pleut toujours, une pluie fine, tenace. Mitterrand parle d'éternité, de ressourcement. Car le socialisme est aussi une croyance. Il voudrait bien aller à l'essentiel – l'unité dans le combat, la victoire pour des idées –, mais il est obligé de démêler l'écheveau des courants, de rappeler les clivages dans ce qui fut son propre parti. La vie, comme le combat politique, est faite de méandres, de flux et de reflux. C'est son mouvement même. Il parle à leur cœur et, par la force de l'émotion qu'il suscite, parvient à se dégager de la perversité de la rhétorique politique où il s'était empêtré : être là comme socialiste, au congrès du Parti socialiste, tout en n'étant pas là en tant que Président de la République, soutenir Emmanuelli sans fâcher les autres, préparer déjà sa candidature. Dans sa petite maison, Jean-Pierre Kucheida a mis les petits plats dans les grands afin d'accueillir Mitterrand. Partout sur les murs, des photographies de mineurs. Mme Kucheida a mis son plus beau chemisier pour servir l'apéritif à Fabius, Mauroy, Jospin, Poperen, Percheron. Cresson et Rocard se sont fait excuser. Le repas a duré longtemps. Mitterrand a beaucoup parlé. Il a raconté le congrès d'Épinay et a rappelé malicieusement qu'aucun des convives, à l'exception de Pierre Mauroy, n'avait alors voté pour lui. Il a formulé une critique sur le parti, qui, depuis 1981, n'a pas su se démarquer du gouvernement. A la deuxième pause-café, Mitterrand a dit tout d'un coup : « Je trouve que l'automne a une odeur particulière cette année. » Ils ont tous baissé la tête. Dans le silence on a entendu Poperen qui n'a pas pu refréner un sanglot.

Les jeunes socialistes, deux kilomètres plus loin, sautent comme des cabris en scandant le nom de Delors. On attend Godot. Les sondages montent. On le transforme bien vite en messie. Jeu du chat et de la souris. Delors attend que Mitterrand lui parle. Mitterrand attend que Delors prenne rendez-vous. Ça peut durer longtemps. Y aller par devoir : le mot a déplu au Président.

Vieux, il est vieux, et il déteste cette idée. A la cérémonie des décorations, il a dit à un monsieur âgé : « Vous êtes mon aîné, ce qui veut dire que vous n'êtes pas né d'hier », avant de s'embarquer dans un discours vilipendant les méfaits de l'âge. « La vieillesse n'interdit ni l'indignation, ni la véhémence, mais tout de même il y a des limites... » me dit-il, abasourdi par les derniers propos de l'abbé Pierre. Il en reste coi. Interloqué. Et ajoute : « Je serai mort bientôt. Il est encore plus vieux que moi, c'est dire. Je l'ai connu quand il était député MRP. Le rôle d'un prêtre n'est pas d'appeler à bombarder une population [1]. »

Mitterrand se sent vieux. Alors il a envie de choisir. Il a trop blanchi sous le harnais des rencontres diplomatiques répétées, répétitives jusqu'à l'ennui. « Ce Bulgare. Pourquoi je reçois encore le Président bulgare? a-t-il demandé d'un ton irrité à son conseiller diplomatique. Je l'ai déjà vu au moins à six reprises. Que vais-je

---

1. Allusion aux déclarations de l'abbé Pierre lors de l'encerclement de Sarajevo.

pouvoir lui dire? » Mais il est trop tard. La machine est lancée. Entretien, dîner officiel, toast avec allocution : Balkans, Europe, la litanie du moulin à prières pour la paix en Europe sera énoncée d'une voix ferme, debout, après le champagne millésimé et avant le flan aux écrevisses. « Je lève mon verre à votre santé. »

Vieux, il faut se résigner aux problèmes de santé. Justement, ces jours-ci il pense un peu moins à la mort : « On me donnerait quelques années de survie, je les prendrais tout de suite. Les médecins feront ce qu'ils pourront. La vie est attachée au cœur de l'homme, je crois que je saurai quand ce sera l'échéance. » Mitterrand a toujours préparé ses coups à l'avance et médité soigneusement ses sauts dans le vide. Cette fois-ci la maladie l'a pris au collet. Il ne sait plus comment faire. Ce n'est plus tant le passage de la vie à la mort qui l'inquiète que ce qu'il y a au-delà. Qu'existe-t-il après et comment peut-on s'y préparer? Il ne veut pas être seul face à lui-même et parle, avec très peu de proches, de tout et de rien. Vieux, certes, dans son corps mais pas dans sa tête. Il ne comprend pas pourquoi cela lui arrive et s'élève contre cette injustice. Pourquoi moi, qui ai appris à si bien vivre et à jouir de l'existence, devrais-je disparaître?

En ce moment, malgré sa fatigue, il n'arrête pas de bouger : déplacements à Strasbourg, Baden-Baden, Bonn. Le passé le rattrape. Il préfère en parler. Acceptant l'invitation qui lui est faite de se rendre à une assemblée d'anciens déportés, il se jette à l'eau et évoque les sentiments qui l'assaillirent – douleur, désespoir – lorsque, à la demande du général de Gaulle, il se rendit dans les camps de Landsberg et de Dachau. Les polémiques sur son passé continuent manifestement à l'obséder. Devant ces survivants de la Résistance il entend ce jour-là se justifier : « Mes choix ont été finalement de bons choix. Les bons choix d'une vie, c'est lorsqu'il faut choisir sa route. Par ici ou par là. Finalement ce sera par là. C'est toute la leçon de ma propre jeunesse. » Il fait très chaud dans cette petite salle et l'émotion est à son comble. Mitterrand s'adresse à Marie-Claude Vaillant-Couturier : « Vous avez préservé l'amitié dans le souvenir. C'était le temps de notre jeunesse. Il est beau, il est bon d'avoir pu rester soi-même. » Mitterrand va mieux. Il semble aux anges. Il se sent rassuré. La coupure ne s'est pas produite avec ses vieux copains de la Résistance. Il n'arrive pas à partir. Son aide de camp insiste. Rien n'y fait. Le voilà replongé dans le passé.

Ses mois Vichy sont absous, disent ses amis. Ce qui importe, c'est ce qu'il a fait après. Mais justement, après il n'a pas voulu se défaire de l'avant. Mitterrand n'est pas un homme de rupture. Il déteste juger, exclure, bannir. Alors il tricote certains fils de son passé avec l'écheveau compliqué du présent. Sur le passé comme sur le présent, il n'entend pas se justifier. Et, pour se protéger, il n'explique jamais rien.

Il a une autre manie caractéristique : il ne présente jamais les gens. Ainsi, quand Pelat venait très souvent à l'Élysée (quoi qu'en dise le Président, qui nie farouchement ses allées et venues incessantes, qu'il ignore peut-être...) et qu'il poussait les portes des bureaux pour faire un brin de conversation avec les conseillers, Mitterrand ne l'a jamais présenté, même pas à Pierre Bérégovoy, alors secrétaire général de l'Élysée. Les deux hommes ont lié connaissance sans lui ou malgré lui. André Rousselet se souvient que lorsqu'il a commencé à travailler pour Mitterrand – il était alors ministre de l'Intérieur –, c'est Jean-Paul Martin, l'homme de Vichy, qui l'a accueilli. Il professait une admiration inconditionnelle pour François Mitterrand et ne cessait alors de répéter : « Ce qu'il y a d'extraordinaire avec François Mitterrand, c'est qu'il ne se trompe jamais. » De Vichy il n'était pas question. Aux obsèques de Martin, Mitterrand est venu, Bousquet aussi. Rousselet l'avait rencontré quand il travaillait à la compagnie Indo-Suez. Le puzzle commençait à s'assembler. André Rousselet trouve aujourd'hui « sympathique » cette démarche du Président de mise à plat de son passé : « Cela suscite en moi de l'émotion. Je vois un homme avec ses faiblesses et le courage de les assumer. » Dieu est redescendu sur terre. Cette franchise plaît aux Français, qui continuent – en majorité – à dire qu'ils l'aiment encore, certains même de plus en plus...

DÉCEMBRE

C'était l'été 1558. Charles Quint, déjà très malade, venait d'ordonner qu'on célèbre ses propres funérailles devant lui. Selon certains chroniqueurs, il aurait poussé le goût du réalisme jusqu'à s'étendre dans la bière devant les capucins et il aurait chanté avec le chœur des moines les prières des trépassés. Charles aurait ainsi esquissé dans la mise en scène de cette cérémonie macabre son décès espéré. Il voulait de la sorte, dit l'historien Yves-Marie Bercé [1], conduire à l'extrême le simulacre de son sacrifice et manifester qu'il était déjà mort à lui-même.

C'est l'hiver 1994. Ce premier vendredi de décembre, il fait froid et très beau. Mitterrand revient transi d'une prise d'armes aux Invalides. Une heure debout, raide comme un soldat, à la place que lui assigne le protocole militaire, dans le vent qui dévaste cette esplanade et les drapeaux qui claquent. Haut les cœurs! Un petit coup de musique militaire pour le frisson. Mitterrand n'est pas insensible à ce genre de cérémonial, mais il en a tellement fait que l'émotion s'est émoussée. Ce matin-là, il me dira avoir pensé très fort au capitaine Dreyfus. L'armée a-t-elle vraiment changé de mentalité? s'interroge-t-il. Pas si sûr. La société a toujours besoin de traîtres. Rouer de coups, avilir, mettre à terre, puis redonner l'honneur. Trop tard. Les

1. *Le Roi caché, op. cit.*

blessures ne se cicatriseront jamais. Serait-ce le souvenir de l'affaire des fuites qui le taraude? Mitterrand a beaucoup d'estime pour le courage et l'obstination dont fit preuve le capitaine.

La petite sortie lui a aiguisé l'appétit. Dans son appartement privé de l'Élysée il a organisé un déjeuner restreint. Au menu : huîtres, crabe et canard grillé. Mitterrand, avant de passer à table, explique avec une certaine gravité que c'est la première fois depuis son opération qu'il a la force et de nouveau l'envie de revoir quelques amis. Il ironise sur ses douleurs, son âge, sa difficulté à se déplacer, avant de dévorer ce qu'on lui sert, tout en piquant dans l'assiette de ses voisins. Il ne déteste pas qu'on le plaigne.

Mitterrand va mieux et reprend des forces. Il commence à parler de l'après-Élysée avec confiance et, sans mélancolie particulière, des années au palais. Mitterrand va mieux, mais personne ne le sait rue du Faubourg-Saint-Honoré. Comme il ne se montre pas, les rumeurs sur son état de santé ont encore enflé. La dernière en date n'est pas la moins macabre : « on » dit que les services de l'intendance élyséenne auraient lancé un appel d'offres à différentes compagnies de pompes funèbres! « On » ajoute que le Président aurait appelé Monory pour lui dire de se tenir prêt à occuper son fauteuil dans les jours qui viennent.

Le climat politique est teinté par l'enterrement des primaires. A l'Élysée, le secrétaire général lit les *Vies des douze Césars* entre deux réunions diplomatiques sur la Bosnie qu'il organise pour le Président dans son bureau.

Mitterrand est un vieux sanglier. Affaibli, traqué, il continue à se battre. Dans l'avion qui le ramenait du sommet franco-allemand de Bonn, il a dit à ses collaborateurs, en termes vifs, qu'il désapprouvait l'article que Balladur venait de publier dans *Le Monde* sur la politique étrangère. Comme d'habitude, le Premier ministre avait informé le Président de cet article formellement mais sans en préciser ni le contenu ni la date de parution. Dont acte. Mitterrand ne supporte pas que la politique étrangère de la France soit entachée par des problèmes intérieurs. Or l'article du Premier ministre lui est apparu comme singulièrement électoraliste...

Les piques entre le Président et le Premier ministre vont continuer. Mitterrand demandera à ce dernier de revoir sa copie sur l'Europe et reportera la communication du gouvernement au Conseil des ministres en exigeant que l'Europe sociale devienne une préoccupation de premier plan. Mises au point, escarmouches, mais la tonalité d'ensemble reste feutrée, discrète, courtoise. Mitterrand joue au vieux professeur qui aime bien titiller ses élèves en les rappelant de temps en temps à l'ordre. « Lui, c'est lui. Moi, c'est moi. Le Premier ministre n'est pas encore Président quoiqu'il l'oublie un peu trop souvent... » me confie-t-il en souriant.

Clinton ne s'y trompe pas qui, lorsqu'il y a urgence, n'appelle que le Président. Ce n'est pas drôle d'être de permanence ces soirs-là. Au lieu de recevoir tranquillement vos amis autour d'un plat de langoustines à la purée d'oseille (spécialité du chef pour la permanence), vous voilà obligé de vous battre avec les téléphones et avec l'interministériel pour mettre en place la liaison téléphonique Maison-Blanche-Élysée, prévenir l'interprète assermenté du Président afin qu'il déboule illico et, *last but not least*, joindre un des hommes de la sécurité de Mitterrand qui lui passera le message. Le Président doit toujours être joignable. Le Président est toujours joignable par le standard de l'Élysée, qui sait établir la connexion avec les hommes de la sécurité. Mais ceux-ci sont plus ou moins impressionnés par leur patron. Certains n'osent guère troubler la soirée du Président et gardent longtemps l'information pour eux. Pendant ce temps le conseiller, dans sa permanence de l'aile gauche de la rue du Faubourg-Saint-Honoré, bout d'impatience – Clinton a déjà rappelé deux fois –, avance, puis retarde l'heure du rendez-vous téléphonique. Mitterrand, enfin touché, a tranché : ces atermoiements américains l'irritent au plus haut point. Il attendra le coup de téléphone de Clinton jusqu'à dix heures du soir. Pas au-delà. Miracle : tout le monde est prêt à l'heure dite. Cette conversation entre Clinton et Mitterrand a lieu à un moment particulièrement dramatique en Bosnie, l'encerclement de Bihac.

Clinton : « Les Serbes cherchent à occuper la totalité de la zone de Bihac. Les frappes de l'OTAN sont dans le bon sens, mais cela n'a pas d'impact direct sur le rapport des forces à Bihac. »

Mitterrand : « De toute façon, sans infanterie on ne peut pas faire grand-chose. »

Clinton : « Je le sais... Je propose une zone démilitarisée avec engagement de punir toute violation d'où qu'elle vienne. Ces mesures seraient prises en même temps qu'un cessez-le-feu serait décrété à Bihac. Si nous ne faisons rien, Bihac tombera dans un jour ou deux. »

Mitterrand : « Et même avant. »

Clinton : « Je crois qu'il faut agir rapidement car sans cela c'est l'écheveau qui se dévidera et cela nous mènera à la guerre. J'espère pouvoir arrêter une décision commune. »

Mitterrand : « Je comprends bien ce que vous me dites, mais c'est un peu tard. Il nous faut quelques heures pour nous retourner. Le Premier ministre est dans l'océan Indien, le ministre des Affaires étrangères en Extrême-Orient. Nous prendrons les décisions qui s'imposent, mais pour nous ce sera demain. Je crains que Bihac ne tombe dans les heures qui viennent. Je crois qu'il est bon de tenir compte de la réalité telle qu'elle se présente. Certaines considérations ne nous facilitent pas la tâche. Nous sommes hostiles à la levée de l'embargo et nous serions dans la nécessité de retirer nos troupes de la Forpronu si cet embargo était levé. Ici c'est la nuit, mais je vous rappellerai. »

Clinton : « Vous pouvez m'appeler à tout moment. »

Mitterrand : « Je vous rappelle avant qu'il ne fasse nuit chez vous. Je vais réunir toutes les informations. La situation est loin d'être simple. Les Serbes savent que le relief est difficile et ils savent aussi que la guerre ne peut être gagnée par la seule force aérienne. Nous ne sommes pas sur le terrain plat de l'Irak. Je vous rappelle dans quelques heures. Les décisions à prendre sont très graves. »

Alain Juppé et Edouard Balladur seront joints le lendemain matin. Mitterrand rappellera Clinton. Une série de réunions aura lieu à l'Élysée dans le bureau du Président. C'est ce qu'on appelle, en jargon politico-énarque, de la gestion directe. Éternel jeu du chat et de la souris. Le Président reprend la main. Dès son retour, le Premier ministre convoquera les ministres concernés à Matignon. Une algarade violente aura lieu entre le ministre des Affaires étrangères et le Premier ministre, en présence du secrétaire général de l'Élysée et de son chef d'état-major particulier. Le Premier ministre vient en effet de recevoir officiellement, sans avoir consulté et encore moins convié Alain Juppé, une délégation d'intellectuels critiquant violemment la lâcheté du gouvernement français dans le conflit en ex-Yougoslavie. Le Premier ministre a écouté les arguments des intellectuels et n'a pas bronché. « Y a-t-il, oui ou non, une seule et même politique de la France? demande Juppé, pas content, avant de commencer la réunion. – Mais oui, bien sûr », répondra, toujours aussi chattemite, le Premier ministre.

Le Président est allé voir Jean Guitton. Il en est revenu tout ragaillardi. Il dit que ce n'est pas la mort qui lui fait peur mais le Jugement dernier. De la mort il avait fait, dès les années soixante, un sujet de prédilection. Il l'évoquait souvent, se souvient son ancien compagnon Legatte, plutôt pour en rigoler. A l'époque on parlait beaucoup dans les magazines scientifiques de la possibilité de congeler les morts. Ils se voyaient bien tous les deux réfrigérés pour l'éternité. Mitterrand souhaitait alors se réveiller seulement tous les trente ans. Cela lui suffisait... On peut toujours rêver de ressusciter et d'être, en attendant, un mort vivant. « J'aurais fait un bon gangster, dit en riant Mitterrand. Je n'ai pas peur de la mort. »

Mitterrand ne lâchera pas. Il préférerait partir sur une civière que de démissionner si son état de santé empirait. Et tous ceux de l'Élysée de s'extasier sur son endurance à la douleur : l'un se rappelle lui avoir malencontreusement écrasé les doigts en refermant la porte arrière d'une vieille Citroën en pleine campagne électorale. Le soir même à Niort, sa main inerte, toute bleue, posée devant lui, Mitterrand tenait avec brio son meeting. Un autre se souvient d'une rage de dents pendant un interminable sommet diplomatique. Mitterrand, sous analgésiques dont on dit qu'ils assomment, n'a pas craqué. Mâchoires serrées en cette fin d'année crépusculaire, Mitterrand tient bon même si la maladie l'égare, le terrasse, l'humilie.

A l'Élysée, la candidature Delors agite beaucoup les esprits. A la dernière réunion de cabinet, Anne a fait voter à main levée les collaborateurs du Président. Plus de 80 % d'entre eux pensent que Delors va se présenter. « Il ne peut plus nous faire le coup du désistement. » Les têtes s'échauffent. Au palais, on peut commencer à humer un petit vent de campagne électorale. Hubert a des états d'âme : « Puis-je aider Delors alors que je suis secrétaire général de l'Élysée ? » La culpabilité douloureuse du grand commis de l'État n'étreint manifestement que les occupants de l'Élysée. De l'autre côté de la Seine, le directeur de cabinet du Premier ministre n'aura pas, le mois suivant, ce genre de scrupules quand il deviendra directeur de campagne tout en restant à Matignon... « J'aiderai Delors si Mitterrand me le demande, et puis non, je l'aiderai tout de même à titre personnel. Je peux l'aider sans que cela se voie », conclut en diplomate le secrétaire général de l'Élysée. *Delors or not Delors ?* Ironie du sort que de le voir appelé comme un sauveur par un parti qui l'a systématiquement tenu en lisière et toujours considéré comme un horrible centriste.

Delors se pose des questions. « Delors, me rétorque Mitterrand, se pose trop de questions. Je continue à avoir de sérieux doutes sur sa volonté d'y aller », ajoute-t-il, en faisant remarquer que Delors n'a toujours pas créé de cabinet pour organiser son hypothétique campagne. Mitterrand ne s'offusque pas qu'il ne vienne pas le consulter mais il s'en étonne. Delors ferait bien de bailler quelque signifiance – comme on dit dans Molière –, au vieux lutteur de l'Élysée.

Mitterrand a reçu Delors pour préparer le Conseil européen d'Essen. D'Europe ils ont donc parlé. Anne a vu sortir du bureau du Président un Delors radieux, rayonnant même. Il jubilait littéralement, aux anges il était. Combatif, fougueux, nerveux. Un vrai chef de bataille. Anne a cru que le Président avait réussi à persuader Delors d'y aller. Anne prend de temps en temps ses rêves pour des réalités. « Mais il est impossible de forcer quelqu'un à vouloir devenir Président », s'est exclamé François Mitterrand. « Delors ne possède ni la mentalité ni la construction psychologique pour se lancer dans l'aventure », ajoute-t-il. Mitterrand voulait n'avoir rien à se reprocher et a donné les signaux nécessaires pour l'encourager. Mais le désire-t-il véritablement comme successeur ? Force est de constater que Delors possède pour lui les pires défauts quand on veut faire de la politique : Delors est un manichéen, un homme qui insiste sur la volonté de ne pas se salir les mains, qui se range du côté de Mendès, Rocard. Tout ce qu'il déteste. La morale en politique. Foutaises que tout cela. De Gaulle s'est-il jamais posé la question de l'héritier ? « La politique, ce sont d'abord des hommes », répète Mitterrand à satiété. Où sont-ils ? « Delors est un grand garçon, dit François Mitterrand. J'ai de l'estime pour lui mais en a-t-il vraiment envie ? Je n'ai pas cherché à le conseiller. Il faut un type d'animal politique particulier qui ait envie de forcer le destin et de convaincre les Français. »

Au Conseil européen d'Essen des 9 et 10 décembre, Mitterrand répète à qui veut l'entendre que Delors n'ira pas. Peu veulent l'écouter. La machine médiatique, alimentée par le silence de Delors, entretient le suspense, nourrit l'espoir. Les sondages montent. A Hubert Védrine Mitterrand confie : « Vous vous trompez. Rien ne forcera Jacques Delors à y aller. »

Chacun est resté sagement chez soi pour regarder « 7 sur 7 ». Mitterrand arrive à sept heures et demie le lendemain matin, furieux : « Je vous l'avais bien dit, Delors s'est comporté dans cette affaire avec tous les défauts qui caractérisent la deuxième gauche. De plus, il a dévoilé un pan de son caractère : une mesquinerie teintée d'un côté donneur de leçons », lance-t-il à ses plus proches collaborateurs. Mitterrand ne se cachera pas alors de reprocher à Delors d'avoir utilisé des arguments démoralisants pour la gauche en son entier pour justifier son propre désistement. C'est désastreux pour ceux qui vont être amenés à relever le gant. Catho mais pas charitable pour ses petits camarades.

Mitterrand a été surpris par l'attaque de Delors à son égard. Il n'a guère apprécié l'allusion au roi fainéant et vivement critiqué sa prise de position sur la Bosnie : « S'il parle comme cela de la Bosnie devant moi, il me trouvera en face de lui », répète-t-il. Il juge très sévèrement l'attente, le suspense inutile qu'a imposés Delors à l'ensemble de la gauche. Ce soir-là, Mitterrand a entendu à la télévision Delors prononcer l'oraison funèbre de la gauche et disserter, de manière définitive, sur l'épilogue d'une défaite électorale programmée. Delors ou l'anti-Mitterrand, en tout cas psychologiquement, car si Delors a anticipé les difficultés (certaines) qu'il aurait à surmonter, Mitterrand n'a fait, pendant toute sa carrière, qu'avancer pas à pas en s'affrontant au réel. Mitterrand se moque souvent de ceux qui ne veulent s'engager qu'à condition d'être certain de gagner. Il a du mal à comprendre que Delors veuille, avant même d'entrer en lice, avoir des garanties sur la victoire. Mitterrand a passé sa longue vie de candidat à la Présidence, avant 1981, à combattre, porté par l'espoir de vaincre, à recommencer encore en tentant de comprendre la défaite précédente. Mitterrand le *loser*, celui qui, depuis l'âge de quarante ans, a continué à avancer sans se préoccuper des échecs. Ce n'est qu'à soixante-quatre ans qu'il est devenu Président. D'ailleurs il n'y croyait plus...

Le Parti socialiste va-t-il survivre? Va-t-il choisir de rassembler ses forces pour désigner un unique candidat ou au contraire s'épuiser dans de nouvelles luttes fratricides? C'est le tir aux pigeons. Tapie se trouve en mauvaise passe. Dommage! pense Mitterrand. On aurait greffé son énergie mentale sur un socialiste quelconque, il restait des chances de monter sur le ring... Mais la mauvaise doublure de Robin des bois a perdu toute crédibilité. Le grand illusionniste lui ferait en ce moment plutôt pitié. Alors Mitterrand attend de savoir si Tapie va s'en tirer. Dans le canyon de la mort, comme il dit, il faut avoir beaucoup de réserves d'eau pour survivre... Le 13 décembre, il invite à déjeuner à l'Élysée Dumas, Joxe et Emmanuelli. Sans avoir consulté l'intéressé, Dumas et Emmanuelli proposent à Joxe de se présenter. Mitterrand, interrogé, reste d'abord silencieux puis, après avoir réfléchi, leur déclare : « La droite détient déjà le gouvernement, les grandes banques, les grandes industries, les chaînes de télévision, les conseils régionaux, les conseils généraux, le Sénat, l'écrasante majorité de l'Assemblée nationale, un certain nombre de grandes villes importantes... Que la Cour des comptes reste tenue par un homme de gauche n'est pas chose négligeable. »

Le lendemain, comme chaque mercredi matin, Mitterrand reçoit dans son bureau le Premier ministre pour un entretien préalable au Conseil des ministres. Au début de la cohabitation, le Président était ponctuel. Au fil du temps, il l'a fait attendre un peu plus, généralement une dizaine de minutes. Ce matin-là, ce sera vingt minutes. Il me dira avoir très sévèrement critiqué le décret organisant la prise en compte de l'avis des inspections générales sur les nominations auxquelles le gouvernement procède au tour extérieur. « C'est une démission de l'État. Le gouvernement est assez grand pour savoir s'il nomme dans les grands corps des personnes de valeur. Je lui ai dit : “ Vous vous soumettez à des avis de commission? ” ». Mitterrand au Conseil des ministres déclarera : « Le gouvernement s'est laissé enfermer dans la démagogie corporatiste. Par rapport à l'idée que je me fais de l'État, c'est une renonciation choquante. L'État s'efface un peu partout. » Un silence lourd s'ensuivra, se souviendront deux ministres.

Au même moment, dans la salle de réunion de la rue du Faubourg-Saint-Honoré, les conseillers dissertent de l'attitude que doit désormais avoir le Parti socialiste. Il y a huit jours, ils tressaient des couronnes à Delors. Aujourd'hui, ils n'ont pas de mots assez durs pour le critiquer. C'est le mot « lâcheté » qui revient le plus souvent. « On juge, on critique facilement au nom du socialisme dans ce petit huis clos d'énarques élyséens assez élitistes qui ne connaissent bien souvent de la politique que les tribunes officielles dressées en l'honneur du Président ou les discours de clôture des banquets républicains. Ils feraient mieux d'abord de payer leur cotisation, ceux qui parlent haut et fort au nom du Parti socialiste », ajoute mon interlocuteur. Le parti va survivre à lui-même sans doute. Il en a connu d'autres. Fabius n'est plus tellement coté à l'argus, mais la majorité des conseillers de l'Élysée lui restera tout de même fidèle. Tout sauf Jospin qui, pour l'Élysée, est entouré d'hommes liges qui veulent tuer le Président. Mitterrand se retrouve en effet de plus en plus isolé. C'est son destin. Retour à la case départ. Du temps de la Convention des institutions républicaines, ils n'étaient pas nombreux, ceux qui ont survécu sont toujours là. Ce n'est peut-être pas grave de ne garder auprès de soi que ceux auxquels on tient, le carré de fidèles, les vrais amis.

Tout s'étiole ici progressivement. On ne demande plus rien à la majorité des conseillers, hormis des notices nécrologiques sur leur patron! Mitterrand, disent des proches, ne supporte plus que la présence de gens plus malades que lui. Il n'empêche qu'il a tout de même reçu Giscard. Quelle affaire! Giscard a voulu remettre le rendez-vous huit fois. Margaret Thatcher veut le voir aussi. « Mais qu'est-ce qu'elle me veut? s'interroge le président. Elle doit être amoureuse de moi. C'est la seule explication. »

La cellule diplomatique prépare le sommet franco-italien, et Mitterrand a été, ma foi, très content de recevoir le prix politique de l'année que vient de lui décerner *Le Nouvel Économiste*. Il tiendra à recevoir au palais la rédaction du journal. Discours suivi de propos informels. C'est un Mitterrand détendu qui précisera qu'il prépare son départ tranquillement : « Arrivé au terme, je n'en suis pas fâché. Je ne fais pas le dégoûté en disant que je suis accablé par la tâche, mais il arrive un moment de fatigue morale et physique... Quatorze ans sur le plan de la République sont largement suffisants... Nul n'est irremplaçable. Je n'aurai pas la moindre larme à l'œil quand je quitterai ces lieux. Je rentrerai tout simplement chez moi et je n'en serai pas fâché. »

Mitterrand le papy, qui part se reposer une fois le devoir accompli ? On le prendrait volontiers au mot, n'était l'ambiguïté du calendrier : « En mai on n'est jamais sûr. C'est un mois de chagrin, le mois de mai. Vous connaissez la chanson créole : " Le mois de mai est le mois des amours ", dit le refrain et finalement c'est aussi le mois des malheurs et le mois des tristesses... »

JANVIER 1995

Mardi, midi moins le quart : dans la cour d'honneur de l'Élysée, la garde républicaine se tient au grand complet pour le salut au drapeau, qui donne le *la* aux cérémonies traditionnelles de la présentation des vœux.

Chaque année ça recommence. Chemin de croix pour un Président fatigué, étape initiatique nécessaire pour bien commencer le nouvel an. Cette fois les allocutions présidentielles seront plus brèves et ses apparitions dans les cocktails qui suivent minutées, mais tout de même : pour avoir suivi le Président le long de ce marathon qui exige tonus, sang-froid, inventivité sous le tapis épais des civilités, je salue la performance bien sincèrement.

Mardi midi, salon Murat : dans ce lieu qui réunit une salle à manger et une chapelle (propice sans doute au recueillement qui règne habituellement au siège du Conseil des ministres), Edouard Balladur se tient debout, raide comme la République, entouré de ses ministres, serrés, soudés comme pour une mêlée de rugby. Empruntés, mal à l'aise, ils ne savent que faire et n'osent pas parler. Attente qui vire au gag. C'est alors que le Président paraît. Un rayon de soleil passe par la baie vitrée. Moment lourdement symbolique. Au seuil de cette année nouvelle, que Mitterrand n'achèvera pas comme Président, va-t-il éluder ou passer le relais? Balladur admire, rêveur, une vue de Rome, Pasqua médite sur la grande toile de Vernet figurant Murat et sa cavalerie passant le Tibre. Mitterrand se tient face à eux. Il paraît bien seul. Sur le côté ont pris place, cérémonieusement, les principaux membres de son cabinet. Silence.

Le Premier ministre souhaite une bonne année à François Mitterrand et à son épouse, évoque cette période présidentielle propice aux passions. « On ne se nourrit pas seulement de passion mais aussi de raison », énonce-t-il cérémonieusement avant de conclure sur l'intérêt supérieur de notre pays. « Toute cérémonie traditionnelle comporte sa part factice, lui répond Mitterrand. 1995. Voilà, on commence une nouvelle année. 1995, 1974, 1988, ce sont les mêmes problèmes, les mêmes interrogations, le même destin. C'est la France. Ayons les mêmes devoirs, porter notre pays un peu plus haut, un peu plus loin. Cette période de quatre mois va troubler les esprits. Ainsi vont les choses. Pendant ces quatre mois, il faut agir au mieux. Passer à travers les périls, les contradictions. Je vous ai choisi. Terminez votre tâche. Moi, je verrai avec un certain soulagement mon départ. Ce n'est pas l'élection du Président de la République française qui va changer le sort du monde. Mais, voyez, ce nouveau Président en 1995, je commence déjà à le plaindre. Je sais bien qu'au bout de trois mois, les ennuis commencent. » Mitterrand sourit, pas le Premier ministre. Ensuite, ils se serrent la main. Le Président ne reste pas pour l'orangeade. La cérémonie, en tout, a duré douze minutes. Assez sèche mais politiquement correcte.

Est-ce à cause du lieu ou du changement de partenaire? Manifestement, l'alcôve semble plus propice aux rapprochements que la chapelle. Même heure, même protocole, mais c'est au salon Pompadour que Mitterrand choisit de recevoir les vœux du maire de Paris le lendemain. Est-ce parce que cette ancienne chambre de parade a autrefois favorisé les confidences? Parce que la rosace du plafond s'orne de colombes, messagères de paix? Est-ce la présence de Junon, Diane, Vénus, Minerve enlacées à tout jamais par les feux de l'amour et du hasard? Têtes d'aigles dressées, serpents lovés dans les dorures, cette pièce, l'une des plus impressionnantes de l'Élysée, fut aussi la chambre à coucher de Napoléon.

Il n'y a pas de soleil ce jour-là. Il ne manque pas. La chaleur entre les deux hommes suffit à réchauffer l'atmosphère. Ceux qui ont vécu la même scène les années précédentes écarquillent les yeux et boivent du petit-lait. De mémoire élyséenne cohabitationniste, on n'a jamais vu cela! Chirac trouve les mots justes pour parler de la santé de Mitterrand. Ce dernier est touché. Le temps de la trêve est-il enfin arrivé? « Quatorze ans, en effet, c'est long, lui répond le Président, mais cela représente certains avantages. Par exemple, cela m'a permis de mieux vous connaître. Et l'évolution des combats politiques, qui nous ont si souvent opposés, n'empêche pas entre les personnes une certaine capacité de compréhension. Les vœux de bonne santé? Je les accepte bien volontiers. Nul ne possède l'assurance de traverser un peu plus le temps. » On est dans le vif du sujet.

Mitterrand et Chirac se parlent vraiment. De la vie, de la mort. Le Président : « Vous avez fait état de la publication de mon bulletin de santé. Je peux dire que j'avais commis une imprudence : je m'y étais engagé. Je ne pensais pas que cela s'appliquerait à moi! Mais le jour où c'est arrivé, je ne pouvais pas rester en dehors de l'obligation morale que je m'étais créée à l'égard du pays. Je pense aussi que ce n'est pas mauvais. Je ne sais pas ce qui est bon ou mauvais dans ce genre de choses. Le silence? Je ne sais pas. La publicité? Elle n'est pas agréable. D'un autre côté, il y a une sorte d'exigence qui s'est renforcée au cours de ces vingt dernières années. On veut savoir parce qu'on a vu trop de cas, dans les pays étrangers, de chefs d'État qui n'étaient plus en mesure d'assumer leurs fonctions et qui cependant continuaient. Bon, bref, il y a là une interrogation que la puissance des médias a considérablement développée. Maintenant je suis obligé de me tenir à carreau parce que, si c'est tous les jours, j'apparaîtrai comme un maniaque qui passe son temps à prendre sa température et aussitôt à la communiquer à soixante millions de Français. Ce qui n'est pas du tout mon genre ! Je suis très peu porté vers ce genre de révélations. Je vois bien des commentaires qui quelquefois poussent un peu loin le pessimisme par rapport à ce que, moi, je ressens. Je crois que, dans toute maladie, la part de la volonté humaine est importante – pas seulement, mais quand même importante – et que le goût de vivre est le meilleur élément du combat. Et cela, j'en suis seul juge. Je vous dis cela parce que vous m'en avez parlé, je vous en remercie d'ailleurs, autrement, je n'y aurais pas fait allusion. »

Mitterrand a approuvé les mots « pacte social » que Chirac vient de prononcer. Mais l'idéal de la République, ce n'est pas l'inégalité. Et la droite reste la droite. Mitterrand ne veut pas qu'on confonde. Pacte peut-être mais pour la gauche le combat continue et Mitterrand dira haut et fort à Chirac : « Et je souhaite que vous puissiez entendre notre voix. Je compte sur vous. »

Puis il le convie à passer à côté. Un feu brûle dans une cheminée. Champagne, petits fours. Mitterrand se sent bien. Cela se voit. Il dodeline de la tête en écoutant rêveusement Chirac parler avec fougue des sans-abri, de la misère et de l'exclusion sociale.

En se levant et avant de le quitter, il lui lance : « Bonne année, bonne santé ! C'est presque automatique, quoi, on dit cela sans presque réfléchir aux mots que l'on prononce. Mais qu'est-ce que cela veut dire ? On reconnaît quelqu'un qu'on a rencontré, à qui l'on n'a jamais dit grand-chose, et puis, d'un coup, on se précipite avec une abondance de sentiments : " Bonne année, bonne santé ! " Je vous le dis, en réalité on s'adresse à soi-même. »

Le dernier jour de l'année, juste avant d'enregistrer son allocution télévisée, Mitterrand a fait comprendre à demi-mot à son médecin personnel, le docteur Gübler, grand escogriffe aux yeux doux et à l'allure de Sherlock Holmes, qu'il n'avait plus besoin de lui. Le docteur Gübler a d'abord accusé le coup, auquel, à vrai dire, il s'attendait un peu. Il avait, en effet, ouvertement désapprouvé les derniers traitements du Président, qu'il avait jugés totalement hasardeux. Cela avait manifestement déplu en haut lieu. Depuis, il enrage, suit de loin le Président, regarde le résultat des examens, confie qu'il écrira plus tard un livre dévoilant la vérité sur certaines folies. Le docteur Gübler, après avoir été si important pour le Président, est aujourd'hui tenu en lisière. Pas révoqué, non, juste poussé vers l'extérieur de l'orbite mitterrandienne, même s'il éprouve, lui, l'impression d'avoir été congédié comme un laquais.

Le docteur Kalfon, médecin militaire personnel du Président, qui a son bureau au 2, rue de l'Élysée, est, lui aussi, malheureux comme les pierres. Il sait bien pourtant que lorsqu'on souffre et qu'il n'y a pas de mieux, on est prêt à tenter l'impossible. Les signaux rouges du tableau de bord présidentiel s'allumaient de tous côtés. Il a décidé, en son âme et conscience, de dire la vérité au Président. Il a pris rendez-vous : « Mitterrand m'a écouté, puis a fait ce qu'il a voulu. Je suis en paix avec moi-même. Mais si la multiplicité des avis médicaux me paraît une chose normale, pourquoi le Président a-t-il délibérément créé des rivalités entre nous ? » me demande-t-il, effondré par la rupture d'une relation affective que son patient avait nouée avec lui depuis quelques années. Le golf, les voyages, les déjeuners communs. Tous ces moments de partage, de détente, de confidences. Puis, devant la progression de la maladie et de désir de vérité du médecin, l'éloignement du patient Mitterrand, qui, un jour, a craqué et lui a lâché : « Vous n'êtes bon à rien. »

De toute façon, Mitterrand pense aujourd'hui, et il me le dira à plusieurs reprises, qu'il a été mal – très mal – soigné. Du coup, il vient de faire venir à l'Élysée un troisième larron... Un nouveau médecin, le docteur Tarot, précédé d'une excellente réputation de spécialiste de la douleur et qui, par sa gentillesse, sa discrétion et... son air d'éternel jeune homme souriant saura finalement se faire accepter. Désormais, Mitterrand n'apparaîtra plus qu'accompagné du nouveau médecin qui s'est installé dans ses appartements privés à l'Élysée.

Depuis que le docteur Tarot est arrivé, François Mitterrand donne l'impression d'être – un peu – apaisé. Le docteur Tarot, qui a accompagné la fin de la vie de Jean Riboud, est un homme sympathique, chaleureux, qui a les pieds sur terre. Pour lui, le Président n'existe pas, seul François Mitterrand habite encore pour quelque temps ce palais. Ce docteur antidouleur apparaît aussi manifestement comme un médecin des âmes. « François Mitterrand est un homme très fort mais très compliqué, avoue-t-il. Il faut savoir être patient, à l'écoute, anticiper en permanence, ne pas briser trop vite les serrures qui donnent accès aux différents codes. »

Le docteur Tarot définit son métier, ici à l'Élysée, comme composé de 30 % de médecine interne, 30 % de technologie, 30 % de psychologie. Ombre du Président, il l'accompagne en toute circonstance et vit à ses côtés depuis octobre dernier. « Être à ses côtés », c'est cela sa mission, le but qu'il s'est assigné. Au début, vers la fin du mois de septembre 1994, il ne venait que tous les deux jours, puis tous les jours. Le Président a finalement mis à sa disposition une chambre et un bureau. Présent, toujours présent. Disponible, toujours disponible, là est son secret. De l'écoute, du respect, de l'amour. « Pas facile de prendre en charge un tel poids lourd. Vous avez un fusil braqué sur vous en permanence. Mais je n'ai aucun mérite. J'exerce la médecine pour les autres et j'en suis heureux. Aujourd'hui, l'autre, c'est François Mitterrand. » Quand Tarot a débarqué à l'Élysée, malgré ses désirs de dialogue, sa présence n'a pas été bien tolérée. Il a eu une vision du palais désastreuse et s'est très vite fait sa petite idée sur le fonctionnement courtisan de certains autour du Président. Il ne se prive d'ailleurs pas de livrer son jugement à son « patient ». On a bien essayé de lui faire quelques embrouilles. Mais il a résisté. Avec le sourire. « Je suis et je reste à côté de François Mitterrand. Je n'ai de comptes à rendre à personne excepté à moi-même et un peu à lui. Je lui donne mon temps, mon écoute, mes compétences, tout ce que je peux, mais il me donne beaucoup. » Le docteur Tarot avoue tout de même qu'il n'a jamais rencontré, de sa vie, un être aussi secret, aussi en corps à corps permanent avec la vie.

Notre Président a-t-il accepté, véritablement, d'être face à l'épreuve de la maladie un homme comme les autres ? Non, répond Gübler. Mais si, rétorque François Mitterrand, qui, quelques jours plus tard, me dira que si ses médecins l'avaient considéré... comme un simple patient, à coup sûr, il eût été mieux soigné. Aujourd'hui, peu importe. Le traitement radiothérapique, qui entraîna de grandes souffrances – un cratère de brûlures à l'intérieur de soi en permanence, me confie le Président, qui, de lui-même, aborde le thème de la maladie –, vient de s'achever, et même si Mitterrand constate que ses effets continuent, il avoue qu'il se sent mieux. Pour évoquer son mal, il utilise des termes empruntés au vocabulaire de la guerre. Ces jours-ci, il se dit fier d'avoir réussi à stabiliser la tumeur. Mitterrand a cru – et l'avoue aujourd'hui – qu'il ne passerait pas la fin de l'année. Il se vit maintenant comme un survivant qui, loin de revendiquer la paix de son corps recouvrée – comme il le répète en ce moment : « C'est encore et toujours la guerre à l'intérieur de moi-même, entre les cellules » –, reste prudent, très prudent. Cela le rend cynique, très cynique.

Au tout début de l'entretien qu'il m'accordera dans son appartement privé – le Président vit de plus en plus dans sa chambre, havre de paix, refuge pour sa solitude, et travaille dans un fauteuil spécial où, à demi allongé, il peut lire et écrire sans éprouver trop de douleurs –, en guise de réponse à la sempiternelle question sur sa santé qui ouvre toutes nos conversations, il me confiera d'un air las : « De toute façon, la vie n'est qu'un clin d'œil. »

Coquetterie philosophique d'un homme qui ne déteste pas citer les stoïciens ou manière de conjurer le sort ? Ça met dans l'ambiance, ce genre de petites phrases ! Pas facile d'engager ensuite un entretien qui semble tout d'un coup inutile, hors de propos, voire indécent. Alors Mitterrand parle sans que je lui pose de questions, ou plutôt se confie. Les méandres de la vie politique paraissent, tout d'un coup, bien lointains. Mitterrand parle de sa « chimio », de cette douleur qui irradie l'intérieur de son corps, défend avec passion devant ma moue dubitative les traitements homéopathiques qu'il suit. Puis la conversation dévie sur les lectures : « Connaissez-vous le livre d'Edmond – *Voyages dans les mers du Nord* ? »

Mais c'est du passé que Mitterrand a encore envie de parler. Ce passé qu'on lui reproche, ce procès qu'on lui intente. Il ne souhaite pas se défendre, simplement expliquer :

« Les hésitations, au cours d'une vie, ne peuvent être

considérées comme des fautes. Péan a levé deux ou trois lièvres. Il a poursuivi la piste avec excès. Par exemple, il cite une lettre que j'ai écrite dont l'en-tête était la Légion des combattants. Mais jamais de la vie je n'ai collaboré à la Légion combattante.

« Ce qu'a dit Chaban sur moi récemment [1] est un peu bébête. Pour aller à Londres, je suis passé par les services anglais et le colonel Buckmnaster. Il était très connu. Il y avait Passy, un chef français. Quiconque passait par les Anglais devenait un peu suspect. J'étais un peu suspect, sauf pour Passy, devenu un de nos meilleurs amis. Je l'ai d'ailleurs récemment décoré de la croix de la Légion d'honneur.

« Alors l'histoire de mon voyage à Londres [2]? Laissez-moi vous dire que lorsque vous décollez la nuit d'une prairie de France, en cette occasion dans une région pas très loin d'Angers, il y a évidemment un tout petit remue-ménage. Tous ces avions étaient repérés par les Allemands et beaucoup de résistants ont été fusillés. Alors, dans ce petit avion qui décollait et qui frôlait à moins de 150 mètres les peupliers, nous étions trois, trois qui, avec des lampes électriques de poche, avions auparavant sur la terre tracé des signes dans le ciel. La DCA allemande était là, partout.

« Pour le retour en France, c'était pareil et en pleine zone interdite la nuit. Il a fallu grimper des falaises, passer entre des postes, éviter les dangers.

« Beaucoup se sont fait prendre. Je connais dix exemples où j'aurais pu me faire prendre. Mais on pense qu'on s'en tirera toujours. Dans ce genre de situations, on reste calme, très conscient.

---

1. Dans une interview à Michel Field pour Europe 1, Jacques Chaban-Delmas a déclaré que François Mitterrand avait été un grand résistant, qu'il avait été en liaison avec les Britanniques les plus haut placés dans la Résistance, qu'il avait pris des risques mais qu'il ne comprenait toujours pas aujourd'hui ses rapports avec Bousquet.

2. Nuit du 15 au 16 novembre 1943. Raconté par Pierre Péan dans son chapitre « Le grand saut d'une jeunesse française », et commenté par François Mitterrand.

« Des dangers, j'en ai beaucoup affronté. C'était normal. Je me souviens de l'histoire de la rue Dupin. Avant de venir aux réunions, j'avais l'habitude de téléphoner d'une cabine publique. Je téléphone donc et tombe sur Marie-Louise Antelme, sœur de Robert, belle-sœur de Marguerite Duras. Elle me répond avec un certain énervement dans la voix : “ Monsieur, vous vous êtes trompé de numéro. ” Je rappelle toujours d'une cabine publique quelques minutes plus tard, croyant que j'avais peut-être composé un mauvais numéro. Elle me répond de nouveau : “ Mais, monsieur, je vous ai déjà dit que vous vous êtes trompé. ” C'est à ce moment-là que j'ai compris. J'ai su plus tard que les Allemands qui étaient là, dans l'appartement, l'avaient obligée à répondre. Ils l'ont tuée [1].

« Alors vous me parlez de Marguerite Antelme, future Marguerite Duras, et de son comportement, que vous trouvez ambigu, avec le gestapiste français Delval. Marguerite a été indéniablement aimable avec Delval. Elle a voulu tout tenter pour essayer de sauver son mari. Elle a réussi, par l'intermédiaire de Delval, à envoyer des couvertures à son mari à Fresnes. Elle avait vu, sous ses yeux, son mari et sa belle-sœur arrêtés. Il fallait la comprendre.

« Alors vous voulez me reparler de cette francisque? Vous aussi, vous jugez? Vous non plus, vous ne comprenez pas? Il faut se replacer dans l'époque. Mais c'était commode, un truc comme ça. C'était un laissez-passer formidable. C'était une attribution collective, pas personnelle. Aujourd'hui peut-être, cela peut vous paraître bizarre.

« Mais moi, je n'aime pas donner d'explications. J'ai fait ce que j'ai fait. C'est tout. Et j'ai fait beaucoup plus que certains. Alors, quand je vois que, cinquante ans après, on veut nier mon rôle dans la Résistance et

---

1. Suite à cet épisode rue Dupin, Robert Antelme, Paul Philippe, Minette de Rocco-Serra et Marie-Louise Antelme seront arrêtés, puis déportés.

qu'on me reproche Vichy, alors que je n'y ai exercé aucune responsabilité, rempli aucun mandat et que je n'étais que sous-fifre dans un ministère...

« Il faut que l'Histoire – avec un grand H – impose sa conception. Cela arrive quelquefois. Alors attendons. »

Le courrier sur Vichy continue à arriver par sacs entiers. Classé, analysé par les services de la Présidence à l'Alma, il parvient régulièrement au Président. Plus de douze mille lettres qui, sous forme de récits, de témoignages, disent leur soutien à cet homme qui a su « trouver sa vérité ». Lettres écrites à la main, confessions-fleuves, fragments de vie dévoilés. Dans cet océan de papier se lit, toutes générations mêlées, un désir de nouer un lien affectif, sentimental, avec cet homme perçu comme seul, acculé, souillé. La maladie se mêle au jugement sur le passé : « Tenez bon », « Nous sommes là pour vous défendre », écrivent celles et ceux qui, le plus souvent, commencent par : « Cette lettre ne vous parviendra sans doute pas... » Mais si, justement, elle lui parvient. Celle-ci, par exemple : « Que vous soyez un personnage auquel l'Histoire rendra hommage et, sur le plan moral, une personne au-dessus de tout soupçon, voilà ce que beaucoup pensent, à qui l'on ne demande rien. Je parle ici en femme, en esprit libre de toute appartenance à un parti, en rescapée d'un cancer, en mère de famille, en fille de la bourgeoisie de province et petite-fille de paysan. Je parle en intellectuelle devenue. Je parle en quinquagénaire vêtue d'une petite robe de saison. Mais surtout je vous parle. »

Parmi tous ceux qui s'adressent au Président de la République, les opposants politiques ne sont pas les moins nombreux et ils se révèlent souvent les plus chaleureux. Rares sont les lettres plus nuancées, très rares les critiques. Elles sont toutes signées de correspondants qui se disent socialistes et pour qui, avec ces révélations sur Vichy, des pans d'histoire s'écroulent : « L'image de la victoire de 1981 a été brouillée. Je reste plus que jamais socialiste, mais vous m'avez fait tourner la page du mitterrandisme », écrit une femme désespérée, qui lui demande pourtant à quel saint socialiste elle pourrait maintenant se vouer !

Plus le temps passe, plus l'échéance du départ approche, plus les Français écrivent au Président. Ils lui confient leurs interrogations sur la mort, le questionnent régulièrement sur des thèmes métaphysiques – le sens de l'existence ou la part de hasard dans l'itinéraire d'une vie sont ceux qui reviennent le plus souvent. Président reflet des désarrois, Président SOS-Amitié, Président machine enregistreuse des états d'âme des Français. Ce n'est pas la peine d'en ricaner. C'est aussi une des fonctions – et pas des moindres – de la Présidence de la République que de recevoir par centaines de lettres tous les jours ce trop-plein du non-dit, cet électrocardiogramme des espoirs républicains. « Notre Président, on l'aime bien. On vous a depuis longtemps, on aimerait bien vous garder. » Voilà ce qu'ils lui disent à longueur de page. Même à droite, ils s'y sont faits. A gauche, on regrette les beaux jours.

Mais la vedette incontestée du courrier que reçoit le Président depuis deux mois n'est autre que Mazarine. On lui écrit des poèmes qu'on envoie à son papa en espérant qu'il transmettra, on demande (toujours au papa) sa photo dédicacée, on la félicite d'être si intelligente et si jolie. Des correspondants adressent leurs félicitations au Président, sur carte de visite, comme pour répondre à un faire-part de naissance. Mères dont l'enfant n'a pas été reconnu, pères qui n'ont jamais voulu avouer, fils en quête d'identité, chacun à sa manière le remercie d'avoir levé un tabou. Le Président lit avec attention une sélection de ce courrier. Et il n'est pas fâché de se voir reconnu comme un père attentionné...

« Mitterrand a masqué les carences du Parti socialiste, dit Benassayag. Ils répètent comme des perroquets que la gauche, ça doit être la morale. Mais moi, je connais beaucoup de gens qui se disent de droite et qui sont honnêtes!... » Parti pleurnichard, parti godillot, parti exsangue sur le plan idéologique... Maurice se désole de constater que les militants se sentent encore si orphelins après le désistement de Delors. Alors, entre la rue de Solférino et l'Élysée, on tâte prudemment le terrain : Lang saura-t-il résister aux rumeurs? Les socialistes lui ont-ils pardonné la loi Cloupet? Emmanuelli? Oui, peut-être, mais il va y avoir son procès... Jospin et ses envies d'y aller...

Et le Président dans tout cela? « Pff... » Son avis? Il ne veut même pas répondre, loin de cette effervescence. Il soupire, il lève le bras en écartant ces miasmes de querelle avec une moue de dédain. Mais finalement, à force d'insister, il consent à lâcher : « Comment voulez-vous que la gauche puisse résister comme cela, en continuant à se diviser? J'avais, en d'autres temps, proposé quelqu'un qui sache s'imposer à tous. Ce n'était pas plus sorcier que cela. Car, même rassemblée, la gauche reste minoritaire en France. Mais si elle se comporte en force capable à la fois d'émettre des propositions et de formuler des espérances sociales, elle peut alors faire basculer les choses. Mais, que voulez-vous, depuis le congrès de Rennes, ils se haïssent trop. »

Au Conseil des ministres du 18 janvier, commentant la nomination du nouveau directeur général de l'aviation civile, François Mitterrand relève que le juge chargé de l'affaire du crash du mont Sainte-Odile vient de procéder à l'inculpation du directeur général de l'aviation civile en fonction au moment des faits.

« Je juge très inquiétante cette tendance à inculper des responsables administratifs haut placés ou, pis encore, des responsables politiques comme Laurent Fabius dans l'affaire du sang, alors qu'ils n'ont aucune espèce de contrôle précis sur les décisions, surtout lorsqu'il s'agit de questions très techniques. Chacun de vous, mesdames et messieurs les ministres, si cette dérive s'aggrave, peut se trouver inculpé ou condamné en raison de décisions prises ou pas prises par tel ou tel fonctionnaire et dont vous n'auriez même pas eu connaissance. »

En se rendant à Strasbourg pour son grand discours sur l'Europe, Mitterrand, badin, a questionné dans l'avion son conseiller diplomatique : « Dites-moi, Balladur répète qu'il est là pour longtemps. Est-ce un type qui s'illusionne ou qui y croit vraiment ? » Le lendemain, le Premier ministre fera acte de candidature, de Matignon, à la Présidence de la République. Le Président encore en exercice jugera laconiquement « un peu terne » sa prestation.

Un silence de cathédrale a accueilli les derniers mots de François Mitterrand dans l'hémicycle à Strasbourg. Même les gens d'extrême droite se sont levés pour applaudir. Deux députées danoises bien baraquées ont pris le juge Jean-Pierre de chaque côté. Lui aussi a été obligé de déclarer forfait ! Debout, il a salué la performance. Le vieux sage avait parlé avec ses mots à lui pour dire l'enjeu d'un avenir pour l'Europe. Quittant son texte dûment préparé par les cellules diplomatiques de l'Élysée et Matignon, il avait retrouvé ses accents de tribun et ses qualités oratoires d'avocat. Indéniablement, il a su se dégager des figures imposées de ce genre de discours, en l'enrichissant de notations personnelles qui ont donné du souffle à l'ensemble : veiller à ce que le cap de l'Europe soit maintenu, empêcher que la campagne présidentielle ne vienne hypothéquer la Présidence française. Il abat la carte européenne, la dernière qu'il joue. Le résultat sera au-delà des espérances. L'Europe sociale et l'Europe comme seule perspective pour la paix : ces deux thèmes sont martelés par un Président convaincu et au sommet de sa maestria. A la fin, tout le monde se bouscule pour le remercier. Au cours de la réception qui suit, Le Pen se met en travers pour l'accrocher. Il réussit. Ils ne se sont pas vus depuis 1956. Tapie a moins de chance. Malgré des efforts désespérés, il ne réussit pas, ne serait-ce qu'à toucher la main du Président.

La dernière fois. Serait-ce la dernière apparition, le dernier discours, le dernier déplacement ? Chaque voyage ressemble désormais à une ultime traversée. Chaque geste se nimbe d'une épaisseur de nostalgie. Mitterrand rit de ce climat, de cette façon d'empeser tout ce qu'il fait avec les ingrédients du plus jamais. Lui ne se vit pas dans ce temps-là, même s'il ne nie pas avoir commencé mentalement le compte à rebours. Mais il savoure l'instant. Et, comme il le dit en souriant : « Moi, vous savez, les testaments ne m'ont jamais énormément impressionné. Et puis je n'ai pas l'intention de présider mon propre enterrement, alors... »

L'Élysée, c'est la cour des miracles. L'autre jour, un homme s'est pendu aux grilles de la rue du Faubourg-Saint-Honoré en hurlant : « Dites au Président qu'il fasse revenir ma femme à la maison. » L'Élysée, c'est le Saint des saints. Une fois qu'on y a « touché », on ne veut plus s'en aller. La lettre de licenciement n'a pas cours au palais. La fameuse formule : « Il est mis fin aux fonctions de... » n'est guère employée par François Mitterrand. A titre personnel, on ne quitte pas le Président, justifie-t-on dans l'entourage du patron. On a ainsi lu dans un entrefilet d'un quotidien qu'un policier anciennement en poste à l'Élysée venait de se suicider. Il avait quitté le palais il y avait bien longtemps, mais on le croisait souvent dans les couloirs, utilisant les photocopieuses, mangeant au réfectoire. Il avait écrit au Président pour lui demander l'autorisation de continuer à venir. Il était très malade et l'Élysée lui manquait. Bien sûr, avait répondu le Président. Dedans, dehors. L'Élysée est une maison chaleureuse, accueillante, mais aussi vénéneuse, dangereuse. Dedans règnent les règles du silence dès qu'il y a incident.

L'Élysée, c'est la maison du secret. « Secret professionnel », dit le chef cuisinier : « A mes jeunes du contingent je répète : il faut tout voir et on en voit des choses, ici, tout entendre et ne rien dire. » M. Normand a beau exciter notre appétit, il n'en dira pas plus, tout en suggérant beaucoup. A force de le pousser dans ses retranchements, il avouera... un secret d'État : Mitterrand reste « terroir », « plus allégé » que Pompidou, et il milite contre les mélanges de produits. « Si vous lui faites des cèpes, il déteste qu'ils aient le goût d'échalotes. »

Il n'y a pas que le chef cuisinier qui soit soumis à la règle du secret. « Le secret, c'est ce qui caractérise ma fonction », dit le chef des huissiers, l'homme qu'on voit toujours à la télévision descendre en souriant les marches du perron pour accueillir les personnalités. « Je suis une tombe », ajoute M. Courtin. Disponibilité, abnégation, honnêteté, silence. Vingt et un ans qu'il est là à surveiller le vestibule d'honneur, à vérifier les allées et venues de ceux qui approchent le Président. « Je suis chez moi ici. » Il a délaissé les bas de soie et les chaussures vernies noires à boucle d'argent qu'il portait encore du temps de Giscard mais a conservé sa médaille autour du cou, symbole des secrets qu'il détient. Lui, le gardien des clefs, l'homme qui se poste au seuil du palais dès que le Président paraît, le garde républicain qui, par définition, ne peut rien dévoiler, me dira, le regard embué, avant de nous séparer : « A son retour de l'hôpital, j'ai dit au Président que je ferais tout pour l'aider. Il impose le respect. J'ai vécu ici la maladie de Pompidou. C'était atroce. Le Président va bientôt partir. Tous les gardes républicains vont le regretter. »

« Le Président mange moins et perd l'appétit », confie le chef cuisinier. Mitterrand confirme, il a de moins en moins de goût pour les plaisirs de la vie. Marcher, manger... Alors il lit, beaucoup, relit plus encore.

Ils rendent tous visite au vieux chef. Après la défection de Joxe, Jospin est venu lui dire qu'il envisageait sérieusement de se présenter. Mitterrand a répondu sobrement que c'était son droit le plus strict. Lundi dernier, c'était le tour d'Emmanuelli. « Il faut peser le pour et le contre », a rétorqué Mitterrand, qui ne cache pas à ses collaborateurs sa crainte de voir, avec le départ de son premier secrétaire, un parti mis en pièces par des lieutenants de Jospin qui haïssent Mitterrand et crachent sur lui à longueur de temps. Pourquoi laisserait-il filer son gardien du temple ? Il l'a rappelé cependant le lendemain pour lui dire qu'en 1965, lorsqu'il s'était présenté, ses amis aussi étaient contre... Emmanuelli s'est senti adoubé. Mitterrand, on le sait, souffle le chaud et le froid. A Jack Lang, qui est venu samedi, il a lancé : « Faites comme bon vous semble. » Mais il dit qu'il ne croit pas que l'homme qui a signé en tant que ministre de l'Éducation nationale les accords Cloupet puisse raisonnablement représenter les socialistes et être investi par son parti.

Chirac vient de lui faire savoir que dans sa campagne il ne l'attaquerait pas. Mitterrand, ces derniers temps, dit d'un air blasé que « l'alternance est bonne pour la démocratie ». A chacun son tour ? Non, pas vraiment. A chacun son camp. Il fera tout pour aider le sien. Royaliste autrefois, il est devenu royal face à la maladie. Son cancer, c'est son mémorial de Sainte-Hélène. La geste mitterrandienne de résistance et de dignité dans cette épreuve est destinée aux livres d'histoire. Quand on est en dialogue avec l'au-delà, on ne s'abîme plus à partager ce misérable tas de petits secrets qu'est la vie politique...

La mémoire du combat, le recentrage vers les idées simples, l'appel au peuple de gauche, le Président désire maintenant rester dans l'épure. Le patriarche revient dans la Nièvre pour fêter avec les militants l'anniversaire de son acte de candidature à la Présidence de la République. La Nièvre, toujours la Nièvre, encore la Nièvre. Il y a le poing et la rose, et l'intitulé sur le carton d'invitation du 28 janvier le précise bien : ce sont les socialistes nivernais qui se rassemblent et non les courants du Parti socialiste. Ils sont venus, ils sont tous là – Emmanuelli, Jospin, Lang –, tous les trois réunis à Château-Chinon. L'archiviste du Président, pragmatique par nature, militante par idéal, m'a prévenue : « Il croit qu'en les faisant bouffer ensemble, Mitterrand va arranger les choses. Il se trompe. » Pas vraiment. Le placement des trois hommes à des tables de militants pour le banquet donne lieu à des drames diplomatiques aigus. « Malséant », dit le Président, qui accepte tout de même une solution de repli : tous les asseoir à sa table.

A l'arrivée du cortège officiel à Château-Chinon, le Président s'arrête au domicile de Mme Chevrier. Les traditions sont respectées. François Mitterrand en profite pour se reposer. Cela n'arrange pas les affaires de Jack Lang, qui a réussi, depuis Villacoublay, à coller au Président et qui aimerait bien arriver avec lui au gymnase où les socialistes sont tous réunis et où les deux autres – Emmanuelli et Jospin – attendent. C'est raté. Lang n'ose pas importuner Mitterrand chez Mme Chevrier. A la place, Jack aura droit à une délicieuse orangeade servie par une sous-préfète rougissante devant un feu de cheminée qui ne le réchauffera pas. C'est dur, la vie politique! Attentes, espoirs déçus.

Mitterrand arrivera tout seul au congrès-déjeuner, comme si de rien n'était, alors qu'il l'a prémédité. Frais comme un gardon depuis sa halte chez Mme Chevrier, il se fera ovationner.

A l'entrée du gymnase, une dame vend des roses rouges. 5 francs pièce. Il lui en reste beaucoup et elles sont déjà légèrement flétries. Sur des panneaux de contreplaqué des affiches de Bérégovoy : Bérégovoy dans un stade, Bérégovoy dans sa mairie, Bérégovoy avec Gilberte. Et puis, en guise de bienvenue, ces mots du maire, le docteur Signé : le rappel de la victoire en 1981, la douceur de la fin d'après-midi sur la terrasse du Vieux Morvan à l'annonce de la nouvelle. Applaudissements. Binious. Envol de ballons. A la table des personnalités, placée sur une estrade, Mitterrand boit du petit-lait, Lang mange nerveusement du pain, Emmanuelli met ses mains devant sa bouche, Jospin se tient raide comme un piquet. Et le docteur Signé, lyrique, continue de parler. Il s'envole vers l'ondulation des verts pâturages nivernais, la couleur d'un ciel entrevu un après-midi d'été entre les rangées de peupliers, l'odeur des tilleuls la nuit tombée.

Mitterrand prend alors la parole et avoue qu'il n'était pas en état de faire ce voyage, mais la Nièvre, c'est une partie de sa vie. Il ne pouvait pas refuser : « Charentais, je suis devenu nivernais. Tout s'est bien passé entre les Nivernais et moi. Être toujours élu par les mêmes gens depuis quarante-neuf ans, il y a de quoi en être flatté. » Puis il parle de politique : « Je ne mets pas mon drapeau dans la poche. Je ne me pose ni en arbitre ni en juge. Je trouve normale la compétition entre vous. Moi-même, quand j'ai voulu me présenter, je me suis soumis à un vote mais il n'y avait pas d'autre candidat. Je suis donc spectateur de ce que vous aurez à décider. » Il en appelle à l'ensemble des Français sur le chômage, prêche le nécessaire partage si le retour à la croissance se confirmait, avant de terminer sur l'Europe.

Le message est délivré. Vient de s'accomplir une cérémonie des adieux. Pas de séparation sans remerciements : « Vous m'aurez apporté une sorte de paix intérieure. Toute vie est bousculée sur les plans intellectuel, physique, moral. Pendant quelques heures, cela m'a fait du bien... Il y eut des heures de tristesse. C'est comme un déchirement que Pierre Bérégovoy ne soit plus des nôtres aujourd'hui aussi. Il a préféré la mort à la vie, une vie qu'il avait devant lui. »

Des gens pleurent, d'autres baissent la tête. Sur les tables à tréteaux, le coq au vin refroidit. Personne n'a le cœur à la fête. Il élude les discussions politiciennes, quitte les ténors du socialisme pour embrasser des vieilles dames avec qui il donne l'impression d'avoir fait du crochet depuis une éternité, remet son chapeau. Il semble très fatigué. Il l'est. On pense donc qu'on va rentrer tout de suite à Paris. C'est méconnaître le protocole rituel mitterrandien. Inscrire une succession de gestes dans le temps, pratiquer la répétition comme un art de vivre. Fixer les instants, mettre en ordre. Il y a donc la visite du musée du Septennat, l'arrêt-gâteau chez les amis (très bonne tarte Tatin !). Pas encore de pissenlits dans les prés. François Mitterrand n'aura droit, cette fois-là, qu'aux œufs frais de Mme Chevrier.

FÉVRIER

« Vous avez vu ma nouvelle coupe de cheveux ? » Le Président ironise. « Plutôt que d'avoir quelques cheveux qui se bataillent de manière ridicule, j'aime mieux assumer ma chimio et tout faire couper. » Il a raison : cela lui donne un nouveau *look*. Il ne lui manque plus que la casquette de rapper vissée à l'envers pour qu'il ressemble vraiment au portrait que croque de lui Plantu.

L'Élysée, ces jours-ci, a de nouveau mauvaise réputation. A la une des journaux, un ancien collaborateur du Président, immortalisé sous le sobriquet de « M. Tout-en-Daim » dans le livre d'Eric Orsenna, défraie la chronique. « Corruption », « trahison » : les mots sont lâchés. Son ancienne maîtresse vient de faire des révélations, des policiers ont découvert chez lui de nombreux billets de banque et une lettre adressée à « Michou l'Auvergnat », resté, lui, au palais comme conseiller du Président. « M. Tout-en-Daim » se cache des rares occupants du lieu qui aimeraient bien le consoler. Car « M. Tout-en-Daim » paraît cordialement détesté et fait encore aujourd'hui, tant les offenses furent graves, l'unanimité contre lui. Brutalité, autoritarisme, supériorité affichée en permanence, personne, aujourd'hui à l'Élysée, ne le défend. Aux hommes du Président il avait confié sa méthode pour comprendre la manière de réagir des différentes classes sociales : « coucher », comme il le disait élégamment. Coucher avec une demoiselle des PTT le matin et avec une rombière du Grand Café l'après-midi. La méthode avait manifestement donné des ailes au gourou du Président pendant la seconde cohabitation. L'histoire avait dû circuler. « L'homme chargé de Son image » devait certainement se vanter de ses exploits érotiques. Gabriel, le héros du livre d'Orsenna, en est tout à la fois étonné, jaloux et ravi : « Un jour, j'ai demandé à Tout-en-Daim où il trouvait l'énergie d'aborder toutes ces Françaises et de forniquer avec elles, encore et toujours, pour la bonne cause. " Est-ce que la bonne cause ne coupe pas tes effets parfois ? " » Tout-en-Daim enseignera à Gabriel sa manière de faire des sondages politico-érotiques sans trop s'épuiser : « Banlieue de Toulouse, une croisière chez Auchan. Pas la peine, avec celle-là, de donner le corps. Une gentille bavarde. Et pas bête. Elle m'a tout de suite dit : " Moi, je m'intéresserais à la politique si c'était comme Canal Plus, *Les Nuls* et des films. " [1] »

Aujourd'hui, en 1995, « Tout-en-Daim » ne donne plus son corps aux caissières d' « hyper » mais offrirait son âme pour échapper à la mise en examen. Il serait même prêt à lâcher ses anciens petits copains...

Michel Charasse a maigri ces derniers temps. Régime, certes, conséquence d'une sale opération, mais aussi spleen, doutes, pluies et vents sur l'ex-Élysée-miracle. Botton le poursuit de sa vindicte, Gérard Colé veut le compromettre. Dans son bureau, où le portrait de Mitterrand est exposé entre deux scènes de chasse, il avoue ce jour-là [2], après un coup de téléphone à Cuba et avant un autre à Eddy Mitchell : « Je vis toute cette histoire très mal. Colé, un copain ? Oui, mais je n'ai que des copains ici, je m'entends bien avec tout le monde. Je ne m'occupais pas de ses affaires. Il ne s'occupait

1. Éric Orsenna, *Grand Amour*, Seuil Poche, 1994.
2. 3 février 1995.

pas des miennes, un copain de boulot, pas un ami. Lui était mal vu ici, désagréable avec le petit personnel, hautain, méprisant, grossier : il avait l'habitude de traiter tout le monde de con. Ce n'est pas moi qui lui avais proposé d'être président du Loto, mais lui. Je lui ai alors conseillé d'aller voir Bérégovoy, qui en a parlé à Mitterrand, qui, lui, a donné son accord. Voilà la vérité. Quand il est devenu président du Loto, je le voyais moins. Lui, par contre, voulait me voir. Il ne me racontait qu'une partie des choses. Pendant toutes ces années au ministère, il n'y eut jamais une note sur lui. Aujourd'hui, il se défend en chargeant les autres, dont moi. Je suis furibond. Qu'on puisse considérer que je suis un homme malhonnête m'a blessé profondément. Je ne tournais plus rond. J'en suis venu à me demander si je n'avais pas vraiment fait quelque chose de répréhensible dont je ne me souviendrais pas. J'ai dit à ma femme que je n'étais pas coupable. J'ai été voir le Président, qui m'a rassuré. »

Le Président, interrogé par ses collaborateurs, leur aurait répondu : « Si Colé doit avoir des ennuis, qu'il en ait, que la justice suive son cours. »

« Tous des cons, tous des couilles molles. C'est uniquement grâce à moi que le Président monte dans les sondages... » Jean Musitelli, le porte-parole du Président, se souvient des slogans favoris de « Tout-en-Daim » et il écume de rage. Non, l'affaire Colé n'embarrasse pas l'Élysée. Affaire classée, sans suite. Mais elle fait jaser au palais. Certains, qui préfèrent rester dans l'anonymat, se souviennent d'avoir assisté aux marchandages à la fin des déjeuners des marquis : « T'en as combien, de postes au Conseil d'État ? – Que me donnes-tu en échange ? » C'était au moment du cognac et des cigares, des parades de coqs, des mégalomanies qui trouvaient, dans le terreau du pouvoir, la force d'éclore et de gangrener. Histoires d'hommes, de sexe, d'échanges, de vision du pouvoir comme une force qui vous permet de mieux séduire, de « bander plus fort ». Dans ces déjeuners où les femmes sont seulement tolérées, le niveau n'est même pas celui de l'*Almanach Vermot*. C'est beaucoup plus salace et... macho. Le pouvoir sécrète-t-il forcément, dans ses replis, de l'obscénité? Honte d'avoir entendu certains propos répétés, ressassés par des conseillers fiers de leur veulerie sexuelle.

« M. Tout-en-Daim » s'est fâché avec le Président le jour de la nomination d'Édith Cresson. Il lui a dit tout de go : c'est la plus belle erreur de votre vie. Le Président n'a pas apprécié et l'a congédié, tout en le laissant végéter à l'Élysée. Comme le dit Anne, le Président décourage les opérations vérité. Quand François de Grossouvre mâchonnait sa haine contre lui à tout propos et avec véhémence et qu'elle a cru bon de le prévenir, elle s'est entendu répondre : « Vous êtes malveillante, Anne, c'est un vilain défaut. » Aujourd'hui c'est au tour de Colé. Mitterrand affecte de n'y prêter aucune attention. Les déjeuners des marquis existent toujours. Le secrétaire général n'y va plus. Il a trop peur d'y croiser des hommes politiques de l'actuelle majorité compromis dans des affaires. On y boit moins, on y invente des blagues politiques (la dernière : on a caché Lionel Jospin dans les caves de l'Élysée pendant l'occupation balladurienne), on y est toujours aussi macho, mais on ne se distribue plus les postes – et pour cause...

C'était le dernier de la liste. Le Président s'est approché de lui pour l'embrasser. Tout a commencé à tanguer. Le Président perdait la voix et l'équilibre. Debout à côté du chef d'état-major particulier, Danielle, en une fraction de seconde, a tout compris et elle a littéralement volé à son secours. C'était impressionnant, la vitesse à laquelle elle s'est rendu compte qu'il était en danger.

Le Président a donc eu un malaise dans la salle des fêtes. Pourquoi, fichtre, avoir maintenu ce cérémonial épuisant contre l'avis de l'ensemble de ses médecins? « Je fais ce qu'il me plaît, et cela me plaît, ces remises de décorations. »

Fidèle à sa volonté de ritualiser des événements qu'il juge importants, Mitterrand a inventé à l'Élysée cette cérémonie qui, depuis 1983, se tient deux fois par mois, le jeudi en fin d'après-midi. Ses prédécesseurs décoraient, mais pas au cours de ce type de réception. En tout, au terme des deux septennats, c'est plus de mille cinq cents récipiendaires qu'il aura honorés. Méritants sont ces combattants qui attendent quelquefois très longtemps avant de se faire décorer par le Président! Il ne suffit pas en effet d'être choisi. Le Président organise son calendrier, établit ses propres listes, procède par affinités. La cérémonie doit être une alchimie. Impossible de progresser dans l'ordre ni de porter sa décoration avant la cérémonie de remise. Or le Président est connu pour ses humeurs vagabondes, ses retards légendaires dans l'arbitrage des choix. D'ailleurs les entichés de décorations le savent, qui ne s'avisent pas de se prêter aux rituels de l'Élysée, tant l'attente prend des allures de supplice. Mais au bout du chemin de croix, il y a l'éclat de la cérémonie. Rien de plus chic en effet que ce moment suspendu dans les ors de la République, dans cette salle des fêtes aux lustres allumés, où l'officiel et le privé cohabitent dans une atmosphère bon enfant, où des petites filles aux yeux écarquillés par la grandeur courent à perdre haleine, crient, jouent, faisant basculer quelquefois le protocole dans le ridicule, pendant que les plus hautes personnalités de la République, qui ne dédaignent pas de venir boire une petite coupe de champagne, en profitent pour saluer quelques ennemis, défaire quelques réputations, et à la fin naviguent dans la foule avec le secret espoir de s'entretenir avec le Président, qui, l'air de rien, comme un cousin de province poli et attentionné, parle à chacun.

Tout est pourtant réglé comme du papier à musique dans cette cérémonie qui se répète à l'identique depuis plus d'une décennie. D'abord, le retard du Président. Une demi-heure au moins. Histoire de faire monter la tension et d'accentuer ainsi la théâtralisation de son arrivée, précédée par celle de M. l'Huissier, qui foule élégamment l'épais tapis aux motifs floraux en annonçant à haute et intelligible voix : « M. le Président de la République. » Tout alors se fige – les sourires, les visages, les gestes. Les futurs décorés se mettent en ligne pour l'ultime bataille. Le champ d'honneur est dégagé. Le Président va pouvoir commencer à parler. A noter : parmi les douze récipiendaires, il est très rare de ne pas trouver un Nivernais.

En fait, la demi-heure diplomatique d'attente permet à François Mitterrand, enfermé dans son bureau du premier, de lire en diagonale les fiches – précises mais succinctes – préparées par la « cellule déco ». Chaque récipiendaire peut lui-même inviter dix personnes. Cette liste est vérifiée par le chef de cabinet et transmise pour appréciation au Président, qui l'étudie attentivement.

Dans l'ascenseur encore, comme un mauvais élève, Mitterrand relit ses fiches. Y sont notés, à la demande du Président, l'âge des débuts professionnels, l'origine géographique (la Nièvre, les Landes, l'Auvergne figurent au hit-parade), les faits de résistance. Le Président n'a pas de notes, l'aide de camp donne le nom, Mitterrand commence à improviser, on a l'impression qu'il tire un fil, celui de l'enfance le plus souvent, et puis il parle. La scène peut tourner au marivaudage – Gina Lollobrigida –, à l'embrassade amicale – Bernard Loiseau, gens de la Nièvre –, à l'exercice patriotique – maîtresse d'école, pompiers –, à l'éloge médiatique – Michel Drucker, Alain Delon, Daniel Auteuil.

L'artiste travaille sans filet. Il dit qu'il en profite pour exercer sa mémoire et que cela lui rappelle le bon temps où il était avocat. L'ambiance tient à la fois de la réception de préfecture, du bal masqué (tant les intrigues y fusent) et de la partie de campagne entre vieux camarades. Force est de constater que, ces derniers temps, les rangs des piapiateurs mondains de la République nommés autrefois par le Président se dégarnissent. Souvent ces gens-là n'ont que la reconnaissance du ventre et la rumeur a vite circulé : le gouvernement boude la cérémonie. Edouard Balladur ne vient que très rarement. On l'a vu pour la décoration de Marceau Long. A quoi bon perdre son temps dans cette atmosphère surannée où il n'y a plus rien à glaner ?... Heureusement, le carré des fidèles est toujours là, en coulisses, dans la travée près du jardin, loin des photographes et des familles des récipiendaires. Mitterrand les voit et se réassure grâce à leur présence amicale.

Petites filles enrubannées, les joues en feu, qui courent partout et jouent à saute-mouton avec les cordes rouge et or de la République, récipiendaires en ligne, le corps figé, le cœur qui bat la chamade. Étrange, en effet, de voir à chaque fois un tel bonheur resplendir sur le visage de ces communiants de la République après la remise des décorations. Le Président embrasse toujours à la suite du discours. Ainsi le veut le protocole. Ce jour-là, il a pris longuement dans ses bras un résistant. Cela faisait dix ans que l'homme hésitait à sacrifier à ce rite. Mitterrand le savait. Il lui a su gré de céder.

Le 2 février, avant la réunion inaugurale de la présidence française de l'Union européenne, François Mitterrand reçoit à l'Élysée Helmut Kohl. La conversation, nullement préparée par les conseillers diplomatiques français et allemands, roule très vite sur l'Algérie.

Kohl : « Qui aura, pensez-vous, le dernier mot en Algérie ? »

Mitterrand : « Il faudra conditionner notre aide à un accord entre les parties [...] mais, je le répète, la France ne devrait pas apparaître en tant que telle car elle a le handicap d'être l'ancienne puissance coloniale. »

Ils évoquent le risque d'une extension du problème à la Tunisie et au Maroc.

Mitterrand : « Il me semble que ceux qui peuvent avoir une influence, ce sont l'Union européenne et les Américains, qui ont des liens avec les intégristes mais qui jouent peut-être un jeu de dupes [...]. En Algérie, on est arrivé à un degré de haine qui échappe au raisonnement. Alors voilà, on peut imaginer une initiative européenne sur la base des accords de Rome. »

Au cours de la conférence de presse du lendemain, François Mitterrand réitérera son appel à l'Algérie. L'Union européenne peut aider ce pays, où « le terrorisme et l'extrémisme trouvent un élément puissant dans la misère économique et sociale [1] ». Après les violentes réactions des officiels algériens, Charles Pasqua et Alain Juppé annoncent à la presse que le gouvernement n'a pas été associé à cette démarche. Couac dans la cohabitation ? A l'Élysée, le conseiller diplomatique se dit stupéfait. Cette discordance donne, à un moment clef, une impression de flottement désastreuse vis-à-vis des partenaires de l'Union européenne. « On a l'air de faire une exception pour l'Algérie, de ne pas pouvoir lui demander une contrepartie. Notre aide économique a toujours été conditionnée. En Algérie, nous apportons de l'aide, mais il ne faudrait pas dire un mot sur la nécessité de l'engagement dans un processus démocratique. La réaction du gouvernement, sur le fond, a été celle-ci : tout notre effort a été d'éviter que la France ne

1. Conférence de presse du Président avec Jacques Chirac et Édouard Balladur, à l'issue de la réunion inaugurale de la présidence française de l'Union européenne.

soit en première ligne et l'intervention du Président nous y replace. » Le 7 février, le Premier ministre réunira les ministres concernés par ce sujet. Aucune déclaration ne sera diffusée.

François Mitterrand ne s'étonne guère des tempêtes que soulève son intervention. L'appel au dialogue politique avec l'Algérie devient aujourd'hui dangereux, tant le gouvernement est divisé sur ce point : ligne Juppé, ligne Pasqua, ligne Léotard. Ce dernier souffle au Président qu'il a été personnellement très heureux de ses déclarations. Le 13 février, le Premier ministre, en guise d'éloge funèbre du désir de dialogue du Président, déclare : « C'est aux Algériens à régler eux-mêmes leurs problèmes [...]. Nous ne sommes pas persuadés que des interventions trop pressantes et trop voyantes permettraient d'aboutir à ce résultat [1]. » Déjà, le 4 janvier 1995, au cours du Conseil des ministres, il a déclaré : « La France apparaît, dans le monde, comme le seul soutien du gouvernement d'Alger, voire sa complice. Sans changer notre politique à l'égard de l'Algérie, il paraît opportun de faire une présentation plus exacte de notre politique à l'égard de cet État. »

François Mitterrand est décidé à utiliser au maximum la carte de la présidence française de l'Union européenne. Entre Helmut et Charles, il a, depuis longtemps, choisi. Il l'a montré, il y a deux mois, sur le dossier Europol. Pasqua rechignait, Helmut s'énervait. Le Président, sur l'insistance d'Helmut, a donc employé les grands moyens : tête-à-tête avec le Premier ministre avant le Conseil, intervention musclée pendant [2], altercation un peu vive entre le ministre de l'Intérieur et le Président, qui a été obligé de le contredire publiquement, et règlement à marche forcée des problèmes d'Europol, le 26 janvier dernier. Charles Pasqua a pu

1. Conférence de presse où il présente son projet pour l'élection présidentielle.

2. 7 novembre 1994.

ainsi déclarer qu'un grand pas avait été accompli « grâce à la présidence allemande et aux compromis que nous avons préparé [1] ».

Le gouvernement gouverne... de moins en moins, dit l'état-major de l'Élysée. Le Conseil des ministres n'est plus qu'une cérémonie sans grand contenu où les affaires courantes sont rapidement expédiées mais où le ton, malgré les rivalités qui se font jour entre plusieurs ministres, reste courtois, les propos modérés.

Avant le Conseil et le tête-à-tête avec François Mitterrand, Edouard Balladur, depuis qu'il est candidat à la présidentielle, paraît de plus en plus disert et décontracté. L'autre jour, juste avant que le candidat socialiste ne soit désigné, il a dit aux plus proches collaborateurs du Président : « J'espère que vous allez me trouver un candidat à ma hauteur et à qui je puisse m'affronter au deuxième tour. » De Jacques Chirac il n'a déjà fait qu'une bouchée.

Dans leurs bureaux, les conseillers commencent à classer, certains même à faire des cartons. Ceux qui vont être nommés au Conseil d'État (« Les veinards ! » pensent ceux qui n'ont encore rien décroché) prennent rendez-vous pour leurs visites protocolaires et révisent leurs cours de droit. D'autres font des dossiers par thèmes, véritables mines d'informations et d'analyses qu'ils aimeraient donner au futur candidat, désigné par la gauche. Quelques-uns sont déjà partis. Le conseiller européen notamment, nommé au cabinet du successeur de Delors. Quand les dames du ménage sont venues nettoyer à fond son bureau, elles ont découvert dans son coffre (tout conseiller a droit à un coffre pour ses documents confidentiels) une véritable pharmacie ! Le conseiller l'a abandonnée sur le lieu du crime, sachant qu'une fois la page élyséenne tournée il n'aurait... sans doute plus besoin de se soigner ! L'his-

1. Note-dépêche AFP du 26 janvier 1995.

toire a bien fait rire le Président, qui relit Zola. Edouard Balladur, lui, vient d'achever le *Voltaire* de René Pomeau. A chacun ses goûts!

L'infirmière de l'Élysée, dont le minuscule local jouxte bizarrement le garage, trouve que le stress augmente vertigineusement chez les conseillers. Elle prédit des dépressions graves. Certains sont si abîmés par le pouvoir qu'ils ont cru détenir qu'ils n'acceptent même plus d'être malades, de ne plus maîtriser. Le docteur Kalfon s'est transformé en psychanalyste : ils viennent presque tous lui avouer la peur de ne plus être à la hauteur, l'angoisse de retrouver la vie réelle. Le syndrome de l'Élysée a encore frappé. Anne tient le bureau des pleurs de celles et ceux qui, se disant recasés, se sentent disgraciés. Côté ANPE, l'Élysée ne se montre guère performant et le gouvernement, peu élégant, ne facilite pas la tâche. Le directeur de cabinet a droit aussi aux récriminations des éclopés de l'Élysée. Les traits tirés, épuisé nerveusement, il avoue : « Je ne pensais pas que la nature humaine pouvait être si tordue. Pourtant je ne suis pas un perdreau de l'année. » A propos, la dernière chasse vient de s'achever. François de Grossouvre n'ayant jamais été remplacé, le directeur de cabinet a assuré l'intérim. Bon chasseur, très discret, il s'en est bien sorti. Aux chasses présidentielles, on le regrette déjà.

« Vous voulez ma mort », a dit Mitterrand à son secrétariat particulier quand il a vu les cérémonies du 8 mai, les voyages à Berlin et à Moscou inscrits sur son agenda. Le secrétariat particulier n'avait fait que noter ce qu'il avait annoncé publiquement la veille, au cours d'une conférence de presse. Il avait concocté tout seul son programme.

Il a reçu Lionel Jospin tout de suite. Il a simplement fait savoir que Jospin était convaincu qu'il pouvait gagner. Certes, il l'a encouragé. Mais sans enthousiasme, sans passion. Jospin est posé, méthodique, intelligent. « Il prend son nouveau rôle avec modestie », dit le Président. « Jospin est quand même de la famille », analyse Jean-Louis Bianco. Jacques Delors n'en a jamais été, Pierre Mauroy presque, Laurent Fabius, lui, oui. Fabius est le fils héritier, le fils préféré. Mitterrand regardera d'ailleurs pendant longtemps d'un œil froid les rapports entre Fabius et Jospin, sans jamais les arbitrer.

Mitterrand impose Jospin à Rocard. Une fois qu'il l'a nommé ministre, se souvient Jean-Louis Bianco, il l'a défendu, tout en gardant ses distances, car, à ses yeux, il ne le trouve pas « à la hauteur de ses espérances ». Jospin gardera la blessure Fabius comme un coup de poignard assené dans le dos, traîtreusement et calmement, par un patriarche respectable. Jospin a pris soin de ne jamais critiquer frontalement Mitterrand, même s'il ne s'est pas privé de lui dire ses vérités. Dans la grande famille, il reste malgré tout un fils de Mitterrand, un fils turbulent qui a rué dans les brancards. A l'Élysée, on se souvient d'une discussion orageuse entre les deux hommes avant le discours de La Baule à propos de la politique africaine, que Jospin trouvait trop timorée. Mitterrand apprécie qu'on lui tienne tête même s'il met du temps à vous le faire savoir. « Psycho rigide, cérébral, compliqué, oui, certes, dit-il mais candidat sérieux, honorable. » Il vient de convoquer ses collaborateurs pour leur dire d'être « coopératifs » avec Lionel Jospin.

Sur le plan personnel, la relation entre les deux hommes s'est resserrée lors de la maladie de Jospin. Mitterrand lui a rendu visite plusieurs fois à l'hôpital. Un dialogue s'est renoué. Puis il y eut la nouvelle vie amoureuse de Jospin. Il l'invita à son mariage. Mitterrand fit remettre trois fois la date de son voyage officiel en Afrique du Sud pour ne pas manquer cet événement. Depuis, il trouve que Jospin a changé : « Il possède une sorte d'allégresse intérieure. » L'appétit de bonheur va-t-il lui permettre de tenir? C'est long et dur, une campagne.

Le général Quesnot est un militaire comme on en rêve quand on est légèrement midinette et qu'on aime (un peu) l'uniforme. Le général Quesnot, de son prénom Christian, est plutôt bel homme, et, de plus, ouvert et sympathique. Il possède son franc-parler et il est réputé dans l'armée pour sa turbulence. C'est d'ailleurs pour ces raisons qu'il n'a pas obtenu de commander une division en 1989 et qu'il a démissionné. La veille de son départ, il a reçu un coup de téléphone de Chevènement : « Vous êtes le plus jeune général, pourquoi partez-vous? » Quesnot a répondu qu'il en avait assez de voir l'armée si peu impliquée dans la vie de la nation. Chevènement, en guise de réponse, lui a confié la 7e division blindée de Besançon. Quesnot est donc resté. Postes à Marseille, Valenciennes, Lyon. En avril 1991, Joxe le convoque : « Vous irez peut-être à l'Élysée. » Deux jours plus tard, entrevue chez le Président : « J'avais l'impression de passer mon examen d'entrée en sixième. Le Président m'a parlé de tout sauf de l'armée. Il avait peur que je sois polytechnicien. Courtois mais sans contact particulier, je n'avais pas une tête qui lui plaisait. » Quesnot regagna sa division le soir même. Le lendemain, il était rappelé et succédait à Lanxade comme chef d'état-major particulier de François Mitterrand. Avec le général Vougny, il suit les problèmes de défense et les dossiers nucléaires.

Chaque mardi soir, il assiste à la réunion que préside le Premier ministre sur les problèmes militaires avant le Conseil, en présence des ministres des Affaires étrangères, de la Défense, de la Coopération et d'Hubert Védrine. « Balladur est un faux mou. Devant le Président, il ne ramasse pas les ministres mais il se rattrape le mardi soir avec une causticité féroce. Il se montre très directif, désire être informé de tout et veut traiter de chaque problème en direct avec le Président. Mais en ce moment, le Premier ministre n'a plus le temps de tenir les réunions. »

« Je vous demande de m'informer sur tout et de ne pas faire état de vos idées personnelles. Vous n'êtes pas le haut-parleur du ministre de la Défense », a dit, en guise d'accueil, le Président à Quesnot le jour de son arrivée à l'Élysée. Le général a obéi. Le Président fait ce qu'il veut des notes du général. Le Président l'envoie de temps en temps en Afrique pour des « contacts particuliers ». Dimanche dernier, il était aux Comores. Il va régulièrement au Tchad – en quatre ans, une vingtaine de fois! –, à Djibouti, à Abu Dhabi. Émissaire personnel, chargé de missions secrètes dont, décidément, il ne soufflera mot. Ce qu'il peut dire, c'est comment il voit Mitterrand : « C'est un homme extrêmement pragmatique, qui ne s'enferme pas dans des décisions précoces. Il garde jusqu'au bout plusieurs possibilités mais ne transige jamais. »

Finalement, le général a cédé. Il a mis plus d'un an à accepter l'idée de me faire visiter le QG nucléaire de l'Élysée, s'étant enfin convaincu que je ne serai jamais une doctoresse Folamour! Un beau matin donc, il me fait descendre dans les sous-sols de l'Élysée par un escalier situé sous le perron. Trois doubles portes blindées ouvrent sur un couloir entièrement moquetté desservant une succession de petits bureaux. Un militaire garde ce lieu plutôt *cosy*, accueillant, chaleureux. Une grande salle de réunion avec des photographies de porte-avions en couleur épinglées au mur et une immense carte du monde. L'un des bureaux, très administratif, est celui où se situe le bouton et où le Président peut s'isoler. Un appareil qui ressemble à un téléphone est posé. Chaise, table, appareil. Rien d'autre. Si : une bibliothèque... vide! Rien pour distraire le regard. Circulez, y a rien d'autre à voir! Déverrouillage des portes. On se retrouve à l'air dans la cour de l'Élysée avec l'impression d'être descendu pour quelques minutes dans un sous-marin. Des réunions se tiennent tous les lundis dans le QG et des conférences internationales entre généraux donnent lieu régulièrement à des simulations. *War game* par écrans interposés comme dans les mauvaises séries policières. Le général n'en dira pas plus. Il préfère me convier à la seconde cérémonie de décoration des membres du GIGN.

Le Président tient en effet, ce matin-là, sa promesse. Les hommes blessés au cours de l'attentat contre l'Airbus d'Air France à l'aéroport d'Alger sont sortis de l'hôpital et, en présence des membres de l'équipage de l'avion, des personnels de l'ambassade de France à Alger, ils sont aujourd'hui réunis dans la salle des fêtes en présence du Premier ministre et des ministres les plus importants de la République. « Le fait s'inscrira dans la mémoire historique. Cette action rassemblait tous les éléments : le courage, la détermination, l'harmonie entre les autorités civiles et militaires, l'efficacité », dit François Mitterrand.

Cachée derrière un pilier, une femme pleure, victime d'une peur rétrospective qui l'étreint en voyant son mari devant elle, vivant. De ces gens liés, soudés par cette aventure où ils durent dépasser leurs forces morales et psychologiques, se dégage, ce matin-là, une impression de calme immense, d'équilibre intérieur. Pas de marque de mondanité grimaçante, pas de bruissements de rumeurs politicardes dans les travées. L'atmosphère est à la gravité, à la solennité. Même le Président semble ému. Il a la voix qui tremble un peu.

François Mitterrand a convoqué ses principaux collaborateurs après la publication d'articles relançant l'affaire des écoutes de l'Élysée. « Barril est un fou manipulateur. Il continue ses basses besognes. Je me demande s'il faut réagir. *Le Monde* crée une fausse fenêtre sur les écoutes de l'Élysée pour faire pendant aux écoutes qui atteignent en ce moment Matignon. » A son directeur de cabinet il a demandé de faire le point sur « les états de service de M. Barril, qui laisse croire qu'il faisait partie de l'Élysée alors qu'il n'y a jamais été engagé ». Pour la première fois, lui qui a tant défendu Prouteau, lâche à son propos : « Il s'est montré d'une extrême légèreté. » Mitterrand demande de garder le silence sur ce dossier.

A son instigation, un nouveau dispositif concernant les décorations a été mis en place. La fournée sera désormais de vingt-cinq! Un seul discours est prévu : « Vous auriez pu attendre le prochain Président. Ce ne sera pas long maintenant. Il y a donc de votre part une responsabilité. » A Madeleine Chapsal il parlera de la Saintonge, à Éliane Victor de la télévision, à Hubert Reeves des étoiles, à René Teulade de la solidarité, à Robert Chapatte de son sport préféré, à Michel Platini de la philosophie de la vie. Mais c'est à Christiane, secrétaire à l'Élysée, qu'il réservera son plus long discours, son plus gentil sourire, avant d'aller faire un brin de causette pour parler des récoltes et des derniers orages avec son ami et voisin, le maire de Soustons, dernier de la liste.

Tout est devenu un tel effort qu'il a hâte que ça se termine. Il remplit son rôle officiel, va à Orly recevoir les chefs d'État, préside les dîners d'État, accueille les délégations, décore, dialogue avec Sa Sainteté chypriote, lit les télégrammes diplomatiques, se réjouit du rapport du Conseil supérieur de la magistrature. L'après-midi plutôt. Le matin, il lit, travaille dans son appartement privé de l'Élysée. Il prend de plus en plus de recul. Balladur ? « C'est pas le quart d'un manchot. » C'est son expression favorite. Chirac ? « On va voir la suite. » Jospin ? « Je ne sais s'il a choisi comme une stratégie de rester autant en retrait. Il va falloir qu'il passe à la vitesse supérieure. »

MARS

Il distille le temps qu'il lui reste. Parle de la maladie comme pour mieux l'exorciser. La pesanteur de la souffrance s'ajoute à celle de la fatalité.

L'amour c'est comme la politique. c'est une grande histoire d'amour qu'il a eue avec la politique. La plus longue, la plus intense, la moins décevante au bout du compte.

« Je me suis présenté en 1946 aux élections. J'étais élu en décembre 1946. Cela fait quarante-huit ans – à l'exception des trois mois en 1958 quand j'ai été battu aux élections législatives au moment où j'ai pris position contre de Gaulle. Trois mois plus tard, j'étais élu sénateur. Pendant quarante-huit ans, absent seulement trois mois du Parlement. On peut dire que j'ai plongé dans la politique.

« Rien ne bouge, rien ne change depuis 1946. C'est comme en amour. Rien ne change excepté quelques modes d'expression.

« On a toujours envie de rencontrer de grands événements historiques. J'aurais pu en rencontrer. Certains ne sont pas venus. Ce sont les lois de l'histoire. La gauche au pouvoir c'est, en soi, déjà un événement. Qu'elle y soit restée plus de dix ans, c'est de l'histoire. L'alternance aujourd'hui est là, mais la gauche reviendra au pouvoir. »

Il prend du champ, observe, avec beaucoup de distance, la campagne des candidats à la présidentielle.

Lui se projette déjà ailleurs. Plutôt que de critiquer les discours de l'un ou de l'autre, il range sa bibliothèque, voit ses amis, s'oblige à marcher dans Paris. Il montre un désintérêt stratégique pour ses éventuels successeurs. Attentif à la définition de sa fonction, il ne portera pas de jugement personnel, ne se livrera à aucun pronostic. Certains commentateurs s'obstinent à le voir donner un coup de pouce à Jacques Chirac. Lui le nie. Se contentant de commenter : « Ça serait pittoresque de voir Jacques Chirac à l'Élysée. » Chirac et Balladur? « Ils s'arrangeront entre eux », assure-t-il [1]. Lors de l'inauguration de l'exposition Carthage au Petit Palais à Paris, il a devisé gaiment avec son neveu Frédéric et le maire de Paris. Amabilités purement formelles. La rumeur des intellos chiraquo-mitterrandiens enflant dans le microcosme, le Président décide de couper court en avançant la publication de son entretien, préparé depuis plusieurs semaines, avec Franz-Olivier Giesbert.

Il s'agacerait même qu'on puisse le rendre responsable de tels ralliements. « Absurde, totalement absurde. Chacun a le droit de voter ce qu'il veut. Mais ce que les gens oublient, c'est que ni Pierre Bergé ni Frédéric mon neveu n'ont jamais été de gauche [2]. » Puis, coquet, il ajoute : « Mais si je me présentais, ils voteraient tout de même pour moi. »

Entre Balladur et Chirac son cœur balance-t-il? « Chirac a plus d'énergie. Il est plus sympathique que Balladur. Mais à gauche, il ne doit pas mordre beaucoup. Cette histoire des ralliements est à interpréter comme une campagne contre moi. Ceux qui soutiennent Chirac n'ont jamais été socialistes. On ne peut donc pas dire qu'ils aient changé de camp. » La différence entre les deux cohabitations? Pff... Il en bâille d'avance. Mais consent à lâcher : « Avec Balladur, tout

---

1. 29 mars 1995.
2. 17 mars 1995.

de même, c'était plus calme. Chirac, pour le moment, met la pédale douce. Mais pour le moment et seulement en ce moment. »

La veille il a repris la cérémonie des décorations. Encore une fournée de vingt-cinq personnes. Le temps presse. Mais il a voulu faire, contrairement à l'avis de ses médecins, un petit discours à chacun au risque de l'évanouissement. Pourquoi? « Mais moi je fais ce qui me plaît. Vous vous souvenez de la mort de Molière? On transportait le corps à bout de bras, ah ça avait de la gueule... Si j'avais été encore valide, j'aurais pu jouer cette dernière partie et si j'avais voulu la jouer, j'aurais su la jouer, j'aurais même pu la gagner. Mais on ne se donne pas en spectacle quand on se trouve dans ma situation. Tout compte fait, ces derniers temps, entre l'interdiction des essais nucléaires et la saisie du Conseil supérieur de la magistrature, je n'ai tout de même pas chômé. C'est pour montrer que je sers encore à quelque chose. »

L'administration est en sommeil, le gouvernement ne fait plus rien, le Conseil des ministres accuse un électroencéphalogramme plat. « Rien que de plus normal », dit Mitterrand, qui précise qu'en politique étrangère, et pour la machine de l'État, tout fonctionne normalement. Le palais de l'Élysée est de plus en plus déserté. Rangements, classements, certains conseillers évacuent même des cartons par centaines après avoir constaté que certains documents qu'ils avaient préparés, pour Jospin ne sont même pas demandés. Comme une plante qui s'étiole faute d'être arrosée, la vie à Élysée se ralentit inexorablement. Sans drame particulier. En coulisses, les derniers acteurs préparent le baisser de rideaux. En 1988, le palais ressemblait à une ruche : préparation des meetings, décryptage des discours, organisation de la campagne. Autrefois quartier général pour futur présidentiable, le palais prend aujourd'hui des allures de musée un peu abandonné.

L'hiver se traîne. Mitterrand est parti, en grand secret, pour l'Égypte « chercher le soleil », dit-il. Il n'a confié la destination de son voyage qu'à Anne Lauvergeon – à qui il a dit qu'il était là-bas ni de manière officielle, ni de manière privée. Elle a su décoder. Une belle photographie le montre à la une du *Figaro* (encore *Le Figaro*!) avec un canotier, souriant. On se croirait dans une séquence du film *Mort à Venise*. L'éternité du souvenir devient son seul rivage. Mitterrand s'ensable. Il continue à mettre de l'ordre. L'autre jour il est retourné dans le pays de son enfance inaugurer un centre culturel pour lequel il a fait don d'estampes, de lithographies, de sculptures : « Vas-y, Tonton, c'est bon! », criaient des petits vieux quand il a traversé la place de Jarnac après avoir rendu les saluts militaires. « Ce jour-là, se souviendra François Mitterrand quelques jours plus tard, la lumière jouait dans une atmosphère chargée. Le ciel était très beau. Je suis né dans une maison qui appartenait à mes grands-parents. A l'époque on accouchait dans les maisons. Le docteur habitait de l'autre côté de la rue. Mon frère Jacques, lui, est né dans une gare. Je suis allé à l'école là-bas et j'y suis resté jusqu'à mes dix-sept ans quand je suis devenu étudiant. J'ai pensé revenir m'établir dans le pays de mon enfance, mais l'été la chaleur y est lourde et humide et cela me rendait aboulique. J'y utilisais mal le temps, dévoré par l'envie de ne rien faire. Mais, au fur et à mesure que je vieillis, je m'attache davantage à Jarnac, c'est la seconde fois en quatorze ans que j'y viens dans le cadre d'une visite officielle, mais je m'y rends souvent pour des réunions de famille. On y parle du pays, de l'état du vignoble, des souvenirs de notre enfance, des saisons. Cela n'arrive que très rarement que l'on discute politique. On ne se querelle pas pour ces raisons-là. Ils sont plutôt modérés de ce côté-là, les membres de ma famille ».

Paul Legatte a fait son dernier déjeuner dans la salle

à manger du 2, rue de l'Élysée. Il avait invité un préfet, un P-DG, une des sœurs du Président, son anesthésiste et son chirurgien. Repas tristounet. La nostalgie n'est plus ce qu'elle était. Et l'après? « J'irai comme les animaux mourir dans mon territoire. Encore une minute, monsieur le bourreau. Et de loin, un ultime adieu à François Mitterrand, son vieux compagnon. Un rendez-vous? Non, sûrement pas, je n'ai rien à lui dire qu'il ne sache déjà. »

François Mitterrand dit qu'il n'a pas songé à sa manière de s'en aller de l'Élysée. A minuit, le 21 mai, dernier délai. C'est tout. Il partira d'ici, dit-il, sans avoir été transformé par le pouvoir qu'il a exercé, et la conscience tranquille.

L'état-major élyséen prépare la dernière grande intervention internationale de François Mitterrand. Ce sera au sommet social de Copenhague. Mettre ensemble les décideurs de la planète pour aborder les questions sociales est une idée qu'il avait lancée en janvier 1992 au sommet du Conseil de sécurité à New York. La date de cette réunion a été fixée en tenant compte de celle du départ de François Mitterrand. Jusqu'au dernier moment, dans l'avion, François Mitterrand a repris son discours : « Laisserons-nous le monde se transformer en un marché global, sans autre loi que celle du plus fort, sans autre objectif que la réalisation du maximum de profit en un minimum de temps? » Dans l'hémicycle, il a très vite quitté son texte pour apostropher l'assemblée des puissants : « Mais êtes-vous prêts à prendre vos responsabilités? Des rencontres comme celles-ci ne sont-elles que des faux-semblants? Tenons-nous une comédie à la face du monde? Ou sommes-nous vraiment décidés à placer le social au rang de la paix et de l'économie? » Le juriste doublé du tribun, le survivant de cette race ancienne d'hommes politiques, fut longuement ovationné. Autour de la grande salle de conférences, deux mille personnes, délégations, ONG, associations du monde entier, devant les téléviseurs, ont applaudi. Comme un vieux sage, il a ensuite reçu les remerciements des chefs d'État d'Afrique et d'Amérique latine venus l'entourer. Difficile d'imaginer le prestige que la France peut avoir hors de nos frontières. Il reste peu de temps pour suivre les deux propositions qu'il a concrètement avancées : aider les pays prêts à respecter les droits fondamentaux des travailleurs et inclure une représentation des forces sociales dans les institutions financières européennes. Mais Mitterrand a demandé à son équipe de mettre en place des groupes de pression en Amérique et en Europe qui travaillent à les faire avancer.

Mitterrand vient de faire ses adieux à la scène internationale, mais il bousculera – un peu –, une fois encore, le jeu diplomatique international en invitant à déjeuner un vieux macho révolutionnaire fripé qui nous a désenchanté. Un déjeuner privé, s'il vous plaît. Pas de tapis rouge, pas de gardes républicains. Un petit entracte, en somme. Une halte gastronomique, certainement, pour Castro, qui a exceptionnellement consenti à manger la cuisine de l'Élysée, lui qui d'habitude, par peur d'être empoisonné, ne mange que la cuisine congelée de son cuisinier. Fidel s'est donc laissé aller à la douceur des cailles chaudes au foie gras. Danielle n'était pas du repas. Danielle a troublé le jeu, dit l'équipe rapprochée du Président. « Danielle fait ce qu'elle sent », rétorque le Président. Danielle aime les hommes qui ont la barbe qui pique. Quelle drôle d'idée, dit son époux. L'époux de Danielle n'est tout de même pas content de voir l'indulgence qu'accorde son épouse à un homme qu'il qualifie de dictateur :

« Contrairement à ma femme, je pense que Castro est un dictateur. Les mots ont un sens. Castro est un tyran. Chez lui, pas de pluralisme de partis, pas de presse libre, pas d'élections libres. Castro est un tyran, mais son pays est étranglé par le blocus américain qui a tout empêché et dont je ne vois pas aujourd'hui la nécessité. C'est donc quelqu'un qu'il faut aider sans pour autant avoir la moindre indulgence pour la réalité. Cela faisait dix ans que je voulais l'inviter. Je souhaitais que cela se situât dans le cadre d'une tournée européenne : Espagne, Suède, et pas seulement la France. Cela ne s'est pas fait. J'ai donc saisi l'occasion de ce sommet. Je constate, en lisant la presse, que je suis fortement critiqué parce que je l'ai invité. On se dit : voici les dernières lubies d'un vieillard, d'un vieillard déjà hors jeu qui brouille les cartes... On me pardonne ainsi à moitié. »

Il restera donc jusqu'au bout. Les souffrances ont diminué. Comme il dit, « j'ai réduit le champignon atomique que j'ai à l'intérieur de moi-même ». Il sort de moins en moins, lit de plus en plus – René Char, Victor Hugo –, plusieurs livres en même temps. Il accomplit ses dernières tâches de Président : dernier dîner d'État avec le Président coréen, derniers discours à la Mutualité, préparation du 8 mai. De plus en plus en tête à tête avec lui-même, il saisit tous les signes de vie : le printemps qui surgit, les petites promenades chronométrées sur l'avenue des Champs-Élysées incognito – « Les gens ne font plus attention à moi. Je peux marcher tranquille » –, les discussions enflammées avec sa fille – « Oh! elle a du tempérament », dit-il avec admiration –, la relecture des philosophes...

Alors le bilan?

« Je ne veux pas faire mon bilan. C'est l'histoire qui dira. Il existe cependant des choses qui prennent aujourd'hui plus de relief : l'abolition de la peine de mort, le train de mesures sociales de 1982, la création du RMI, mais aussi la signature de plusieurs traités importants pour la construction de l'Europe. Je suis aussi très content de certains de mes grands travaux, fier d'avoir réveillé l'architecture française. Aujourd'hui même, je vais inaugurer la Bibliothèque de France. Sur le plan de la justice, j'ai supprimé les tribunaux d'exception, sur le plan des codes, j'ai établi un peu mieux l'égalité de l'homme et de la femme.

« Alors, bien sûr, dans ces deux septennats, il y eut deux cohabitations. Mais la cohabitation fait partie de la démocratie. Dans de nombreux pays, il existe des pouvoirs antagonistes, je pense par exemple aux USA ou au Portugal. La cohabitation c'est un fait. Il faut faire avec.

« Vous me demandez si le fait d'avoir occupé pendant quatorze ans la plus haute charge de l'État m'a changé ? Quand je considère actuellement ceux qui briguent ma succession, je vois qu'ils en ont vraiment envie et qu'être Président de la République semble être pour eux un marchepied. Souvenez-vous que le premier Président de la République est devenu dictateur... Moi, j'ai l'impression que l'expérience ne m'a pas changé. Il faut dire que j'y avais beaucoup réfléchi. J'avais eu le temps de méditer ce que voulait dire être chef de l'État. Je me suis présenté deux fois sans être élu. Je l'ai été deux fois. Et puis j'ai été trente-cinq ans parlementaire, sept ans membre du gouvernement, je connaissais l'ensemble du personnel politique.

« Tous ceux qui parlent de dérive monarchique à mon propos sont des rigolos. Il existe des garde-fous partout. J'en ai rajouté d'autres, dont l'un des plus importants est la décentralisation.

« L'Élysée est un endroit de pouvoir sans aucun doute, mais ce n'est pas tout le pouvoir. Pendant mes deux septennats, le pouvoir de la justice est resté intact, celui de la presse a augmenté : j'ai libéré la radio et la télévision de l'emprise gouvernementale. J'ai cassé le monopole. Ce sont des contre-pouvoirs que j'ai volontairement ressuscités, et qui ont pu se retourner contre moi. Mais tout cela était prévu. Je ne regrette rien, même si des propos fous ont été tenus à mon égard. Il fallait le faire.

« Je prétends, et c'est un de mes motifs d'orgueil les plus importants, n'avoir jamais pratiqué l'abus de pouvoir. Mes pires ennemis peuvent toujours chercher, ils ne trouveront pas. Vous me demandez comment je définis l'abus de pouvoir ? Cela veut dire sortir du droit pour imposer sa volonté et faire triompher ses intérêts. Je vous le répète, ils peuvent chercher, ils ne trouveront pas. Aujourd'hui, la liberté de la presse est déjà remise en cause. Le mal est déjà fait pour les radios et les télés. Balladur a mis la main dessus. Mais aujourd'hui cela lui échappe. On est déjà revenu au règne de l'abus de droit, mais cela se fait hypocritement. Aujourd'hui, la droite est majoritaire partout et active. L'espoir pour la gauche? S'il y avait un grand souffle à gauche, quelqu'un qui sache faire écrouler les colonnes du temple, alors on pourrait rêver...

« Aujourd'hui, j'entends des gens de la gauche qui me critiquent sur mon attitude pendant les deux cohabitations. J'ai pu, pendant la première, agir contre le gouvernement par les ordonnances car je n'étais pas obligé, de par la loi, de les signer. Pour les lois, je suis comme un notaire. On est dans une République parlementaire. C'est le Parlement qui vote la loi. Ceux qui se disent appartenir à la deuxième gauche clament haut et fort que le second septennat fut une erreur profonde. A ceux-là, je réponds que Rocard fut Premier ministre pendant les trois premières années. Le moins qu'on puisse dire est qu'il ne m'a pas arrangé. Le second septennat n'a eu la majorité à l'Assemblée que pendant cinq ans, et Rocard a bénéficié de trois années prospères.

« Je ne nierai pas qu'il y eut beaucoup de choses condamnables, des choses que moi-même je condamne. Les affaires en premier lieu. Encore une fois, je le dis, elles sont condamnables. Mais n'oublions pas que toutes les lois contre la corruption sont venues de nous. Et n'allez pas me sortir Pechiney, Pelat. Je n'ai rien à voir avec cela. Il se trouve que j'ai connu un homme qu'on a accusé de spéculation. Je suis étonné de ne pas en avoir connu davantage.

« Beaucoup de choses importantes ont pu se faire sous mon second septennat : notamment la conclusion de l'Europe, la présence de la France au sein de l'OTAN, la politique africaine tant contestée aujourd'hui mais dont je m'enorgueillis.

« L'heure du bilan n'a pas encore sonné. Ce sera à vous tous de juger. De toute façon, ce n'est pas parce que je vais partir de l'Élysée que je ne vais plus exister. Je n'ai pas l'intention de m'exiler. »

C'était le dernier entretien. Il m'a proposé ensuite d'aller marcher. Il m'a demandé le titre du livre. Et, droit dans les yeux, m'a questionnée. « L'année des adieux. » Les adieux à la vie politique? Ou à la vie tout court?

Longue vie à vous, monsieur l'ex-Président.

Plus le temps passe, plus il se rend compte que certains adversaires politiques, confortés par une partie des milieux médicaux, ont misé sur sa disparition en décembre dernier. « Ah! les funérailles nationales, j'imagine. » Il en rit encore comme un enfant facétieux qui a joué un bon tour. « Je n'ai pas encore le pied dans la tombe. D'ailleurs, je ne pars pas d'ici pour mettre le pied dans la tombe. » Il organise l'après. Il range. Surtout les livres, c'est le plus long, et puis aussi quelques costumes, déjà emportés rue de Bièvre. Il vient de trouver, avec l'aide de son directeur de cabinet, un appartement où il pourra vivre et travailler. Il a choisi qui l'accompagnerait : « Les deux jeunes du secrétariat particulier, Jean Kahn, un excellent juriste, et avec lui on ne s'ennuie pas, Dominique Bertinotti, l'archiviste-historienne qui prépare les dossiers. »

Des Mémoires? Sûrement pas : « Je n'en ai pas envie

et je n'ai plus assez de temps. » Comment il partira ? Il n'y a pas pensé. La question même le fait sourire. « Pas à pied comme Giscard. » Sans doute comme il est arrivé en 1981, avec Pierrot, tous les deux seuls à traverser Paris jusqu'à la rue de Bièvre. Pierrot espère qu'il fera aussi beau. Il aura pris soin de lui acheter son journal sportif préféré. En commentant le dernier match de foot, ils franchiront la Seine après avoir quitté l'Élysée, où il ne retournera plus jamais. Sans mélodrame, sans état d'âme particulier – « Vous savez, j'ai eu le temps de m'y préparer » –, sans gaieté de cœur non plus – « Tant de choses restent à faire, tant de combats à mener. » Mais il y a une vie après...

Je remercie pour le temps et la confiance qu'ils m'ont accordés :

Au palais de l'Élysée : Anne Lauvergeon, Marie-Claire Papegay, Hubert Védrine, Jean-François Mary.

Ghislain Achard, Thierry de Beaucé, Maurice Benassayag, Thierry Bert, Dominique Bertinotti, Perrine Canavaggio, Françoise Carle, Jean-Yves Caullet, le colonel Chapel, Michel Charasse, Pierre Chassigneux, Christine Cottin, Gérard Courtin, Yves Dauge, Paule Dayan, Paulette Decraene, Bruno Delaye, Christiane Dufour, Georgette Elgey, Jean-Marc Gentil, Gaëtan Gorce, le docteur Gübler, Joëlle Jaillette, Louis Joinet, Daniel Jouanneau, Jean Kahn, le docteur Kalfon, Serge Lafont, Bernard Latarjet, Jean Lavergne, Jacques Lebeau, Jean-Claude Lebossé, Yvette Lebrigand, Paul Legatte, Jean Lévy, Dominique Marcel, Béatrice Marre, Jean Musitelli, Christian Nique, Elisabeth Normand, Joël Normand, Muriel de Pierrebourg, Édith Prezelin, le général Quesnot, Caroline Raillard, Michel Roy, Laurence Soudet, Jean-Cyril Spinetta, le docteur Tarot, Isabelle Thomas, Pierre Tourlier, Jean Vidal, le général Vougny.

Ainsi que : Irène Dayan, Pierre Bergé, Jean-Louis Bianco, André Rousselet.

Remerciements particuliers à Christine Lhérault, Françoise Verny, Alain Veinstein, Sophie Berlin.

Cet ouvrage a été réalisé par la
SOCIÉTÉ NOUVELLE FIRMIN-DIDOT
Mesnil-sur-l'Estrée
pour le compte des Éditions Flammarion
en avril 1995

Imprimé en France
Dépôt légal : mai 1995
N° d'édition : 16034 – N° d'impression : 30714